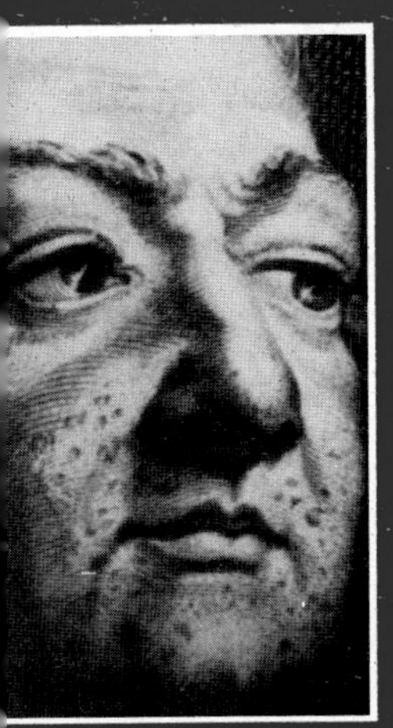

irabeau

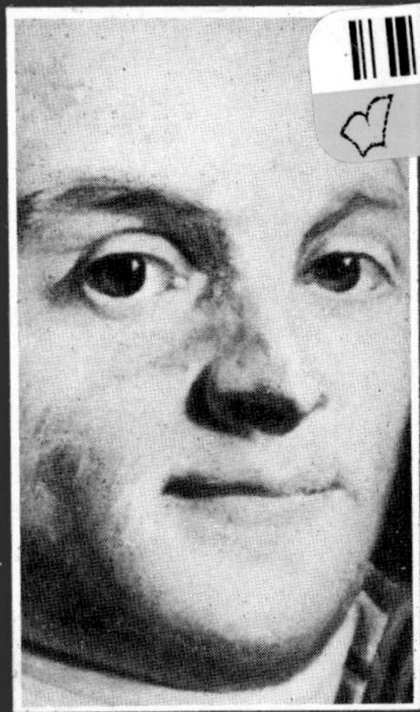

Robespierre

Mme Roland

ateaubriand

Talleyrand

Fouché

ugo

Thiers

Clemenceau

PRÉSENCE DE L'HISTOIRE

COLLECTION HISTORIQUE
dirigée par ANDRÉ CASTELOT

LES FACE A FACE
DE L'HISTOIRE

OUVRAGES DU MEME AUTEUR

Chez le même éditeur

Histoire des Françaises, 2 volumes
Blanqui l'Insurgé
Dossiers secrets de l'Histoire
Nouveaux dossiers secrets
La Castiglione, dame de cœur de l'Europe, *d'après sa correspondance et son journal inédits*
Letizia. Napoléon et sa mère, *couronné par l'Académie française*
Les Grandes Heures de Versailles, *grande médaille d'or de la ville de Versailles*
Grandes aventures de l'Histoire, prix *Plaisir de lire*
Offenbach, roi du second Empire
Les Heures brillantes de la Côte d'Azur
Grands mystères du passé
Grands secrets, grandes énigmes
Histoire de la France et des Français au jour le jour, 8 volumes (en collaboration avec André Castelot, Jacques Levron et Marcel Jullian)

Chez d'autres éditeurs

Le Livre de la famille impériale (en collaboration avec André Castelot et le général Koenig) (Plon)
Amours du second Empire (Hachette)
Cet autre Aiglon, le prince impérial (Presses Pocket)
L'Enigme Anastasia (Presses Pocket)
La Conspiration du général Malet (Presses Pocket)
La Belle Histoire des marchands de Paris (hors commerce)
Grands mystères du passé, édition de luxe (Trévise)
Grands secrets, grandes énigmes, édition de luxe (Trévise)
La Médaille militaire (épuisé)
Louis XVII retrouvé (épuisé)

Théâtre

Les Rosenberg ne doivent pas mourir (Perrin)

ALAIN DECAUX

LES FACE A FACE DE L'HISTOIRE

De Louis XIV à Clemenceau

Iconographie d'Hubert Decaux

Librairie Académique Perrin

ISBN 2-262-00063-8

A Bernardine Melchior-Bonnet

Aujourd'hui, l'interview est devenue un art et le journaliste un inquisiteur. Impossible au questionné de se défendre contre le feu roulant des interrogations insidieuses. La mode est d'aller loin et même, comme on imprime, plus loin.

Quand on lit, quand on entend les portraits ainsi restitués, on se prend à regretter que la méthode soit si récente. Que n'est-on allé « plus loin » avec tant de personnages du passé sur qui nous voudrions en savoir davantage !

Un tel regret est à l'origine de ce livre. Au vrai, les *grands* se sont beaucoup confiés. Ils se sont racontés, ils ont exprimé leurs opinions. Tout cela, malheureusement, se trouve épars dans des Mémoires, des correspondances, des témoignages de contemporains.

Pour chacun des personnages que l'on trouvera ici évoqués, j'ai voulu dépister, au milieu de ces textes souvent peu accessibles, les réponses aux questions que nous nous posons sur eux. Ce qui m'a permis, moi, vivant, de m'entretenir avec des morts. Exercice, je le confierai, singulièrement excitant pour l'esprit.

Qu'on le sache bien, si les questions sont imaginaires — bien sûr ! — les réponses restent textuellement celles qui viennent de mes « interviewés ». Pas un mot n'a été changé. La seule licence que je me sois permise, c'est de modifier parfois certains temps, de transposer au présent ce qui était au passé, ou réciproquement. Encore n'ai-je usé que très rarement de cette liberté.

Je tiens à remercier — de tout cœur — Maurice Dumoncel, qui a voulu, pour *Historia,* que ce livre soit écrit.

A.D.

I

LOUIS XIV

Bousculé, pressé de toutes parts, ahuri, je piétinais sur le plus précieux parquet du monde. J'avais commis une folie : me rendre à Versailles un lundi de Pâques. En sortant du palais, ma résolution était prise. Jamais plus !

Pour moi, Versailles représente plus qu'une passion : une nécessité. Adolescent, je passais dans le parc des journées entières, à la recherche de l'Histoire, à la rencontre de la beauté. Depuis lors, cinq à six fois par an, le pèlerinage à Versailles s'inscrit dans ma vie. Je crois que si l'on m'ôtait Versailles, je me sentirais orphelin. Attirance singulière, mais explicable : Versailles est unique.

D'où l'acte irraisonné de cette visite soudainement décidée, le lundi de Pâques. D'où ma déception, d'où ma colère. A Versailles, ce sont des ombres que je cherche. Au milieu de la multitude, comment les discerner ?

Je regardais la foule s'écouler, regagnant en rangs pressés les cars et les voitures agglutinés sur la place. Et soudain, une image se présenta devant mes yeux : celle d'une autre foule, d'une autre cohue. Au vrai, le Versailles de Louis XIV s'identifie très exactement à celui que je venais de quitter. Après que la cour se fut installée là en mai 1682, dix mille personnes sont venues vivre dans le palais ou dans les hôtels qui se construisaient en ville. Versailles, au temps de la robuste quarantaine de Louis XIV, c'est la famille

◀ *L'effigie peut-être la plus saisissante du Roi-Soleil : la « tête de cire », par Antoine Benoist* (Musée de Versailles). Photo Bulloz.

royale, bien sûr, ce sont les grands seigneurs de moindre rang, leurs épouses. Mais surtout l'incroyable peuple de gentilshommes, de laquais, de soldats, d'huissiers, de suisses, de domestiques. Tout cela va, vient, se croise, se mêle. Parfois, dans les couloirs, la famille royale ne peut se frayer un passage, tant la presse est extrême. Un prince du sang manque un jour d'étouffer. Comme moi, ce lundi de Pâques...

Si d'aventure vous m'imitez, si vous visitez Versailles un jour de fête, consolez-vous, vous aurez retrouvé l'ambiance du Grand Siècle. Celle que connut Louis XIV.

Elle est partout, l'ombre écrasante. Dans la cour, cependant que l'on avance sur les antiques pavés, on tend le cou vers sa statue. Dans le palais, on croit le voir à chaque étage, dans chaque escalier, à l'entrée de chaque salon. Dans le parc, il surgit de chacune des allées. Ce château, il l'a voulu, de toutes ses forces, de toute son âme. Et ce château, finalement, reste son meilleur reflet.

Puisque mon propos est d'interroger des ombres, comment envisagerais-je de rencontrer Louis XIV ailleurs qu'à Versailles ? Comment l'imaginer mieux que traversant la galerie des Glaces pour se rendre à la chapelle ? Le voici, simplement vêtu. Sauf les jours de parade, quand il lui faut se mettre en scène, ce grand roi affectionne une tenue sans luxe dont La Bruyère s'est déclaré frappé : une culotte et un habit de drap brun ou de velours noir, orné d'une broderie légère. Une veste — long gilet brodé — rouge, verte ou bleue. Sous l'habit, le cordon bleu. Une épée au côté, un large chapeau de feutre à plumes blanches, une main gantée qui s'appuie sur une longue canne à pommeau d'or. L'Italien Locatelli s'est étonné, lui aussi : « Sans la place qu'il occupait, je ne l'aurais pas reconnu au premier abord, car le prince de Condé et certains ducs et pairs étaient mieux vêtus que lui. » N'importe, il y a l'allure. Inégalable, cette allure, celle

Une tenue sans luxe dont La Bruyère s'est déclaré frappé...
(Musée Carnavalet).

de la majesté. Dès l'adolescence, il a senti l'impérieuse nécessité de rendre la personne du roi si haute qu'aucun de ses sujets n'ose plus la discuter. Délibérément, tous ses gestes ont été calculés. Il a été jusqu'à vouloir paraître physiquement grand, lui qui était petit : un mètre soixante environ. Il s'est juché sur onze centimètres de talons, a surmonté sa tête d'une perruque de dix à quinze centimètres. De la sorte, l'homme qui s'avance dans la galerie des Glaces mesure un mètre quatre-vingt-trois à un mètre quatre-vingt-huit. Comme l'a dit l'Anglais Thackeray, après une visite à Versailles : « Ainsi donc ce sont les perruquiers et les savetiers qui font les dieux que nous adorons... »

A ce persiflage, je préfère Saint-Simon : « Au milieu de tous les autres hommes, sa taille, son port, les grâces, la beauté et la grand-mine qui succéda à la beauté, jusqu'au son de sa voix et à l'adresse, et la grâce naturelle et majestueuse de sa personne le faisaient distinguer, jusqu'à sa mort, comme le roi des abeilles... »

Donc, le voici, cheminant au milieu de la foule. Il salue. Il reconnaît tel ou tel, lui dit un mot. Certains s'enhardissent, s'approchent, présentent une requête, sollicitent une protection. Voilà qui est pour nous étonner, hommes du XXe siècle, cette facilité avec laquelle ce potentat se laisse aborder. Saint-Simon tempère notre admiration quand il précise que ces entretiens, très brefs, ne duraient qu'un instant. Jamais le roi ne s'arrêtait. Il fallait courir auprès de lui. Impossible, dans ces conditions, de lui faire entendre quoi que ce fût d'important. Il coupait court avec son célèbre : « Je verrai. »

C'est vers son cabinet que le roi se dirige. La pièce est voisine de sa chambre, à gauche si l'on regarde la cour de Marbre. C'est là qu'il tient conseil. Le dimanche, et souvent le lundi, c'est le conseil d'Etat. Le mardi, le conseil de finances. Le mercredi, conseil d'Etat, le samedi, conseil de finances. Parfois, mais rarement, il y a deux conseils dans la journée. Ces conseils représentent l'essentiel de la vie de Louis XIV. Il travaille jusqu'à huit heures par jour. Mais, au sortir du conseil, il lui arrive de passer six heures de suite à approfondir un point difficile. Un ambassadeur a écrit : « Il s'applique extraordinairement aux affaires, avec l'émotion la plus vive. » Son ministre Colbert a pris pour devise *Laboremus,* « travaillons ». Ce pourrait être la devise du maître.

Dans ce même cabinet, il accorde des audiences. En 1706, Saint-Simon, après sa disgrâce, y a été reçu. Il a trouvé le roi seul, « et assis sur le bas bout de la table du conseil, qui était sa façon de faire quand il voulait parler à quelqu'un à son aise et à loisir ».

Je sais bien que l'on n'interroge pas un roi. D'autant plus quand il se nomme Louis XIV ! Mais qui m'empêche de rêver ? De me voir à la place de Saint-Simon ? D'imaginer que, moi aussi, je trouve le roi seul dans son cabinet, assis sur le « bas bout » de la table du conseil ?

Deux fenêtres, ouvrant sur la cour de Marbre. Des gemmes sur les murs, multipliées par des glaces. Trois tableaux de Poussin, un de Lanfranco. Une table d'albâtre, une console de bronze doré surmontée d'une pendule. Un clavecin, rehaussé de peintures, car, parfois, le roi reçoit dans son cabinet des musiciens ou des écrivains. Quatre portières de brocart d'argent, une table pour le conseil avec un dessus de velours vert, trois fauteuils, douze pliants — pour les ministres — un paravent, un lit de repos. Ce dernier date de la tumeur du roi, en 1686. Louis XIV, à quelques reprises, n'a pas pu présider le conseil assis. Comme il n'était pas question qu'il s'abstînt de tenir conseil — il l'a fait le soir même de son opération de la fistule — il se servait de ce lit.

Il est là, devant moi, tel que la figure de cire aujourd'hui conservée à Versailles nous en restitue l'image, prodigieusement. Que ressent-on quand on est roi ? C'est la première question que je lui pose. Et il répond :

— Le métier de roi est grand, noble et délicieux quand on se sent digne de bien s'acquitter de toutes les choses auxquelles il engage, mais il n'est pas exempt de peines, de fatigues, d'inquiétudes.

C'est à ce métier qu'il a tout sacrifié. On sait combien il a aimé le plaisir, les fêtes, les femmes, la chasse. Consciemment, il a toujours fait passer le travail avant ses goûts. Dès son adolescence, il assaillait Mazarin de questions, jusqu'à étonner le vieux cardinal. Depuis, ce sont ses autres ministres qu'il interroge. Ils sont comme dressés à lui répondre.

— Sire, vous avez pris l'habitude de vous informer longuement sur chaque chose. Dans quel dessein ?

— Délibérer à loisir sur toutes les choses et en prendre conseil de différentes gens n'est pas, comme les sots se l'imaginent, un témoignage de faiblesse ou de dépendance, mais plutôt de prudence et de solidité.

— Entendre l'opinion des ministres, n'est-ce pas d'une certaine manière nier le pouvoir personnel ?

— Gouverner soi-même et n'écouter aucun conseil serait une autre extrémité aussi dangereuse que celle d'être gouverné. Les particuliers les plus habiles prennent aussi d'autres personnes habiles dans leurs petits intérêts. Que sera-ce des rois qui ont en main l'intérêt public et dont les résolutions font le mal et le bien de toute la terre ?... Notre élévation nous éloigne en quelque sorte de nos peuples dont nos ministres sont plus proches, capables de voir par conséquent mille particularités que nous ignorons.

— Mais la décision suprême ?

— Quand les ministres nous ont rapporté tous les partis et toutes les raisons contraires, tout ce qu'on a fait ailleurs en pareil cas, tout ce qu'on a fait autrefois et tout ce qu'on peut faire aujourd'hui, c'est à nous de choisir ce qu'il faut faire en effet. Ce choix-là, j'oserai vous dire que, si nous ne manquons ni de sens ni de courage, nul autre ne le fait mieux que nous.

— Votre Majesté pense donc que les princes sont par essence au-dessus des autres hommes ?

— Pour commander aux autres, il faut s'élever au-dessus d'eux.

— L'autorité des princes aurait-elle été voulue par Dieu ?

— Celui qui a donné des rois aux hommes a voulu qu'on les respectât comme ses lieutenants, se réservant à lui seul le droit d'examiner leur conduite... Il n'est pas de maxime plus établie par le christianisme que l'humble soumission des sujets envers ceux qui leur sont préposés.

— Certains princes laissent d'autres régner en leur nom.

— Dès l'enfance même, le seul nom de roi fainéant et de maire du palais me faisait peine quand on le prononçait en ma présence.

— Les rois n'auraient-ils aucun compte à rendre à leurs sujets ?

— J'ai fait quelque réflexion à la condition, en cela

dure et rigoureuse, des rois qui doivent, pour ainsi dire, un compte public de toutes leurs actions à tout l'univers et à tous les siècles et ne peuvent toutefois le rendre à qui que ce soit dans le temps même, sans manquer à leurs plus grands intérêts et découvrir le secret de leur conduite.

— Et la nation ?

— La nation ne fait corps en France, elle réside entièrement dans la personne du roi. L'Etat, c'est moi.

Voilà une réponse catégorique. Venant de lui, qui s'en étonnera ? Intéressante, sa réponse sur les rois fainéants. Louis XIV n'a jamais montré beaucoup d'estime envers la mémoire de son père, Louis XIII. Quant à Richelieu, qui a exercé en fait le pouvoir royal — et de si admirable façon —, le roi n'éprouvait guère pour lui, comme l'a souligné Louis Madelin, qu'une sorte de « haineuse rancune ».

De là cet autre aphorisme catégorique du Roi-Soleil :

— Je résolus sur toutes choses de ne point prendre de premier ministre... rien n'est plus indigne que d'avoir d'un côté toutes les fonctions et de l'autre le seul titre de roi.

Je regarde autour de moi. Comment, dans ce cadre, ne pas penser à l'exercice du pouvoir ? L'art suprême de Louis XIV, peut-être, a été le choix de ses ministres. Quelle extraordinaire équipe ! Le Tellier, le doyen, Hugues de Lionne, dont Saint-Simon a dit qu'il était « le plus grand ministre du règne de Louis XIV », l'admirable Colbert, Louvois plus tard.

Il s'explique :

— Nous ne pouvons pas faire tout, mais nous devons donner ordre que tout soit bien fait, et cet ordre dépend principalement du choix de ceux que nous employons. Dans un grand Etat, il y a toujours des gens propres à toutes choses et la seule question est de les connaître et de les mettre à leur place.

— Votre Majesté n'a appelé au conseil aucun membre de sa famille, aucun des grands du royaume.

— Il n'était pas de mon intérêt de prendre des sujets d'une qualité éminente. Il fallait avant toute chose établir ma propre réputation et faire connaître au public, par le rang même d'où je les prenais, que mon intention n'était pas de partager mon autorité avec eux. Il m'importait qu'ils ne conçussent pas eux-mêmes de plus hautes espérances que celles qu'il me plairait de leur donner : ce qui est difficile aux gens d'une grande naissance.

— Oserais-je demander à Votre Majesté si, pour trancher entre les avis de ses ministres, elle a une méthode ?

— La fonction des rois consiste principalement à laisser agir le bon sens, qui agit toujours naturellement et sans peine... L'incertitude désespère quelquefois, et quand on a passé un temps raisonnable à examiner une affaire, il faut se déterminer à prendre le parti qu'on croit le meilleur.

Amusant, non, cet éloge du bon sens par Louis XIV ? On a accoutumé d'appliquer l'expression à son lointain successeur Louis-Philippe. Mais il y a beaucoup de sagesse dans une telle profession de foi. Bien des régimes sont morts parce qu'ils avaient oublié le bon sens. Et voici un autre avis, né évidemment de ce bon sens érigé en règle :

— En toutes les entreprises justes et légitimes, le temps, l'action même, le secours du ciel ouvrent d'ordinaire mille voies et découvrent mille facilités qu'on n'attendait pas.

Je pense à son avènement, le vrai, après la mort de Mazarin. Je pense à la scène fameuse, le président de l'Assemblée du clergé se présentant devant le jeune roi pour lui demander à qui, après la mort du cardinal, il devait s'adresser :

— A moi, monsieur.

Au début, il n'avait pas voulu changer les hommes, attendant de pouvoir les juger. Même, il avait gardé Foucquet comme surintendant des finances.

— Pour Foucquet, on pourra trouver étrange que j'aie voulu me servir de lui quand on saura que dès ce temps-là ses voleries m'étaient connues, mais je savais qu'il avait de l'esprit et une grande connaissance du dedans de l'Etat ; ce qui me faisait imaginer que, pourvu qu'il avouât ses fautes passées et qu'il me promît de se corriger, il pourrait me rendre de grands services. Cependant, pour prendre avec lui mes sûretés, je lui donnai dans les finances Colbert pour contrôleur, sous le titre d'intendant, homme en qui je prenais toute la confiance possible.

— Votre Majesté fut-elle vite convaincue des malversations du surintendant ?

— Ce qui le rendait plus coupable envers moi était que, bien loin de profiter de la bonté que je lui avais témoignée en le retenant dans mes conseils, il en avait pris une nouvelle espérance de me tromper.

— Le gaspillage des deniers publics était alors gigantesque ?

— L'humeur déréglée de Foucquet lui avait toujours fait préférer les dépenses inutiles aux nécessaires... Il ne pouvait s'empêcher de continuer ses dépenses excessives, de fortifier des places, d'orner des palais, de former des cabales.

Je pense à l'arrestation de ce Foucquet qui se croyait tout-puissant. Celle-ci était décidée. Foucquet était venu au château de Nantes travailler avec le roi comme à son habitude. Le roi n'avait rien laissé paraître, parlant tranquillement de finances. Mais il guettait, par la fenêtre de son cabinet, l'arrivée de d'Artagnan, lieutenant des mousquetaires gris. Dès qu'il a vu paraître le mousquetaire, il a congédié Foucquet. D'Artagnan l'a arrêté sur la place de la Grande-Eglise.

— Que pensèrent les Français de cette pénible affaire ?

— Toute la France, persuadée aussi bien que moi de la mauvaise conduite du surintendant, applaudit à cette action et loua particulièrement le secret dans lequel j'avais tenu, durant trois ou quatre mois, une résolution de cette nature.

— Votre Majesté ne songea pas à remplacer M. Foucquet ?

— Je ne voulais plus de surintendant, mais travailler moi-même aux finances avec des personnes fidèles, connaissant que c'est le vrai moyen de me mettre dans l'abondance et de soulager mon peuple... De toutes les fonctions souveraines, celle dont un prince doit être le plus jaloux est le maniement des finances. Il n'y a que le prince seul qui doit en avoir la souveraine direction.

— M. Colbert fut assurément un excellent ministre.

— J'ai regretté un fidèle serviteur dont j'étais pleinement satisfait.

— En 1691, M. de Louvois a disparu.

— J'ai perdu un bon serviteur...

Mais ma pensée se rapporte encore aux débuts de son règne. Car, si l'on veut bien comprendre l'homme, c'est à cette époque qu'il se révèle tout entier.

— Sire, quelles furent les difficultés auxquelles Votre Majesté dut faire face au début de son règne ?

— Il faut se représenter l'état des choses : des agitations terribles par tout le royaume, avant et après ma majorité, une guerre étrangère où ces troubles domestiques avaient fait perdre à la France mille et mille avantages, un prince de mon sang et d'un très grand nom à la tête des ennemis, beaucoup de cabales dans l'Etat, les parlements encore en possession et en goût d'une autorité usurpée, dans une cour très peu de fidélité sans intérêt... Un ministre rétabli malgré tant de factions, très habile et très adroit, qui m'aimait et que j'aimais, mais dont les pensées et les manières étaient naturellement très différentes des miennes, que je ne pouvais toutefois contredire ni lui ôter la moindre partie de son crédit sans exciter peut-être de nouveau contre lui les mêmes orages qu'on avait eu tant de peine à calmer, moi-même assez jeune encore, majeur à la vérité, de la majorité des rois que les lois de l'Etat ont avancée pour éviter de plus grands maux, mais non pas celle où les simples particuliers commencent à gouverner librement leurs affaires, je ne connaissais que la grandeur du fardeau sans avoir pu jusques alors connaître mes propres forces.

◀ « *Nec pluribus impar* » : *pour flatter l'ambition d'un jeune roi. Tableau de Garnier* (Musée de Nancy). Photo Bulloz.

— Comment Votre Majesté est-elle arrivée à la décision de prendre seule le fardeau du pouvoir ?

— Je ne laissais pas de m'éprouver en secret et sans confident, raisonnant seul et en moi-même sur tous les événements qui se présentaient, plein d'espérance et de joie quand je découvrais chaque fois que mes premières pensées étaient les mêmes où s'arrêtaient à la fin les gens habiles et consommés, et persuadé au fond que je n'avais pas été mis et conservé sur le trône avec une aussi grande passion de bien faire sans en trouver les moyens.

— Mais la raison profonde de votre décision ?

— La paix générale, mon mariage, mon autorité plus affermie et la mort du cardinal Mazarin m'obligèrent à ne pas différer davantage ce que je souhaitais et que je craignais tout ensemble depuis si longtemps.

— Le pouvoir exige-t-il un travail assidu ?

— Je m'imposais pour loi de travailler régulièrement deux fois par jour, et deux ou trois heures chaque fois avec diverses personnes, sans compter les heures que je passerais seul en particulier, ni le temps que je pourrais donner aux affaires extraordinaires.

— Les décisions devaient-elles toutes être prises par Votre Majesté ?

— Je recommandai aux quatre secrétaires d'Etat de ne plus rien signer du tout sans m'en parler, au surintendant de même. Le chancelier eut un pareil ordre.

Dans ce palais, tout évoque la gloire, et d'abord l'emblème du roi. Le curieux de l'affaire, c'est que cet emblème — le soleil — n'est pas une consécration, soulignant l'apothéose du règne. Le soleil a été adopté dès 1662.

— Sire, comment l'a-t-on choisi, cet emblème ?

— On choisit pour corps le soleil qui, par la qualité unique de l'éclat qu'il environne, par la lumière qu'il communique aux autres astres qui lui composent comme une espèce de cour, par le partage égal et juste qu'il fait de cette lumière à tous les divers climats du monde, par le bien qu'il fait en tout lieu, produisant sans cesse de tous côtés la vie, la joie et l'action, par son mouvement sans relâche où il paraît néanmoins toujours tranquille, par cette course constante et invariable dont il ne s'écarte et ne se détourne jamais, est assurément la plus vive et la plus belle image d'un grand monarque. Ceux qui me voyaient gouverner avec assez de facilité et sans être embarrassé de rien dans ce nombre de soins que la royauté exige me persuadèrent d'ajouter le globe de la terre et pour âme *Nec pluribus impar,* par où ils entendaient, ce qui flattait agréablement l'ambition d'un jeune roi, que, suffisant seul à tant de choses, je suffirais sans doute encore à gouverner d'autres empires.

— Nul doute que ce soleil ne soit devenu le symbole de la gloire du roi !

— Je suis encore plus français que roi ; tout ce qui ternit la gloire de la nation m'est plus sensible que tout autre intérêt.

— Vous venez de prononcer le mot gloire. N'est-ce pas celui que vous prisez le plus ?

— L'amour de la gloire a les mêmes délicatesses et, même si j'ose dire, les mêmes timidités que les plus grandes passions.

Voilà une réponse qui vaut bien un aphorisme. Nous devons être frappés par la qualité des réponses exprimées par le Roi-Soleil. Même si cette philosophie de l'autocratie doit nous apparaître en décalage avec les concepts de notre époque, nous devons admettre que toutes ces opinions sont exprimées dans une langue et sur un ton remarquables. Bien sûr, il faut faire la part du style des temps classiques. Même une chambrière parlait bien. Mais tout ce que dit Louis XIV va au-delà. Pourtant Saint-Simon ne lui accordait qu'un esprit « au-dessous du médiocre ». Prenons garde que médiocre, au XVIIe siècle, veut dire moyen. Il n'empêche que le jugement nous paraît bien péjoratif. Mais l'ambassadeur Spanheim parle aussi de cette « médiocrité que la naissance lui avait donnée » et de son « sens naturellement borné ». Ernest Lavisse, commentateur supérieur de la vie et du temps du grand roi, affirme : « Il n'y a pas de doute qu'elle (l'intelligence du roi) n'était qu'ordinaire. » Il s'agit d'une intelligence « presque toute passive, sans initiative aucune, nullement curieuse, point en quête des problèmes. Elle ne cherchait rien au-dessous ni au-delà du visible, elle avait été meublée très pauvrement par une éducation qui, en somme, fut déplorable pour l'esprit et pour le caractère ». Avec ces moyens limités, Louis XIV, à force de travail, va se dépasser lui-même. A vingt ans, par exemple, il s'est remis au latin, pour lire dans le texte les dépêches de la Chancellerie papale. Surtout, sa vie apparaît comme une immense enquête. A chaque instant, sous tout prétexte, il s'informe :

— J'ai voulu être informé de tout, écoutant mes moindres sujets, sachant à toute heure le nombre et la qualité de mes troupes et l'état de mes places, donnant incessamment mes ordres pour tous les besoins, traitant immédiatement avec les ministres étrangers, recevant et lisant les dépêches, faisant moi-même une partie des réponses, réglant la recette et la dépense de mon Etat, tenant mes affaires aussi secrètes que pas un autre ne l'a fait.

C'est ainsi qu'il lira la plupart des placets qu'il recevra. Il accordera lui-même les grâces, les pensions, les places, les bénéfices. Pendant cinquante années, il travaillera très exactement aux mêmes heures. « Avec un almanach et une montre, écrira Saint-Simon, on pouvait, à trois cents lieues de lui, dire ce qu'il faisait. »

Il ne craint pas de se faire expliquer plusieurs fois les choses difficiles. Il arrive que Colbert expose trois fois l'un de ses projets. Le roi n'en montre que de la satisfaction, puisqu'il finit par comprendre ce qu'il n'entendait pas. Longtemps, il a souffert de son ignorance :

— On ressent un cuisant chagrin d'ignorer des choses que savent tous les autres.

A travers tout ce qu'il dit, c'est à une exaltation de la monarchie en sa personne que nous parvenons. Michelet a admirablement résumé tout : « Il croyait Dieu en lui. »

— Mais le peuple, Sire ?

— Nous devons considérer le bien de nos sujets bien plus que le nôtre propre... Ce n'est que pour leurs avantages que nous devons leur donner des lois... Il est beau de mériter d'eux le nom de père avec celui de maître, et si l'un nous appartient pour droit de notre naissance, l'autre doit être le plus doux objet de notre ambition.

— A votre avènement vous aviez dit que vous vouliez soulager vos peuples. Les réalités ne vous ont-elles pas opposé un démenti ?

— Nous n'avons présentement rien plus à cœur que de procurer à nos peuples le soulagement que le temps de guerre ne nous a pas permis de leur donner, les mettre en état de jouir longtemps des fruits de la paix et éloigner tout ce qui pourrait troubler leur tranquillité.

— Une nation idéale, pour vous, que serait-ce ?

— Que si Dieu me fait la grâce d'exécuter tout ce que j'ai dans l'esprit, je tâcherai de porter la félicité de mon règne jusqu'à faire en sorte, non pas à la vérité qu'il n'y ait plus ni pauvre ni riche, car la fortune, l'industrie et l'esprit laisseront éternellement cette distinction entre les hommes, mais au moins qu'on ne voit plus dans tout le royaume ni indigence ni mendicité, je veux dire personne, quelque misérable qu'il puisse être, qui ne soit assuré de sa subsistance, ou par son travail, ou par un secours ordinaire à régler.

Donc, un minimum garanti pour tous les citoyens. Des siècles ont passé et nous n'y sommes guère parvenus. En attendant, nul doute que la justice, sous Louis XIV, ne se soit montrée bien inflexible.

— Qu'éprouve Votre Majesté lorsqu'elle doit punir ?

— Les rois sont souvent obligés de faire des choses contre leur inclination et qui blessent leur bon naturel. Ils doivent aimer à faire plaisir et il faut qu'ils châtient souvent des gens à qui naturellement ils veulent du bien. L'intérêt de l'Etat doit marcher le premier.

— Et les protestants, Sire ? Ne craignez-vous pas le jugement de la postérité ?

— Le roi mon grand-père les a aimés, le roi mon père les a craints, moi je ne les crains ni ne les aime.

Je le regarde et je pense à ce qu'écrivait cet ambassadeur de Nice : « Il a une prodigieuse facilité à cacher ses passions et à montrer l'opposé de celles qui le possèdent le plus. » Un autre ambassadeur parle nettement d' « extrême duplicité ». La Grande Mademoiselle, sa cousine, résume tout en disant : « Il ne lui échappe jamais rien de ce qui se doit celer. » Nous l'avons vu agir avec Foucquet. Il en a été de même pour l'arrestation du cardinal de Retz, à qui il parle longuement d'une comédie qu'il a dans la tête avant de le faire arrêter dans l'heure qui suit.

— Sire, on admire la maîtrise que vous avez de vous-même, l'art que Votre Majesté a de dissimuler ses intentions...

— Il est essentiel aux princes d'être maîtres de leurs ressentiments... Exerçant ici-bas une fonction toute divine, nous devons paraître incapables des agitations qui pourraient la ravaler.

— Les rois doivent-ils donc servir de modèles à leurs peuples ?

— Il faut que les souverains soutiennent par leur propre exemple la religion dont ils veulent être appuyés... Dans le haut rang que nous tenons, les moindres fautes ont toujours de fâcheuses suites. Celui qui les fait a ce malheur qu'il n'en connaît jamais la conséquence que quand il n'est plus temps d'y remédier... C'est une des plus grandes erreurs où puisse tomber un prince de penser que ses défauts demeurent cachés, ni qu'on se porte à les excuser... Un souverain ne saurait mener une vie trop sage et trop innocente ; pour régner heureusement ou glorieusement, ce n'est pas assez de donner ordre aux affaires générales si nous ne réglons aussi nos propres mœurs ; le seul moyen d'être vraiment indépendant et au-dessus du reste des

Chaque jour au travail. « Avec un almanach et une montre, disait Saint-Simon, on pouvait, à trois cents lieues de lui, dire ce qu'il faisait. » (B.N.).

Orgueilleuse et resplendissante : Mme de Montespan. Ici, avec les enfants qu'elle donna au roi. D'après Pierre Mignard (Musée de Versailles). Photothèque Plon-Perrin.

hommes est de ne rien faire ni en public ni en secret qu'ils ne puissent légitimement censurer.

C'est lui qui parle ainsi ? Lui qui jamais n'a pu résister à ses passions ? Il le sait bien d'ailleurs puisqu'il a répondu en pleurant à la reine Anne d'Autriche, qui lui reprochait ses innombrables liaisons, qu' « il connaissait son mal, qu'il avait fait ce qu'il avait pu pour ne pas s'abandonner à ses passions, mais qu'il était contraint de lui avouer qu'elles étaient plus fortes que sa raison, qu'il ne pouvait plus résister à leur violence, qu'il ne se sentait même pas le désir de le faire ». Quel aveu ! C'est trop peu dire qu'il aime les femmes. A leur égard, il semble ressentir un appétit dévorant. La série des maîtresses a commencé très tôt. Jeune roi, il faisait de l'équilibre sur les toits pour aller retrouver les demoiselles d'honneur dans leur chambre. La duchesse de Navailles, gouvernante des filles de la reine, devait faire grillager les fenêtres pour les préserver des assauts tumultueux du jeune roi. Tout lui était bon, tout jupon qui passait à sa portée. Il a eu des passades avec des filles très laides, avec des chambrières. Mais il a été amoureux, follement : Marie Mancini, Louise de La Vallière, et à moindre mais plus durable degré, Mme de Montespan. Il a trompé son épouse Marie-Thérèse l'année même de son mariage. « Presque toutes les femmes lui avaient plu, dit Mme de Caylus, excepté la sienne. » Et puis il y a eu Mmes de Ludre et de Soubise, Angélique de Fontanges. Et toutes celles qui ont passé pendant un mois, une semaine, un jour, une heure. En se rendant chez Mme de Montespan n'a-t-il pas fait, comme par mégarde, un enfant à la suivante qui lui ouvrait la porte ? Tout cela est oublié puisque maintenant, c'est le règne de la veuve Scarron, marquise de Maintenon. Donc, il s'est fait ermite et moralise volontiers. Tant pis s'il nous laisse sceptiques. Il serait bien amusant de l'entendre parler d'amour.

— Les princes ne sont pas évidemment à l'abri des passions amoureuses...

— Je vous dirai premièrement que, comme le prince devrait toujours être un parfait modèle de vertu, il serait bon qu'il se garantît absolument des faiblesses communes au reste des hommes, d'autant plus qu'il est assuré qu'elles ne sauraient rester cachées. Et néanmoins, s'il arrive que nous tombions malgré nous dans quelques-uns de ces égarements, il faut du moins, pour en diminuer la conséquence, observer deux précautions que j'ai toujours pratiquées et dont je me suis fort bien trouvé. La première, que le temps que nous donnons à notre amour ne soit jamais pris au préjudice de nos affaires, parce que notre premier objet doit toujours être la conservation de notre gloire et de notre autorité, lesquelles ne se peuvent absolument maintenir que par un travail assidu... La seconde considération, qui est la plus délicate et la plus difficile à pratiquer, c'est qu'en abandonnant notre cœur nous demeurions maîtres de notre esprit ; que nous séparions les tendresses d'amant d'avec les résolutions de souverain ; et que la beauté qui fait nos plaisirs n'ait jamais la liberté de nous parler de nos affaires, ni des gens qui nous y servent.

Cela, c'est la théorie, la pratique fut assez différente. Ecoutons encore Saint-Simon qui parle de la manière dont était reçue Mme de Soubise : « Si [...] elle avait à parler au roi [...], elle était admise à l'instant qu'elle le voulait. C'était toujours à des heures publiques, mais dans le premier cabinet du roi, qui était et est encore celui du conseil, tous deux assis au fond, mais les portes des deux côtés absolument ouvertes [...] et la pièce publique contiguë à ce cabinet pleine de tous les courtisans. » L'amour en public, en quelque sorte.

— Est-il vrai, Sire, que mille beautés se proposent toujours aux regards des rois ?

— On attaque le cœur d'un prince comme une forteresse...

— Le risque, pour un roi, c'est que les femmes aimées désirent toujours s'immiscer dans les affaires de la cour ou de l'Etat.

— Dès lors que vous donnez la liberté à une femme de vous parler des choses importantes, il est impossible qu'elle ne vous fasse pas faillir. La tendresse que nous avons pour elles, nous faisant goûter les plus mauvaises

Sa plus grande joie peut-être : Versailles. Photo Serge Boiron. Document Mazda.

Quand sa robuste vieillesse faisait l'étonnement de tous. Ici, en 1710, avec (de g. à d.) Mme de Ventadour, le petit duc de Bretagne, le Grand Dauphin (Wallace Collection).

raisons, nous fait tomber insensiblement du côté où elles penchent ; et la faiblesse qu'elles ont naturellement, leur faisant souvent préférer des intérêts de bagatelles aux plus solides considérations, leur fait presque toujours prendre le mauvais parti. Elles sont éloquentes dans leurs expressions, puissantes dans leurs prières, opiniâtres dans leurs sentiments... Le secret ne peut être chez elles dans aucune sûreté, car si elles manquent de lumières, elles peuvent par simplicité découvrir ce qu'il fallait le plus cacher ; et si elles ont de l'esprit, elles ne manquent jamais d'intrigues et de liaisons secrètes.

— Alors, il faut résister ?

— Un prince dont le cœur est fortement touché par l'amour, étant aussi toujours prévenu d'une forte estime pour ce qu'il aime, a peine à goûter toutes ces précautions, mais c'est dans les choses difficiles que nous faisons paraître notre vertu.

Disons aussi que ce qui l'aide, c'est sa remarquable sécheresse de cœur. Il est très sensible, il répand souvent des larmes, mais tout cela reste à fleur de peau. Toutes ses amours sont à base de passion sensuelle. Quand il se détache, il se montre incroyablement dur avec celle qu'il n'aime plus. On ne sache pas qu'il ait jamais pleuré l'une des femmes qui ont partagé sa vie, excepté sa mère.

— Ce que j'ai souffert en perdant la reine ma mère surpasse tous les efforts de l'imagination. Seule la main qui m'a porté un si rude coup a été capable de l'adoucir... Cet accident, quoique préparé par un mal de longue durée, ne laissa pas de me toucher si sensiblement qu'il me rendit plusieurs jours incapable de m'entretenir d'aucune autre considération que de la perte que je faisais.

Puisque nous abordons sa famille, comment ne pas penser à son frère ? Depuis Philippe Erlanger, nous savons le sort douloureux que fut celui de Monsieur, encouragé dès l'enfance dans son goût pour le « vice italien ». Délibérément, on l'a habitué aux fanfreluches, aux parfums, aux bijoux. On en a fait une poupée inutile. Là aussi, le roi s'est montré intransigeant.

— Pourquoi avoir écarté Monsieur des affaires ?

— C'est manquer de prévoyance que de mettre les grands gouvernements entre les mains des fils de France, lesquels, pour le bien de l'Etat, ne doivent jamais avoir d'autre retraite que la cour, ni d'autre place de sûreté que dans le cœur de leur frère. L'exemple de mon oncle[1] était une confirmation de ma pensée.

Et sa femme ? Quel rôle a-t-elle joué dans sa vie ?

— La reine ne m'a jamais donné d'autre déplaisir que celui qu'elle m'a causé par sa mort.

Sans commentaire.

Versailles, c'est l'écrin de la gloire. De la sienne. Ce palais, il l'a voulu, il l'a aimé à la passion. En surveiller l'édification a été pour lui la plus profonde des jouissances. Un jour, Mansart, qui adressait quotidiennement de longs rapports au roi sur les travaux, a craint de l'importuner. Il a écrit : « Je supplie Votre Majesté de me faire savoir si ces liaisons lui sembleront ou trop longues ou trop courtes, afin de suivre en cela, comme en toutes choses, ses volontés. » En marge de la lettre, Louis XIV a répondu : « *De longues. Le détail en tout.* »

Il a fait de ce château une œuvre d'art. Il n'a rien tant aimé que de le faire visiter. Il a même écrit de sa main une *Manière de montrer les jardins de Versailles,* où l'on sent quel soin il mettait à en faire valoir les beautés.

— Qu'est Versailles pour Votre Majesté ?

— J'ai fait Versailles pour la cour, Marly pour mes amis, Trianon pour moi-même.

— A Versailles, les fêtes semblent s'être multipliées.

— Les peuples aiment les spectacles. Par là, nous tenons leur esprit et leur cœur, quelquefois plus forte-

1. Gaston d'Orléans, qui ne cessa de conspirer contre Louis XIII.

ment peut-être que par récompense et les bienfaits.

Mais Versailles, c'est aussi l'exaltation de la guerre. Les fresques de Le Brun, immortalisant les victoires de Louis XIV, rappellent que le Roi-Soleil acheva l'unité française. La gloire des lettres y accompagne celle des armes, puisque Racine et Boileau composèrent pour la galerie des Glaces les inscriptions : *Le roi arme sur terre et sur mer ; Passage du Rhin en présence des ennemis ; Le roi prend Maestricht en treize jours ; La Franche-Comté conquise pour la seconde fois.* Oui, la guerre.

— Votre Majesté a livré de nombreuses guerres.

— L'ambition et la gloire sont toujours pardonnables à un prince jeune et bien traité par la fortune. La guerre, quand elle est nécessaire, est une justice non seulement permise, mais commandée aux rois ; c'est une injustice, au contraire, quand on peut s'en passer et obtenir la même chose par des voies plus douces.

— Le but poursuivi était-il de dominer l'Europe ?

— J'ai toujours été le maître chez moi, quelquefois chez les autres.

— Et aujourd'hui, Sire, que pense Votre Majesté de la guerre ?

— La plus éclatante victoire coûte toujours trop cher quand il faut la payer du sang de ses sujets... J'ai trop aimé la guerre...

C'est un roi vieilli qui a dit cela. Revenu de maintes choses, mais demeuré lui-même. A aucun moment sa robuste santé ne lui fera défaut. A soixante-seize ans, il chassera cinq heures durant. « On ne s'accoutume point à la santé du roi, écrira Mme de Maintenon. C'est un miracle qui recommence tous les jours. » Jusqu'au bout, l'accompagnera sa croyance en sa mission divine.

De Versailles, ce sont toutes ces images-là que l'on emporte. C'est le son même de la voix du Roi-Soleil que nous percevons. C'est son ombre démesurée qui reste devant nos regards.

Le dernier souvenir, la dernière image, le dernier échec, pourtant, ce n'est pas dans ce cabinet du conseil que nous les recueillerons. C'est dans la chambre voisine, la chambre du roi, autre reflet de la majesté royale, celle où chaque jour se faisaient — pompe incroyable — le lever et le coucher du roi. C'est là qu'il s'est alité le 14 août 1715. C'est là qu'il a agonisé. C'est là que, le 25 août, il a fait appeler le petit Dauphin, son arrière-petit-fils. C'est là qu'il l'a embrassé et lui a dit :

— Mignon, vous allez être un grand roi. Ne m'imitez pas dans le goût que j'ai eu pour les bâtiments, ni dans celui que j'ai eu pour la guerre ; tâchez, au contraire, d'avoir la paix avec vos voisins. Rendez à Dieu ce que vous lui devez ; reconnaissez les obligations que vous lui avez ; faites-le honorer par vos sujets. Suivez toujours les bons conseils, tâchez de soulager vos peuples, ce que je suis assez malheureux pour n'avoir pas pu faire...

C'est là qu'il a reçu pour la dernière fois ses officiers, les a remerciés de leurs services et leur a dit ceci, qui honore sa mémoire peut-être autant que toutes ses actions :

— Je m'en vais, mais l'Etat demeurera toujours.

II

VOLTAIRE

Définitivement, il reste pour nous le « patriarche de Ferney ». A quelques kilomètres de Genève, cette commune du département de l'Ain s'appelle aujourd'hui Ferney-Voltaire — et c'est tout dire. Rencontrer Voltaire ailleurs qu'à Ferney ? Pourquoi ?

Le petit château est là, devant nous, intact. Un château ? Plutôt une demeure patricienne, solide et fine tout à la fois. Voltaire y a vécu de 1758 à 1778. Vingt années, donc. Mais des années si remplies, si denses, que chacune semble valoir dix ans. Quand il avait acquis la terre du président De Brosses, il avait écrit à la duchesse de Gotha : « J'appuie ma gauche au mont Jura, ma droite aux Alpes, et j'ai le lac de Genève au-devant de mon camp ; un beau château sur les limites de la France, l'ermitage des Délices au territoire de Genève, une bonne maison à Lausanne : rampant ainsi d'une tanière à l'autre, je me sauve des rois et des armées. »

Extraordinaire, aujourd'hui encore, sa présence à Ferney. On entre dans le parc et il est là. On le voit tel que le peintre Huber l'a peint, justement à Ferney : squelettique, décharné, ne tenant pas en place, gesticulant, sautillant, se déclarant mourant et l'instant d'après esquissant un pas de danse. On le voit la bouche rentrée pour le fameux sourire. Et avec le regard aigu qu'il pose sur chacun, sur toute chose. L'intelligence absolue, l'ironie suprême.

A peine était-il entré dans Ferney qu'il avait fait abattre les tours, les tourelles, les mâchicoulis. Le résultat ? Ce que nous voyons aujourd'hui. Une allée qui monte, une grille, un beau jardin. A gauche, l'église qu'il a fait édifier, « son » église. Au fond, la demeure elle-même. Il l'aimait, cette demeure : « Tout le fin de l'architecture s'y trouve, disait-il ; colonnades, pilastres, péristyle. » Voici un vestibule d'où l'on passe au salon. Par les portes vitrées qui ouvrent sur la terrasse, voici des pelouses à l'infini et des charmilles. Il semble que la nature investisse la pièce. Elle est petite, d'ailleurs. Un si petit salon pour un si grand homme et des hôtes aussi illustres ? C'est ainsi. On raconte que Voltaire, qui avait été son propre architecte, n'avait pas tenu compte, en traçant son plan, de l'épaisseur des murailles. Il avait fallu les prendre sur les appartements eux-mêmes. Tout autour, trente lieues de montagnes dominent la maison sans l'écraser.

De multiples visiteurs nous ont légué le témoignage de leurs visites. En mai 1760, ce fut par exemple Marmontel, accompagné d'un de ses amis, M. Gaulard. Pourquoi ne pas les imiter ? Pourquoi ne pas nous rendre, à notre tour, chez M. de Voltaire ?

Assurément, rencontrer Voltaire à Ferney, c'est rendre visite à un roi. Les étrangers ne s'y trompent pas, qui s'arrêtent à la fois à Versailles et à Ferney. On peut penser, avec André Bellesort, que l'installation de Voltaire à Ferney fut un événement considérable, consacrant « irrémédiablement le divorce de l'Ancien Régime et de la littérature ». Logiquement, la place de Voltaire, prince de l'esprit français, était à Paris. En se fixant à Ferney, Voltaire prouvait que la royauté spirituelle, justement, n'était pas à Paris. Tous les jours, à Ferney, les visiteurs s'extasieront, tomberont en pâmoison, s'écrieront. Mme de Genlis a vu cela, qui témoigne : « Les rois n'ont jamais été les objets d'une adulation si outrée ; du moins, l'étiquette défend de leur prodiguer toutes ces flatteries. » On voit accourir à Ferney de grands seigneurs, des magistrats, des diplomates, des Allemands, des Italiens, des Russes, des Anglais, des

Sûrement, ce n'est pas du sang qui coule dans ses veines, c'est du vif-argent ! Le Matin de Voltaire, *par J. Huber* (Musée de l'Ermitage, Leningrad). Photo APN. ▶

comédiens, des poètes, des princes. Bref, le monde entier. Il y a même un rituel auquel une jeune femme ne doit pas manquer. Mme de Genlis, perfide, le décrit : « On se précipite dans ses bras, on balbutie, on pleure, on est dans un trouble qui ressemble à l'amour le plus passionné. »

Quand Marmontel et Gaulard arrivent à Ferney — et moi à leur suite — Voltaire leur fait dire qu'il est au lit et qu'ils viennent à temps pour assister à son agonie. Heureusement, la domesticité ne paraît point trop alarmée. On nous autorise à passer dans la chambre. Là, au fond du lit, perdu sous l'édredon, voici l'auteur de *Candide*. Une incroyable petite chose, l'ombre d'un squelette, en robe de chambre et bonnet. Cette petite chose n'est qu'un souffle. Mais il y a le regard — le fameux regard. Il brille tant qu'il illumine la pièce. D'ailleurs, en nous voyant entrer, il se redresse. Il ne sera pas dit qu'il aura manqué à des visiteurs. Il projette devant nous son visage tout ridé, son menton de galoche, son nez pointu. La voix éclate :

— Vous me trouvez mourant : venez-vous me rendre la vie ou recevoir mes derniers soupirs ?

Il n'attend pas la réponse, aborde déjà cent sujets. Il parle, s'exclame, imite l'un ou l'autre, chante une chanson qu'il vient d'apprendre, bat la mesure avec sa petite main décharnée. Et puis il en a assez, il saute à bas du lit, on l'habille. Le voici en souliers gris et en bas gris, avec sa longue veste de basin qui lui descend jusqu'aux genoux, sa perruque à trois marteaux et son petit bonnet de soie brodé d'argent et d'or. L'agonisant fonce à toute allure à travers la maison, court dans le jardin, revient dans le salon, mâchonne une diatribe contre sa bête noire, Lefranc de Pompignan. Il n'a plus de dents, mais il le déchire. Cela lui fait du bien. Il dit que son médecin lui a conseillé de « courir le Pompignan une heure ou deux tous les matins ».

Sûrement, ce n'est pas du sang qui coule dans ses veines, c'est du vif-argent !

Sa retraite et sa force : le château de Ferney (B.N. estampes).

Où capter ce feu follet ? Il vient de se blottir au fond d'un fauteuil, le coude posé sur le genou, le menton appuyé sur la main. Il fixe les flammes de la cheminée. Il a toujours froid. Même en plein été, on brûle d'énormes bûches dans la cheminée. Est-ce le moment ? Peut-être.

— Vous aimez Ferney, n'est-ce pas, monsieur de Voltaire ?

— La vie que je mène à Ferney est délicieuse. C'est au bonheur dont je jouis que je dois la conservation de ma frêle machine.

— A Ferney, que préférez-vous : votre maison ou la nature qui l'entoure ?

— Il y a un plaisir bien préférable à tout : c'est celui de voir verdir de vastes prairies et croître de belles maisons. C'est la véritable vie de l'homme. Tout le reste est illusion.

— Pardonnez-moi, mais que serait pour vous ce bonheur sans celui de la conversation ?

— La douceur et la sûreté de la conversation sont un plaisir aussi réel que les rendez-vous dans la jeunesse... Toutes les grandeurs de ce monde ne valent pas un bon ami.

Je le regarde et m'étonne. Tant de vie et tant de fragilité. Il a toujours été malade. A sa naissance, il était si frêle que l'on n'a pas osé l'ondoyer avant plusieurs jours. A vingt-six ans, son estomac ne supportait plus de nourriture, c'est à cette époque qu'il était devenu si maigre. Il souffrait « des tortures ». Alors, il écrivait au lit. Il avait subi la petite vérole et, pour s'en guérir, avait absorbé huit doses d'émétique et deux cents pintes de limonade. De quoi tuer un homme normal. Lui, le grand malade, il en avait réchappé. Depuis, éternel valétudinaire, il cherche sans la trouver la panacée qui le guérira. La fièvre le tient, les coliques lui sont un supplice, il ne voit plus, il entend mal, des vertiges l'abattent, il s'enroue. Et il vivra jusqu'à quatre-vingt-quatre ans. Cela en travaillant vingt heures par jour et presque sans dormir.

A-t-il un secret ? Je sais qu'il ne prend qu'un repas par jour, le souper à 9 ou 10 heures du soir. Je sais qu'il préfère avant toute chose les lentilles. Mais il se satisfait généralement d'un potage, d'un peu de mouton, d'œufs, de petit lait. J'évoque devant lui ce régime. Il confirme :

— Il y a des nourritures fort anciennes et fort bonnes dont tous les sages de l'Antiquité se sont toujours bien trouvés... J'avoue que mon estomac ne s'accommode pas de la nouvelle cuisine. Je ne peux souffrir un ris de veau qui nage dans une sauce salée... Je ne puis manger d'un hachis de dinde, de lièvre et de lapin qu'on veut me faire prendre pour une seule viande. Je n'aime ni le pigeon à la crapaudine ni le pain qui n'a pas de croûte. Je bois du vin modérément et je trouve fort étrange les gens qui mangent sans boire et qui ne savent même pas ce qu'ils mangent... Quant aux cuisiniers, je ne saurais supporter l'essence de jambon ni

Là, au fond du lit, l'auteur de Candide (B.N. estampes).

A peine debout, son petit déjeuner, par J. Huber (Musée de l'Ermitage, Leningrad). Photo APN.

l'excès de champignons et de poivre et de muscade avec lesquels ils déguisent les mets très fins en eux-mêmes et que je ne voudrais pas seulement qu'on lardât... Je veux que le pain soit cuit au four et jamais dans un privé. Un souper sans apprêt, tel que je le propose, fait espérer un sommeil fort doux et qui ne sera troublé par aucun songe désagréable.

Je sais que Voltaire se couche aussitôt après son souper. Il ne dormira que quatre ou cinq heures. Dans son lit, pourtant, il passera seize ou dix-huit heures. C'est là, sur les draps couverts de livres, qu'il a noirci des milliers de pages. Un « chétif colosse », a dit joliment Lenotre.

Sur quoi l'interroger d'abord ? Sa vie est un foisonnement et son œuvre un univers. D'ailleurs, la vie et l'œuvre sont mêlées inextricablement. Les ouvrages sont nés de ses passions, de ses haines, de ses curiosités, de ses foucades. Il est passé comme à plaisir de l'histoire à la philosophie, de la critique à la polémique, de la rhétorique à la métaphysique, du théâtre au roman, de la correspondance au pamphlet. C'est un fleuve. Et le courant charrie un million d'idées, mais un seul esprit : le voltairianisme.

— Si l'on vous demandait de le définir, cet esprit ?

— Il faut de l'art et de la conduite jusque dans l'ivresse de la plaisanterie et la folie même doit être conduite par la sagesse.

Tout au long de sa vie, il a écrit pour le théâtre. A Ferney, on jouait sans cesse la tragédie. Chacun s'y mettait, sa nièce, Mme Denis — qu'il comparaît audacieusement à la Clairon — aussi bien que les amis de passage. Alors, parlons de théâtre.

— Vous avez toujours préféré la tragédie à la comédie ?

— Pour les comédies, je ne m'en mêlerai pas : je ne suis qu'un animal tragique.

— Vous avez pris la plupart de vos sujets dans l'Antiquité.

Encore jeune, mais déjà glorieux (B.N. estampes).

— Il ne faut pas croire qu'un meurtre commis dans la rue Tiquetonne ou dans la rue Barbette, que des intrigues politiques de quelques bourgeois de Paris, qu'un prévôt des marchands nommé Marcel, que des sieurs Aubert et Fauconneau puissent jamais remplacer les héros de l'Antiquité.

— Parlez-nous de la première représentation de *Zaïre*.

— Les acteurs jouaient mal, le parterre était tumultueux et j'avais laissé dans la pièce quelques endroits négligés, qui furent relevés avec un tel acharnement que tout l'intérêt était détruit. Petit à petit, j'ai ôté ces défauts et le public s'est raccoutumé à moi.

— En Angleterre, vous avez découvert Shakespeare. Dès lors, vous avez jugé qu'il manquait quelque chose à notre propre théâtre.

— Nous n'arrivons pas au tragique de peur d'en passer les bornes. Il y a des situations qui ne paraissent encore que dégoûtantes et horribles aux Français et qui, bien ménagées, représentées avec art et surtout adoucies par le charme des beaux vers, pourraient nous faire une sorte de plaisir dont nous ne nous doutons pas... J'ose être sûr que le sublime et le touchant portent un coup plus sensible quand ils sont soutenus d'un appareil convenable et qu'il faut frapper l'âme et les yeux à la fois. Ce sera le partage des génies qui viendront après nous. J'aurai, du moins, encouragé ceux qui me feront oublier.

Comment l'homme du XXe siècle qui entend cela ne songerait-il pas aussitôt au romantisme que Voltaire semble avoir prévu ?

— Vos pièces, vous avez adoré les mettre en scène. N'avez-vous pas été tenté de les jouer ?

— J'ai eu la faiblesse de jouer un rôle de vieillard dans la tragédie d'*Œdipe* ; mais je l'ai tellement joué d'après nature que je n'ai pu l'achever : j'ai été obligé d'en sauter près de la moitié, et encore ai-je été malade de l'effort.

— Vous avez aimé les succès que procure le théâtre.

Vous ne manquiez jamais les représentations de vos pièces.

— Je parus dans une loge et tout le parterre me battit des mains. Je rougissais, je me cachais ; mais je serais un fripon si je ne vous avouais que j'étais sensiblement touché.

Nous pourrions parler longtemps de théâtre et il y prendrait toujours le même plaisir extrême. Il a cru que ses pièces lui ouvriraient pour jamais l'accès de la postérité. Il s'est trompé. Il ne reste que peu de chose de *Zaïre,* de *Tancrède,* de *Mérope.* Il reste qu'il s'y est jeté, corps et âme, comme dans tout.

— Votre renommée comme historien a égalé votre gloire tragique. Votre *Charles XII* a été universellement admiré.

— En écrivant l'*Histoire de Charles XII,* je n'ai trouvé qu'un homme où les autres voyaient un héros.

— Votre *Siècle de Louis XIV* est un magnifique hommage au grand roi.

— Quel roi a rendu plus de services à l'humanité que Louis XIV ? Quel roi a répandu plus de bienfaits, a marqué plus de goût, s'est signalé par de plus beaux établissements ? Il n'a pas fait tout ce qu'il pouvait faire, sans doute, parce qu'il était homme, mais il a fait plus qu'aucun autre, parce qu'il était un grand homme ; ma plus forte raison pour l'estimer beaucoup, c'est qu'avec des fautes connues, il a plus de réputation qu'aucun de ses contemporains, c'est que, malgré un million d'hommes dont il a privé la France et qui tous ont été intéressés à le décrier [1], toute l'Europe l'estime et le met au rang des plus grands et des meilleurs monarques.

— L'histoire, pour vous, qu'est-ce ?

— J'ai trouvé quelquefois des contrariétés dans les Mémoires... En ce cas, tout ce que doit faire un histo-

1. Il s'agit des protestants, contraints de s'exiler après la révocation de l'édit de Nantes.

rien, c'est de conter ingénument le fait, sans vouloir pénétrer les motifs, et de se borner à dire précisément ce qu'il sait, au lieu de deviner ce qu'il ne sait pas.

— Vous avez, comme on dit, cultivé les Muses...

— Il faut les aimer toutes les neuf, et il faut avoir le plus de bonnes fortunes qu'on peut, sans pourtant être trop coquet.

— Et l'*Encyclopédie,* monsieur de Voltaire, y avez-vous beaucoup travaillé ?

— J'ai été le partisan le plus déclaré de l'*Encyclopédie,* j'ai même travaillé à une cinquantaine d'articles qu'on a bien voulu me confier... Personne ne s'est intéressé plus que moi à M. Diderot et à son entreprise.

— Et le résultat ?

— Cette prétendue *Encyclopédie* (qui n'en est point une) est un ouvrage malheureusement fort sage (à ce que je crois), mais fort ennuyeux (à ce que j'affirme).

— Vous avez été élu à l'Académie française en 1746. Que pouvez-vous en dire ?

— L'Académie française est l'objet secret des vœux de tous les gens de lettres, c'est une maîtresse contre laquelle ils font des chansons et des épigrammes jusqu'à ce qu'ils aient obtenu ses faveurs, et qu'ils négligent dès qu'ils en ont la possession.

— Ce que vous avez cherché tout au long de votre carrière, n'est-ce pas l'indépendance ?

— C'est beaucoup d'être indépendant, mais avoir trouvé le secret de l'être en France, cela vaut mieux que d'avoir écrit *la Henriade.*

De l'indépendance, on en vient fatalement à la liberté. Le désir forcené que Voltaire eut de la première l'a conduit à défendre la seconde. N'oublions pas qu'il avait hérité d'une belle fortune, qu'il était l'écrivain favori de Louis XV, au temps du mariage de celui-ci, qu'il était admiré des grands, aimé des femmes. Illustre et riche, Voltaire aurait pu s'engourdir dans un bonheur délicieux. L'affaire du chevalier de Rohan avait changé tout cela. Rohan, en désaccord avec Voltaire, l'avait fait bâtonner par ses gens, car on ne se bat pas avec un roturier quand on s'appelle Rohan. Voltaire s'était plaint et, pour toute réponse, on l'avait envoyé à la Bastille. Aussitôt, il avait engagé le combat. Un combat dont il ne devait sortir que victorieux.

— Vous avez médité sur les inégalités sociales, sur l'injustice originelle du système des castes. Pourquoi êtes-vous parti pour l'Angleterre ?

— C'est un pays où les arts sont tous honorés et récompensés, où il y a de la différence entre les conditions, mais point d'autre entre les hommes que celle du mérite. C'est un pays où l'on pense librement et noblement, sans être retenu par aucune crainte servile.

— Que pensez-vous du système parlementaire anglais ?

— J'ai regretté ouvertement d'être assez malheureux de n'être pas né britannique.

— Et puis vous êtes rentré en France, car, tout admirateur de l'Angleterre que vous vous proclamiez, vous ne pouviez vous passer de votre pays natal. C'est le temps où Adrienne Lecouvreur, la grande comédienne, mourait, le temps où on lui refusait la sépulture religieuse. Vous avez suivi le convoi jusqu'à son but ultime : un terrain vague. Et vous avez *crié* contre cette injustice, car désormais, chez vous, c'est devenu une habitude : *crier*. Et vous avez publié vos *Lettres philosophiques* ou *Lettres anglaises,* dont Gustave Lanson a dit que c'était la « première bombe lancée contre l'Ancien Régime ». En paraissant exposer le système anglais, n'est-ce pas, en fait, tout le système français que vous critiquez ? La religion aussi bien que l'impôt ?

— J'ai écrit : « Un homme, parce qu'il est noble ou parce qu'il est prêtre, n'est pas ici exempt de payer certaines taxes : tous les impôts sont réglés par la Chambre des communes [...] chacun non selon sa qualité, ce qui est absurde, mais selon son revenu. »

— Tout passe dans vos *Lettres* et vous pourfendez tout, notamment Pascal, ne pouvant admettre que « ce misanthrope sublime » condamne le divertissement, alors que vous, par toutes les fibres de votre être, vous prônez l'action.

— L'homme est né pour l'action, comme le feu tend en haut et la pierre en bas. N'être point occupé et n'exister pas est la même chose pour l'homme.

— Vous avez dû vous réfugier en Lorraine, à Cirey, chez la marquise du Châtelet. Parlez-nous de la marquise, cette femme qui a tant compté dans votre vie.

— On a rarement uni plus de justesse d'esprit et plus de goût avec plus d'ardeur de s'instruire ; elle n'aimait pas moins le monde et tous les amusements de son âge et de son sexe. Cependant elle quitta tout pour aller s'ensevelir dans un château délabré, sur les frontières de la Champagne et de la Lorraine, dans un terrain très ingrat et très vilain... Elle fut la femme de France qui avait le plus de dispositions pour toutes les sciences.

— A Cirey, quelles furent vos occupations ?

— J'enseignai l'anglais à Mme du Châtelet qui, au bout de trois mois, le sut aussi bien que moi, et qui lisait également Locke, Newton et Pope. Elle apprit l'italien aussi vite ; nous lûmes ensemble tout le Tasse et tout l'Arioste... Nous ne cherchions qu'à nous instruire dans cette délicieuse retraite, sans nous informer de ce qui se passait dans le reste du monde. Notre plus grande attention se tourna longtemps du côté de Leibniz et de Newton...

— Ce fut à Cirey que vous avez écrit vos premières grandes œuvres.

— Nous cultivions à Cirey tous les arts. J'y composai *Alzire, Mérope, l'Enfant prodigue, Mahomet*. Je travaillai pour elle à un *Essai sur l'histoire générale depuis Charlemagne jusqu'à nos jours...*

— Vous avez eu la douleur de perdre Mme du Châtelet en 1749 ?

— Je n'ai point perdu une maîtresse : j'ai perdu la moitié de moi-même, une âme pour qui la mienne était faite, une amie de vingt ans que j'avais vue naître. Le père le plus tendre n'aime pas autrement sa fille.

Mme du Deffand a dépeint Emilie du Châtelet comme une véritable horreur. Quand on regarde les portraits, on est d'un autre avis. D'abord les yeux sont très beaux et le visage, dit le grand biographe de Voltaire, Jean Orieux, est « aimable, extrêmement intelligent, resplendissant ». Surprenante, la supériorité de son intelligence. Aussi, elle avait du cœur. On comprend cette liaison qui a duré dix-sept ans, malgré les orages, et ne s'est achevée que dans la mort.

— Un autre épisode capital de votre vie, c'est votre amitié avec le roi de Prusse, Frédéric II. Comment ces liens paradoxaux se sont-ils noués ?

— Comme son père lui accordait peu de part aux affaires [...], le prince royal de Prusse, futur Frédéric II, employa son loisir à écrire aux gens de lettres de France qui étaient un peu connus dans le monde. Le principal fardeau tomba sur moi. C'étaient des lettres en vers, c'étaient des traités de métaphysique, d'histoire, de politique. Il me traitait d'homme divin, je le traitais de Salomon. Les épithètes ne nous coûtaient rien... On m'écrivait *mon cher ami* et on me parlait souvent, dans les dépêches, des marques solides d'amitié qu'on me destinait quand on serait sur le trône. Il y monta enfin lorsque j'étais à Bruxelles...

— Quand vous l'avez rencontré, le roi vous a-t-il fait bonne impression ?

— Je ne laissai pas de me sentir attaché à lui, car il avait de l'esprit, des grâces et, de plus, il était roi, ce qui fait toujours une grande impression, attendu la faiblesse humaine. D'ordinaire, ce sont nous autres, gens de lettres, qui flattons les rois ; celui-là me louait depuis les pieds jusqu'à la tête, tandis que l'abbé Desfontaines et d'autres gredins me diffamaient dans Paris, au moins une fois la semaine.

— Frédéric II vous a appelé plusieurs fois à sa cour. Vous aviez alors de longues conversations avec lui. Sur quels sujets ?

— Le roi trouvait bon que je lui parlasse de tout, et j'entremêlais souvent des questions sur la France et sur l'Autriche à propos de *l'Enéide* et de Tite Live. La conversation s'animait quelquefois : le roi s'échauffait et me disait que, tant que notre cour frapperait à toutes les portes pour obtenir la paix, il ne s'aviserait pas de se battre pour elle. Je lui envoyais de ma chambre à son appartement mes réflexions sur un papier à mi-marge. Il répondait sur une colonne à mes hardiesses. J'ai encore ce papier où je lui disais : « Doutez-vous que la maison d'Autriche ne vous redemande la Silésie à la prochaine occasion ? » Voici sa réponse en marge :

Ils seront reçus, biribi,
A la façon de barbari,
Mon ami.

— Le roi vous appela de nouveau à Potsdam en 1750, après la fin de la guerre. Pourquoi lui avoir obéi ?

— Le moyen de résister à un roi victorieux, poète, musicien et philosophe, et qui faisait semblant de m'aimer ? Je crus que je l'aimais... Je travaillais deux heures par jour avec Sa Majesté, je corrigeais tous ses ouvrages, ne manquant jamais de louer beaucoup ce qu'il y avait de bon, lorsque je retirais tout ce qui ne valait rien.

— Le roi de Prusse a même fait de vous son chambellan.

— Il était accoutumé à des démonstrations de tendresse singulières avec des favoris plus jeunes que moi, et, oubliant que je n'avais pas la main belle, il me la prit pour la baiser. Je lui baisai la sienne et je me fis son esclave. Il fallait une permission du roi de France pour appartenir à deux maîtres. Le roi de Prusse se chargea de tout... Me voilà donc avec une clef d'argent doré pendue à mon habit, une croix au cou et vingt mille francs de pension.

— On n'obtient pas de telles faveurs sans susciter beaucoup de jalousie...

— Il y avait alors un médecin à Berlin, nommé La Mettrie... Ses livres avaient plu au roi qui le fit, non pas son médecin, mais son lecteur. Un jour, après la lecture, La Mettrie, qui disait au roi tout ce qui lui venait dans la tête, lui dit qu'on était bien jaloux de ma faveur et de ma fortune. « Laissez faire, lui dit le roi,

Quand il joue aux échecs (Musée de l'Ermitage, Leningrad). Photo APN.

on presse l'orange et on la jette quand on a avalé le jus... » Je résolus dès lors de mettre en sûreté les pelures de l'orange... [je me fis], pour mon instruction, un petit dictionnaire à l'usage des rois. *Mon ami* signifie *mon esclave. Mon cher ami* veut dire *vous m'êtes plus qu'indifférent.* Entendez par *je vous rendrai heu-*

reux : je vous souffrirai tant que j'aurai besoin de vous. Soupez avec moi ce soir signifie *je me moquerai avec vous ce soir.* Le dictionnaire peut être long : c'est un article à mettre dans l'*Encyclopédie*.

— Quel jugement, en définitive, portez-vous sur Frédéric II ?

— C'est dommage qu'un roi si philosophe, si savant, si bon général, soit un ami perfide, un cœur ingrat, un mauvais maître, un détestable voisin, un allié infidèle, un homme né pour le malheur du genre humain, qui écrit sur la morale avec un esprit faux, et qui agit avec un cœur gangrené. Je lui ai enseigné au moins à écrire. Vous savez comme il m'a récompensé.

Puisque nous venons d'évoquer ses séjours auprès de Frédéric II, le moment n'est-il pas venu d'aborder avec Voltaire le problème de la meilleure forme de gouvernement ? Quelles sont ses idées sur un thème aussi primordial ? Il n'a cessé de s'en prendre à l'absolutisme et à tout ce qui pouvait l'incarner. Mais a-t-il proposé autre chose ? Je l'interroge et il répond :

— Le véritable vice d'une république civilisée est dans la fable turque du dragon à plusieurs têtes et du dragon à plusieurs queues. La multitude des têtes se nuit, et la multitude des queues obéit à une seule tête qui veut tout dévorer. La démocratie ne semble convenir qu'à un très petit pays, encore faut-il qu'il soit heureusement situé. Tout petit qu'il sera, il fera beaucoup de fautes parce qu'il sera composé d'hommes. La discorde y régnera comme dans un couvent de moines, mais il n'y aura ni Saint-Barthélemy, ni massacre d'Irlande, ni Vêpres siciliennes, ni Inquisition, ni condamnation aux galères pour avoir pris de l'eau dans la mer sans payer, à moins qu'on ne suppose cette république composée de diables dans un coin de l'enfer.

— Que pensez-vous des républiques existant actuellement dans le monde ?

— Il y a bien peu de républiques dans le monde et encore doivent-elles leur liberté à leurs rochers ou à la mer qui les défend. Les hommes sont très rarement dignes de se gouverner eux-mêmes.

— Croyez-vous les Français capables d'acquérir leur liberté ?

— Les Français ne sont pas faits pour la liberté, ils en abuseraient.

Voilà qui va assez loin et qui est propre à nous fournir sur M. de Voltaire un avis pour le moins nuancé. La vérité est qu'il serait bien sot de vouloir mesurer les idées d'un philosophe du XVIIIe siècle à l'aune de notre préférence. Il faut le prendre tel qu'il est.

— Pensez-vous qu'il faille donner de l'instruction au peuple tout entier ?

— Il est à propos que le peuple soit guidé et non pas qu'il soit instruit... Quand la populace se mêle de raisonner, tout est perdu.

Voilà encore un coup de boutoir. Il faudra nous y faire.

— Que pensez-vous des Français ?

— J'ai toujours peine à concevoir comment une nation si agréable peut être en même temps si féroce, comment elle peut passer si aisément de l'opéra à la Saint-Barthélemy, être tantôt composée de singes qui dansent et tantôt d'ours qui hurlent, à la fois si ingénieux et si imbéciles, tantôt si courageux et tantôt si poltrons.

— Les Français sont pourtant remarqués pour leur esprit...

— Il y a peu de ces êtres pensants. Mon ancien disciple couronné me mandait qu'il n'y en a guère un sur mille, c'est à peu près le nombre de la bonne compagnie et, s'il y a actuellement un millième d'hommes de raisonnables, cela décuplera dans dix ans. Le monde se déniaise furieusement. Une grande révolution dans les esprits s'annonce de tous côtés.

Voilà un optimisme qui fait oublier tout le pessimisme précédent.

— Vous pensez donc que des transformations s'accomplissent actuellement dans le royaume ?

— Quand une nation se met à penser, il est impossible de l'en empêcher. Ce siècle commence à être le triomphe de la raison. Les jésuites, les jansénistes, les hypocrites de robe, les hypocrites de cour auront beau crier, ils ne trouveront dans les honnêtes gens qu'horreur et mépris.

— Croyez-vous que de grands événements se préparent ?

— Tout ce que je vois jette les semences d'une révolution qui arrivera immanquablement et dont je n'aurai pas le plaisir d'être témoin. Les Français arrivent tard à tout, mais enfin ils arrivent. La lumière s'est tellement répandue de proche en proche qu'on éclatera à la première occasion, et alors ce sera un beau tapage. Les jeunes gens sont bien heureux, ils verront de belles choses.

On décèle dans ces derniers propos une tranquille assurance. Mais quel contraste avec le persiflage précédent ! Une telle dissonance, c'est Voltaire tout entier.

— Vous vous êtes bien souvent élevé, monsieur de Voltaire, contre les entraves que rencontrent fréquemment les écrivains dans leur liberté d'expression.

— Ne faites pas des volailles de basse-cour de ceux qui, prenant de l'essor, pourraient devenir des aigles ; une liberté honnête élève l'esprit et l'esclavage le fait ramper. S'il y avait eu une Inquisition littéraire à Rome, nous n'aurions aujourd'hui ni Horace, ni Juvénal, ni les œuvres philosophiques d'un Cicéron. Si Milton, Dryden, Pope et Locke n'avaient pas été libres, l'Angleterre n'aurait eu ni des poètes ni des philosophes ; il y a je ne sais quoi de turc à proscrire l'imprimerie, et c'est la proscrire que la trop gêner.

A Ferney, Voltaire a fait construire non seulement une église, mais son tombeau, disposé pour une part dans l'église, pour une autre dans le cimetière. Je le lui rappelle. Encore le fameux sourire :

— Les malins diront que je ne suis ni dedans ni dehors.

Je lui parle du théâtre qu'il a aménagé à Ferney.

— Si vous rencontrez quelques dévots, dites-leur que

j'ai achevé une église ; si vous rencontrez des gens aimables, dites-leur que j'ai achevé mon théâtre.

De Ferney, Voltaire a écrit à l'Europe entière. Six mille lettres sont datées de cette demeure. Voltaire à Ferney, comme ailleurs, c'est le travail.

— Plus j'avance dans ma carrière de la vie et plus je trouve le travail nécessaire. Il devient à la longue le plus grand des plaisirs et tient lieu de toutes les illusions qu'on a perdues.

C'est aussi à Ferney qu'il a livré ses grands combats. Sans eux, nous l'admirerions. Par eux, nous l'aimons. Un jour, un adolescent vient le voir. Il lui raconte une sinistre histoire : un Toulousain, nommé Calas, accusé d'avoir tué son fils, a été roué vif. L'adolescent est un autre fils de ce Calas. Il jure que son père est innocent, qu'on ne l'a condamné que parce qu'il était protestant. A Toulouse, les catholiques, plus qu'ailleurs peut-être, se veulent intolérants. Il n'y avait pas de preuve contre Calas, mais qu'il ait été protestant suffisait pour faire croire qu'il était capable d'un crime. Voltaire a écouté avec une attention infinie le jeune Calas. Ce qu'il a perçu dans son récit, c'est le plus grand des maux qui accablent l'humanité : l'intolérance. Jamais il ne l'a supportée ; maintenant, il est vieux, mais il ne la supporte pas davantage. Il se jette dans une longue enquête, acquiert la preuve de l'innocence de Calas. Alors, de nouveau, il *crie*. Il se bat contre tous, le roi, la cour, le pouvoir, le Parlement, le Capitole de Toulouse, le système judiciaire. Il déchaîne des haines inexpiables. Il croit que certains veulent s'en prendre à sa vie. De son propre aveu, il a peur, très peur. Il n'en continue pas moins, il n'a qu'une arme : sa plume. Il est seul contre un monde. Par la puissance de son génie, cet homme seul vainc ce monde. Le jour se lève où, solennellement, Calas est réhabilité.

— Vous avez toujours combattu en faveur de la tolérance ?

— Qu'est-ce que la tolérance ? C'est l'apanage de

l'humanité... Il est clair que tout particulier qui persécute un homme, son frère, parce qu'il n'est pas de son opinion, est un monstre. Mais le gouvernement, mais les magistrats, mais les princes, comment en useront-ils envers ceux qui ont un autre culte que le leur ? De toutes les religions, la chrétienne est sans doute celle qui doit inspirer le plus de tolérance, quoique jusqu'ici les chrétiens aient été les plus intolérants de tous les hommes.

— Que pensez-vous des persécutions qui sans cesse ont surgi à travers l'Histoire ?

— Je passe tout aux hommes pourvu qu'ils ne soient pas persécuteurs. J'aimerais Calvin s'il n'avait pas brûlé Servet, je serais serviteur du Concile de Constance sans les fagots de Jean Hus... Chaque nation a des horreurs à expier, et la pénitence qu'on en doit faire est d'être humain et tolérant. Ne soyons ni calvinistes ni papistes, mais frères, mais adorateurs d'un Dieu clément et juste.

— Il semble que, parmi d'autres exemples d'intolérance, ce soit le fanatisme religieux qui vous ait toujours paru particulièrement haïssable ?

— Le fanatisme est, à la superstition, ce que le transport est à la fièvre, ce que la rage est à la colère... Le plus détestable exemple de fanatisme est celui des bourgeois de Paris qui coururent assassiner, égorger, jeter par les fenêtres, mettre en pièces, la nuit de la Saint-Barthélemy, leurs concitoyens qui n'allaient pas à la messe... Il y a des fanatiques de sang-froid : ce sont les juges qui condamnent à mort ceux qui n'ont d'autre crime que de ne pas penser comme eux.

— Quelle leçon tirer de la réhabilitation de Calas ?

— Il y a donc de la justice sur terre, il y a donc de l'humanité. Les hommes ne sont donc pas tous de méchants coquins, comme on le dit...

— L'affaire du chevalier de La Barre vous a également profondément ému.

— Si on donne la question à des Jacques Clément, à des Ravaillac, à des Damiens, personne ne murmurera : il s'agit de la vie d'un roi et du salut de tout l'Etat. Mais que des juges d'Abbeville condamnent à la torture un jeune officier pour savoir quels sont les enfants qui ont chanté avec lui une vieille chanson, qui ont passé devant une procession de capucins sans ôter leur chapeau, j'ose presque dire que cette horreur perpétrée dans un temps de lumière et de paix est pire que les massacres de la Saint-Barthélemy commis dans les ténèbres du fanatisme.

Fanatisme, intolérance, autant de sujets qui nous amènent à la religion. Que Voltaire ait fait construire une église à Ferney — il avait inscrit au fronton *Deo erexit Voltaire* — qu'il ait accueilli pendant des années à Ferney un jésuite, le père Adam, qu'il ait remué ciel et terre pour pouvoir faire ses Pâques publiquement, tout cela n'est qu'anecdote et ne doit pas nous dissimuler cette autre vérité : Voltaire a entrepris une grande guerre contre l'Eglise catholique. Cette guerre-là, elle aussi, s'inscrit dans son temps. Il s'agit d'une certaine Eglise et des options précises qu'elle avait pu prendre. N'importe, il s'agit de découvrir ici les véritables opinions de Voltaire.

— Que pensez-vous de Jésus ?

— Nous regardons Jésus comme un homme distingué entre les hommes par son zèle, par sa vertu, par son amour de l'égalité fraternelle ; nous le plaignons comme un réformateur un peu inconsidéré, qui fut la victime des fanatiques persécuteurs.

— On a souvent affirmé que vous étiez parti en guerre contre le christianisme. Qu'y a-t-il de vrai dans cette assertion ?

— Je suis las d'entendre que douze hommes ont suffi pour établir le christianisme et j'ai envie de prouver qu'il n'en faut qu'un pour le détruire.

— Il vous semble difficile de croire à l'Evangile ?

— Croire à l'Evangile est chose impossible quand on vit parmi ceux qui l'enseignent.

— On vous a reproché d'avoir, dans l'*Essai sur les mœurs,* prononcé un véritable réquisitoire contre la religion chrétienne.

— On dit qu'il faut que je me rétracte ; très volontiers, je déclarerai [...] que si saint Luc et saint Marc se contredisent, c'est une preuve de la vérité de la religion à ceux qui savent bien prendre les choses ; qu'une des belles preuves encore de la religion c'est qu'elle est inintelligible. J'avouerai que tous les prêtres sont doux et désintéressés, que les jésuites sont d'honnêtes gens, que les moines ne sont ni orgueilleux, ni intrigants, ni puants, que la Sainte Inquisition est le triomphe de l'humanité et de la tolérance. Enfin, je dirai tout ce qu'on voudra pourvu que l'on me laisse en repos et qu'on ne s'acharne pas à persécuter un homme qui n'a jamais fait de mal à personne, qui vit dans la retraite...

— Jugez-vous que le catholicisme est en train de perdre du terrain ?

— Tout vient dans son temps, et un temps arrivera où l'on n'enseignera plus aux hommes que le monde, qui vient de Dieu, et qu'on laissera là les dogmes. qui viennent des Pères : car quels enfants que ces Pères et quels radoteurs ! J'ai fait plus en mon temps que Luther et Calvin. Il faut *écraser l'infâme.*

— Vous croyez pourtant en l'existence de Dieu ?

— Dans l'opinion qu'il y a un Dieu, il se trouve des difficultés, mais dans l'opinion contraire il y a des absurdités... De doute en doute, [on arrive] à regarder cette proposition *Il y a un Dieu* comme la chose la plus vraisemblable que les hommes puissent penser.

— Vous êtes donc ennemi de l'athéisme ?

— J'ai toujours regardé l'athéisme comme le plus grand égarement de la raison parce qu'il est aussi ridicule de dire que l'arrangement du monde ne prouve pas un artisan suprême qu'il serait impertinent qu'une horloge ne prouve pas un horloger.

— Vous ne voulez avouer aucune certitude ?

— Je ne suis sûr de rien : je crois qu'il y a un être intelligent, une puissance formatrice, un Dieu. Je tâtonne dans l'obscurité sur tout le reste. J'affirme une idée aujourd'hui, j'en doute demain, après-demain je la nie et je puis me tromper tous les jours.

— Estimez-vous pourtant que le peuple ait besoin d'une religion ?

— La croyance des peines et des récompenses après la mort est un frein dont le peuple a besoin. Il est fort bon de faire accroire aux hommes qu'ils ont une âme immortelle et qu'il y a un Dieu vengeur qui punira mes paysans s'ils volent mon blé et mon vin. Je veux que mon procureur, mon tailleur, ma femme même croient en Dieu et je m'imagine que j'en serai moins volé et moins cocu.

— Toute représentation d'un Dieu vous semble donc absurde ?

— Si Dieu nous a faits à son image, nous le lui avons bien rendu.

— Vous avez écrit un alexandrin mémorable :
Si Dieu n'existait pas, il faudrait l'inventer.

— Je suis rarement content de mes vers, mais j'avoue que j'ai une tendresse de père pour celui-là.

Tendresse peut-être, mais on n'imagine guère cet alexandrin autrement qu'accompagné de l'un de ces rires grinçants dont ont parlé ses familiers. Il grince, ce rire, dans toute son œuvre.

— Malgré la verve ironique de vos merveilleux *Contes,* vous cachez bien souvent votre colère sous un éclat de rire.

— Je me contente de ricaner sans me mêler de rien. Il est vrai que je ricane beaucoup. Cela fait du bien et cela soutient son homme dans la vieillesse. J'ai essuyé de bien cruelles afflictions en ma vie, le beaume du Fier à bras que j'ai appliqué sur mes blessures a toujours été de chercher à m'égayer. Ce monde est une guerre : celui qui rit aux dépens des autres est victorieux.

— Que pensez-vous de la vie ?

— Je joue avec la vie, elle n'est bonne qu'à cela. Il faut que chaque enfant, vieux ou jeune, fasse ses bouteilles de savon.

— Et les hommes ?

— Ce monde est un chaos d'absurdités et d'horreurs... Les hommes se font encore plus de mal sur leurs petites taupinières que ne leur en fait la nature. Nos guerres égorgent plus d'hommes que les tremblements de terre n'en engloutissent.

— Et le travail ?

— Travaillons sans raisonner, c'est le seul moyen de rendre la vie supportable... Le travail éloigne de nous trois grands maux : l'ennui, le vice et le besoin. Il faut cultiver notre jardin.

Je le regarde encore, image de notre fragilité. Un corps presque réduit à rien et soutenu seulement par une énergie indomptable. C'est cet homme-là dont Pigalle doit faire le buste. La petite main s'agite :

— M. Pigalle doit venir modeler mon visage ; mais il faudrait que j'eusse un visage ; on en devinerait à peine la place. Mes yeux sont enfoncés de trois pouces, mes joues sont du vieux parchemin mal collé sur des os qui ne tiennent à rien. Le peu de dents que j'avais est parti. Ce que je vous dis là n'est point coquetterie. On n'a jamais sculpté un pauvre homme dans cet état. M. Pigalle croirait qu'on s'est moqué de lui...

— Cependant, les années ne vous ont rien enlevé de votre vitalité, de la vie intense qui est en vous !

— Je deviens insolent à mesure que j'avance en âge. La canaille dira que je suis un malin vieillard.

— Vous avez dit, monsieur, à votre ami d'Alembert : « Je mourrai, si je puis, en riant. » Le pensez-vous toujours ?

— Nous sommes tous des condamnés à mort qui s'amusent un moment sur le préau jusqu'à ce qu'on vienne les chercher pour les expédier. Cette idée est plus vraie que consolante. La première leçon que je crois qu'il faut donner aux hommes, c'est de leur inspirer le courage dans l'esprit, et puisque nous sommes nés pour souffrir et mourir, il faut se familiariser avec cette dure destinée... On dit quelquefois d'un homme : il est mort comme un chien. Mais vraiment un chien est très heureux de mourir sans tout cet attirail dont on persécute les derniers moments de notre vie. Si on avait un peu de charité pour nous, on nous laisserait mourir sans nous en rien dire.

VOLTAIRE

Je vais le quitter, le rendre à son éternité.
— Un dernier conseil, monsieur de Voltaire.
— Jouissez de la vie, qui est peu de chose, en attendant la mort, qui n'est rien.

Galopant vers l'éternité... par J. Huber (Musée de l'Ermitage, Leningrad). Photo APN.

III

MIRABEAU

Pour rencontrer Mirabeau, j'aurais pu vouloir me rendre au château du Marais, près d'Argenteuil, l'ancienne propriété d'Helvétius qu'il avait achetée, le 15 février 1791. Mais le grand tribun n'a guère résidé au Marais. Pour l'évoquer au plein de sa gloire, c'est dans la chaussée d'Antin qu'il faut se diriger par la pensée. Là, au n° 69, s'élève un charmant hôtel, entre cour et jardin. Il appartient à l'actrice Julie Carreau, future épouse de Talma. Mirabeau s'y est installé quand, après les journées d'Octobre, il a regagné Paris, en même temps que l'Assemblée nationale. Qu'il ait choisi la demeure d'une actrice comme résidence, voilà qui lui ressemble bien.

Il n'est pas de lieu où Mirabeau ne se soit senti mieux qu'à table — si ce n'est dans le lit de ses maîtresses. Pourquoi ne m'aurait-il pas justement reçu à table ?

Voici donc la salle à manger où il m'attend. Il est devant moi et je suis saisi. Extraordinaire physique, en vérité. Comment ne pas penser à ce qu'en a dit Mme de Staël, évoquant « son immense chevelure » qui « le distinguait entre tous ; on eût dit que sa force en dépendait comme celle de Samson ; son visage empruntait de l'expression à sa laideur même et toute sa personne donnait l'idée d'une puissance irrégulière, mais enfin d'une puissance telle qu'on se la représentait dans un tribun du peuple ». Comment ne pas penser à l'impression éprouvée par le comte de La

◀ *La laideur et la séduction, voilà tout Mirabeau. Portrait par Boze* (Musée d'Aix-en-Provence). Photo Bulloz.

Marck en 1788 ? Il avait été frappé par l'extérieur insolite de Mirabeau, par l'énorme chevelure poudrée et bouclée, par la « grandeur démesurée » des boutons de couleur de son habit, celle des boucles de ses souliers. Ecrasante, la carrure, et on dirait qu'il l'exagère en portant des vêtements trop amples. Aux doigts, des bagues, et c'est trop. Large et puissant et rouge, le visage semé des coutures laissées par la petite vérole. Il est fort, épais, mais non pas gras. Le front grand, le nez charnu. Mais la bouche est fine. La main est belle. Surtout, il y a le port de tête énorme, un port orgueilleux. Et il y a le regard qui retient malgré soi. Le comte de La Marck a senti cela. Il parle, en évoquant Mirabeau, de « je ne sais quel *charme* pour ainsi dire involontaire » qui retient. La laideur et la séduction, voilà tout Mirabeau.

Acueillante, la salle à manger où je me trouve. Voici un riche buffet, un chef-d'œuvre d'ébénisterie, surmonté de vases antiques, dont un contemporain nous dit qu'il était « plein de choses exquises ». Lui faisant face, je vois une bibliothèque chargée de livres admirablement reliés et d'éditions rares. Les deux autres côtés sont ornés de tableaux et d'estampes qui évoquent les plaisirs de la table.

A l'invite de M. de Mirabeau, je m'assieds. Sa voix retentit comme elle sonne à la tribune. Je comprends que certains aient évoqué le tonnerre. Surprise : je suis seul avec lui. Pas un domestique. Pourtant, je sais que mon hôte a valets de chambre, cuisiniers, cocher et qu'il engage facilement des extras. Allons-nous devoir nous servir nous-mêmes ? Il faut le croire, puisque, derrière nous, j'aperçois de petits meubles ou « servantes » à quatre étages, couverts de bouteilles, d'assiettes, de verres. Mirabeau me donne l'exemple en se servant, largement. Je l'imite. Il m'explique qu'il aime parler, qu'il aime que ses invités parlent en toute liberté. Gênante, la présence de domestiques. Alors, il a imaginé cela. Les domestiques n'interviendront qu'entre chaque service.

Là où naquit Mirabeau : le château du Bignon (Musée Carnavalet).
Photothèque Plon-Perrin.

Idéal, le moment, pour tâcher de lui extorquer la vérité sur lui-même.

— Monsieur le comte de Mirabeau, vous n'avez jamais caché les désordres de votre jeunesse ?

— Mes premières années, comme des années prodigues, avaient déjà, en quelque sorte, déshérité les suivantes et dissipé une partie de mes forces.

— Regrettez-vous aujourd'hui cette période de dissipation ?

— Ah ! que l'immoralité de la jeunesse fait de tort à la chose publique !

Je songe à ces Mirabeau, si bien évoqués par le duc de Castries dans sa belle biographie du tribun, à cette famille qui semble peuplée d'originaux. Les Riqueti affirmaient être venus de Florence. Leur fief, sur les rives de la Durance, avait été, en 1686, érigé en marquisat. Au siècle suivant, le marquis de Mirabeau — auteur d'un ouvrage célèbre, *l'Ami des hommes* — avait acheté un hôtel à Paris et, près de Nemours, le château du Bignon. C'est là que, le 9 mars 1749, était né Gabriel-Honoré de Mirabeau. Le nôtre. A sa naissance, il avait un pied tordu, deux grosses molaires dans la bouche et la langue enchaînée par un filet. On dut couper ce filet pour qu'il pût parler. Un coup de scalpel qui devait porter ses fruits. Dans sa petite enfance, sa turbulence a été telle qu'elle a effaré tout son entourage : « Ma véritable croix, écrivait son père, est mon fils qui s'élève. »

— Comment votre père a-t-il réagi devant tant d'impétuosité ?

— Dès mon enfance et mes premiers pas dans le monde, j'ai reçu peu de marques de sa bienveillance, il m'a traité avec rigueur avant que je pusse avoir démérité de lui ; il dut voir de bonne heure cependant que cette méthode excitait ma fougue naturelle au lieu de la réprimer ; il était également aisé de m'attendrir et de m'irriter, le premier chemin me menait au but, le second m'en écartait.

— Vous avez eu alors avec lui des discussions orageuses.

— Je vis que j'aurais toujours tort parce que je n'étais pas aimé.

— Avez-vous traversé des années difficiles ?

— J'ai essuyé tous les malheurs que la fougue de l'âge et des passions peut attirer sur un jeune homme.

— Votre famille vous a surtout reproché vos dettes.

— Pour réparer une brèche, il en faut faire dix autres. Il est incroyable avec quelle rapidité le peloton se forme.

— On vous a jeté à plusieurs reprises en prison. Ces sanctions n'ont-elles pas aggravé vos dispositions d'esprit ?

— Il est des hommes qu'il faut occuper. L'activité,

qui peut tout, et sans laquelle on ne peut rien, devient turbulence alors qu'elle n'a ni emploi ni objet.

Au fond, comme l'a remarqué Louis Madelin, Mirabeau était un soldat à qui il ne manqua que le champ de bataille. Faute de soldats ennemis, c'est avec la vie qu'il s'empoigna. Ses frasques défrayèrent la chronique d'une province. Il y gagna un premier internement à l'île de Ré.

Bien sûr, il va y séduire la fille du commandant en second. Il en sort pour participer à la campagne de Corse. Il y séduit la fille d'un général, la femme d'un intendant, deux sœurs corses, des servantes et une religieuse. Finalement, on le marie.

— En 1772, on vous maria avec Mlle Emilie de Marignane.

— Elle n'avait ni l'âme forte ni l'esprit élevé, mais elle était raisonnable, quoique mal élevée et elle l'aurait été si je n'eusse pas été très fol et d'une volée trop haute et trop inégale pour elle.

— Votre père vous fit peu après emprisonner au château d'If, où votre idylle avec la « cantinière » provoqua un nouveau scandale.

— Il n'y avait qu'une seule femme au château d'If qui eût figure de femme. J'avais vingt-six ans, c'est un furieux délit que d'avoir donné lieu de soupçonner qu'elle me paraissait jolie !

— Du château d'If, votre père vous fit transférer au fort de Joux, dans le Jura. Ce nouveau lieu d'incarcération était-il pire que le premier ?

— Je sortais d'une prison que les égards qu'on y avait pour moi avaient adoucie, pour entrer dans le pays le plus triste, le plus froid de l'Europe... Je suis venu sans un sol [...] et arrivé d'ailleurs avec des habits de camelot dans un pays où le drap est un trop léger habit d'été, où tout était couvert de neige le 30 mai et où, les premiers jours de juin, il n'y avait pas une feuille.

— C'est alors que vous avez fait paraître à Neuchâtel un terrible libelle contre le pouvoir : l'*Essai sur le despotisme*. Qu'en pensez-vous maintenant ?

— Ce livre est détestable, car les détails ne font point un livre, c'est un tissu de lambeaux unis sans ordre, empreints de tous les défauts de l'âge auquel j'écrivais ; il n'y a ni plan, ni forme, ni correction, ni méthode.

Il a beau critiquer l'ouvrage, nous devons bien nous y arrêter. En apparence, l'auteur veut simplement réfuter les théories de Jean-Jacques sur la bonté naturelle de l'homme. En fait, il s'attaque avec une violence extrême aux pouvoirs, au pouvoir. Au fil des phrases, se décèlent un tempérament et un don oratoire qui devaient devenir torrentiels : « Le despotisme est une manière d'être effrayante et convulsive. » « Le roi est un salarié et celui qui paie a le droit de renvoyer celui qui est payé. Si d'autres Français l'ont pensé avant moi, je suis peut-être le premier qui ait osé l'écrire... » Et ceci encore : « La longue habitude de commander a corrompu le prince, la longue habitude d'obéir a corrompu le peuple. »

Mais, au fort de Joux, il n'a pas fait qu'écrire.

— Vous êtes tombé amoureux de Sophie de Monnier, qui vous parut douée de mille qualités.

— Mon caractère est inégal, ma susceptibilité est prodigieuse, ma vivacité excessive, il fallait que je rencontrasse une femme douce et indulgente pour faire mes délices, et je ne devais pas espérer que ces qualités précieuses se rencontrassent avec des vertus beaucoup plus rares, et qu'on regarde comme incompatibles.

— C'est alors que vous vous êtes enfui en Hollande, en enlevant la marquise de Monnier, épouse du premier président de la Chambre des comptes de Dole. Je dois dire à votre décharge que Sophie avait vingt-deux ans et son mari beaucoup plus de soixante. Pourtant, n'avez-vous pas, plus tard, regretté votre décision ?

— Je savais que c'était la plus grande des folies que de l'enlever. Pour profiter en pays étranger des avantages que ma jeunesse, ma naissance et mon épée pouvaient me procurer, il fallait que j'y allasse seul...

Sophie de Monnier : elle aima Mirabeau et souffrit par lui (B.N.).

— Vous avez pourtant vécu avec elle quelques mois heureux.

— Une heure de musique me délassait, et mon adorable compagne, qui, élevée et établie dans l'opulence, ne fut jamais si gaie, si courageuse, si attentive, si égale et si tendre que dans la pauvreté, embellissait ma vie. Elle faisait mes extraits, elle travaillait, lisait, peignait, revoyait des épreuves. Son inaltérable douceur, son intarissable sensibilité se développaient dans toute leur étendue.

Je songe à ce XVIIIe siècle si fertile en contrastes. Il semble qu'y triomphe la liberté des mœurs. Or les lettres de cachet pour cause d'immoralité subsistent. L'enlèvement de la femme d'un président est un crime. Le tribunal de Pontarlier condamne le ravisseur à la peine capitale. Simplement. On demande son extradition aux autorités des Pays-Bas. Arrêté à Amsterdam, il va être conduit au donjon de Vincennes où il restera trois ans. Là, il va lire sans cesse, écrire beaucoup. C'est en prison, sous le coup de la peine de mort, qu'il rédige son célèbre pamphlet des *Lettres de cachet*. En même temps, il en appelle à l'opinion par un mémoire où il conte toute son affaire. Du coup, le marquis de Monnier se désespère : tant de bruit autour de son infortune ! Il se déclare prêt à la conciliation, retire sa plainte. En définitive, Mirabeau est libéré, mais Sophie est enfermée dans un couvent. Telle est encore la situation des femmes. « Ils pensaient tous, dit Sophie, que nous ne pouvions pas vivre l'un sans l'autre. Hélas ! mon époux, ils ont donc tort. » De ce drame, elle sortira le cœur brisé. Elle y laissera sa vie. Mirabeau, lui, en 1783, peut enfin reprendre le chemin d'Aix-en-Provence. Je le lui rappelle. Il hausse les épaules :

— Quand je suis arrivé, tout le monde me fuyait : j'étais l'antéchrist !

— Vous avez eu un nouveau procès à subir puisque votre femme avait introduit une demande de séparation.

— Mme de Mirabeau s'est plainte de ce que je l'eusse calomniée ; non, je ne l'ai pas calomniée, je n'aurais pas pu la calomnier...

C'est un procès qui émut la Provence, et encore un scandale. Magnifique, dans ce procès, Mirabeau, mais téméraire. Il tonitrue, s'en prenant au Parlement qui le juge. Alors, il perd son procès. Il envoie un cartel au marquis de Galliffet dont on chuchote qu'il est le cavalier servant de la comtesse de Mirabeau. Il quitte la Provence, fait une nouvelle conquête, Mme de Nehra. Ils passent ensemble à Bruxelles, puis en Angleterre, puis en Prusse — où il rencontre Frédéric II. En fait, il a tenté d'entrer dans la diplomatie et c'est une mission secrète qu'il accomplit à Berlin. Il en tirera un grand ouvrage : *De la monarchie prussienne sous Frédéric le Grand,* publié en 1788. Et aussi un livre scandaleux, paru anonymement en 1789, l'*Histoire secrète de la cour de Berlin.* Cette publication vient à son heure. Elle procure une somme d'argent au toujours impécunieux Mirabeau. Il en a bien besoin, car il est parti pour la Provence où il compte fort se faire élire aux états généraux que le roi convoque. Apprenant sa venue, son père écrit ces mots surprenants : « De longtemps ils n'auront pas vu une telle tête en Provence. » Or le noble comte de Mirabeau va choisir de se faire élire dans les rangs du tiers état.

— Est-ce par haine de votre caste que vous avez fait ce choix ?

— Provoqué si atrocement par la noblesse de Provence, il est assez naturel qu'on croie que j'ai porté dans ma conduite quelque esprit de vengeance. On se trompe. L'impéritie et la perfidie du gouvernement d'un côté, l'imbécillité et la maladresse du parti ennemi de la Révolution de l'autre m'ont entraîné plus d'une fois hors de mes propres mesures ; mais je n'ai jamais déserté le principe, lors même que j'ai été forcé d'en exagérer l'application, et j'ai toujours désiré rester ou revenir au juste milieu.

— Pourtant vous êtes comte.

— J'attache si peu d'importance à mon titre de comte que je le donne à qui le voudra. Mon plus beau titre, le seul dont je m'honore, est celui de représentant d'une grande province et d'un grand nombre de mes concitoyens.

— Dans quel esprit êtes-vous arrivé à Versailles ?

— J'ai été, je suis, je serai jusqu'au tombeau l'homme de la liberté publique, l'homme de la Constitution. Malheur aux ordres privilégiés si c'est là plutôt être l'homme du peuple que celui des nobles.

Je songe à ce cortège, le 5 mai 1789, à ces douze cents députés des états généraux qui défilent, au milieu d'une foule immense, dans les rues de Versailles pavoisées. C'est comme la procession de la monarchie qui se meurt. Au milieu des six cents députés du tiers, voici cet homme « à stature de portefaix » lourde, épaisse, qui marche d'un pas à la fois brusque et majestueux, rejetant en arrière sa tête à l'écrasante laideur, qu'encadre une crinière énorme. Celui-là, c'est Mirabeau. Comme chacun, il porte un cierge à la main. Le soir, il préparera le premier numéro d'un journal politique qui paraîtra le lendemain avec cette épigraphe empruntée à Virgile : *Novus rerum nascitur ordo* — il naît un ordre nouveau.

— Quelle impression avez-vous eue lors de la première réunion des états généraux ?

— Figurez-vous plus de cinq cents individus jetés dans une salle, sans se connaître, rassemblés de lieux divers, sans chef, sans hiérarchie, tous libres, tous égaux ; nul n'ayant le droit de commander, nul ne se croyant contraint d'obéir et tous voulant, à la française, être entendus avant d'écouter.

Je songe à cette journée fameuse du 23 juin 1789, au commandement que donne Louis XVI aux députés : ils doivent délibérer par ordre et donc se séparer à l'instant. Je songe à l'immobilité du tiers qui refuse d'obtempérer. Je songe à l'irruption du marquis de Dreux-Brézé qui demande aux députés s'ils ont entendu l'ordre du roi. Je songe à la voix de tonnerre de Mirabeau qui répond : « Allez dire à ceux qui vous envoient que nous sommes ici par la volonté du peuple et que nous n'en sortirons que par la puissance des baïonnettes ! » A cet instant précis, Mirabeau est entré dans l'Histoire.

— Votre action, le 23 juin, n'a-t-elle pas eu des répercussions dangereuses ?

— La journée du 23 juin a fait sur ce peuple inquiet et malheureux une impression dont j'ai craint les suites. Où les représentants de la nation n'ont vu qu'une erreur de l'autorité, le peuple a cru voir un dessein formel d'attaquer leurs droits et leurs pouvoirs.

— Vous jugiez alors sévèrement les conseillers du roi.

— Avaient-ils étudié dans l'histoire de tous les peuples comment les révolutions commençaient, comment elles s'opéraient ? Avaient-ils observé par quel enchaînement funeste de circonstances les esprits les plus sages étaient jetés hors des limites de la modération et par quelle impulsion terrible un peuple enivré se précipite vers des excès dont la première idée l'eût fait frémir ?

— Votre éloquence a très vite subjugué l'Assemblée.

— On n'imagine pas la puissance de ma laideur ; quand je secoue ma terrible hure, il n'y a personne qui ose m'interrompre.

— Vos dons naturels vous valent-ils beaucoup d'envieux ?

— J'ai toujours une canne pour les insolents et un pistolet pour les assassins.

— Que vous reprochent vos ennemis ?

— Mes ennemis ne me pardonneront jamais ma supériorité.

— On vous couvre souvent d'injures.

— Vous êtes bien bon de vous affecter de toutes les horreurs de messieurs les bulletinistes. Il y a longtemps que je regarde ces sales injures comme les émoluments de ma chevalerie. Malheur, mon cher, malheur à qui tenterait de faire une révolution et ne serait pas calomnié ! Je suis beaucoup pis ; je suis inquiété en tous sens, avec tout l'acharnement de la haine et toute l'activité de l'intrigue...

— Dès le début de la révolution, vous êtes-vous rendu compte des difficultés que vous devriez affronter ?

— C'est avoir entrepris une fière et difficile tâche que de gravir au bien public sans ménager aucun parti, sans encenser l'idole du jour, sans autres armes que la raison et la vérité, les respectant partout, ne respectant qu'elles, n'ayant d'amis qu'elles, d'ennemis que leurs adversaires, ne reconnaissant d'autre monarque que sa conscience, et d'autre juge que le temps. Eh bien, je succomberai peut-être dans cette entreprise, mais je ne reculerai pas.

Etrange situation que celle de Mirabeau, en ces débuts de révolution. Il a attaqué Necker à boulets rouges et son journal a été supprimé. Les nobles le haïssent. Pour eux, il est un « chien enragé ». Le tiers le comprend mal, se méfie de lui. Les *Lettres de Berlin* lui nuisent dans l'esprit des bourgeois puritains. Ce que l'on éprouve pour lui, c'est avant tout de la curiosité. Mais, dans le peuple, sa réplique à Dreux-Brézé l'a rendu d'un seul coup populaire. Or Mirabeau n'est pas un violent, mais un modéré. Le paradoxe, c'est qu'il va longtemps se camper dans des attitudes extrêmes qui ne correspondent pas à son vrai tempérament.

— Quel but poursuiviez-vous ?

— Je voulais une Constitution libre, mais monarchique. Je ne voulais point ébranler la monarchie... J'apercevais dans notre assemblée de si mauvaises têtes, tant d'inexpérience, d'exaltation, une résistance, une aigreur si inconsidérées dans les deux premiers ordres que je craignais les plus fortes commotions.

— Tous les hommes à votre avis sont-ils égaux ?

— L'idée d'une seule classe de citoyens aurait plu à Richelieu ; si cette surface égale convient à la liberté, elle facilite l'exercice du pouvoir.

— Croyez-vous que le retour à la monarchie absolue soit un jour possible ?

— Le despotisme est pour jamais fini en France. La révolution pourra avorter, la Constitution pourra être subvertie, le royaume déchiré en lambeaux par l'anarchie, mais on ne rétrogradera jamais vers le despotisme.

— Vous êtes bien décidé à ne jamais travailler à la restauration de l'Ancien Régime.

— Je suis l'homme d'un rétablissement de l'ordre et non d'un rétablissement de l'ancien ordre.

— Alors, la solution aux maux du royaume ?

— Tendre à une meilleure constitution, voilà le seul

but que la prudence, l'honneur et le véritable intérêt du roi, inséparable de celui de la nation, lui permettent d'adopter.

— Vous avez toujours préconisé une royauté héréditaire et un corps législatif permanent.

— J'ai toujours pensé que la royauté est la seule ancre de salut qui puisse nous préserver du naufrage. Aussi quels efforts n'ai-je pas faits et ne fais-je pas tous les jours pour soutenir le pouvoir exécutif et pour combattre une défiance qui fait sortir l'Assemblée nationale de ses mesures.

— L'idée d'un roi « soliveau » vous semble insoutenable ?

— Tout peut se soutenir, excepté l'inconséquence ; dites-nous qu'il ne faut pas de roi, ne nous dites pas qu'il ne faut qu'un roi impuissant, inutile.

Je l'écoute et je l'imagine à la tribune.

Colossales, toutes ses apparitions. Il épouvantait et en même temps fascinait. Il parlait et de sa bouche sortaient l'amertume, la raillerie, l'imprécation, la colère, l'injure. Et tout à coup ce torrent s'apaisait, laissant place à de longues périodes majestueuses. Les phrases admirables glissaient sur l'Assemblée, la captivaient. Au vrai, il domptait ses députés. Il parlait et, quelles que fussent les préventions, on oubliait tout. Desmoulins a dit un jour : *Mirabeau tonnerre*. Un témoin parle de sa voix « pleine, mâle, sonore, qui remplissait l'oreille et la flattait ». Il semblait avoir toujours quelque difficulté à commencer. Il y avait des hésitations dans les premières phrases. Et puis il s'animait, dit un autre témoin, « jusqu'à ce que les soufflets de la forge fussent en fonction ».

— Depuis le début de la Révolution, vous avez lutté pour conserver quelque pouvoir au roi.

— J'ai combattu pour les droits du trône lorsque je n'inspirais que de la méfiance, et que toutes mes démarches, empoisonnées par la malignité paraissaient autant de pièges. J'ai servi le monarque, lorsque je savais bien que je ne devais attendre d'un roi juste, mais trompé, ni bienfait ni récompense.

— Vous avez vainement cherché à obtenir pour lui le *veto* absolu.

— Je crois le *veto* du roi tellement nécessaire que j'aimerais mieux vivre à Constantinople qu'en France s'il ne l'avait pas.

Lorsqu'il dit cela, est-il sincère ? A coup sûr, on peut répondre affirmativement. Quand les privilèges ont été anéantis, il a cru que la Révolution avait atteint son port. Désormais, il entend que les résultats acquis soient fortifiés, qu'on ne les remette pas en cause. Il déteste donc les réactionnaires qui veulent revenir en arrière et les trop ardents révolutionnaires qui, en réclamant trop, risqueraient de compromettre ce qui a déjà été obtenu. Il sait bien que l'équilibre est fragile. Avec un orgueil raisonné, il sent que, dans le personnel politique, il n'existe qu'une seule personnalité assez puissante pour concilier ces extrêmes : lui-même. Tous ses actes, toutes ses paroles ne se comprennent que dans cette perspective. Il se voit porté au ministère, soit par le roi, soit par l'Assemblée. Il se sent sûr d'être un grand ministre, un nouveau Richelieu, de pacifier la France, de faire régner de concert l'autorité et la liberté. Disons-le : cette vision de Mirabeau n'était pas une vue de l'esprit. Ce qui a manqué à la France, c'est une véritable expérience de monarchie constitutionnelle.

— Comment conciliez-vous autorité et liberté ?

— L'autorité royale doit être le rempart de la liberté nationale, et la liberté nationale la base de l'autorité royale.

— Vous passez pour emporté, violent, passionné et tous vos propos sont empreints de sagesse.

— Si l'audace et l'impétuosité sont nécessaires pour conquérir une révolution, la mesure seule peut la consolider.

— Craignez-vous l'excitation des foules ?

— La justice et la vérité sont toujours dans un sage

milieu, les partis extrêmes ne sont jamais que les dernières ressources du désespoir.

— Vous avez appuyé avec force l'idée de la liberté des cultes.

— La liberté des cultes n'a d'autres limites que l'ordre et la tranquillité publics ; la liberté la plus illimitée de religion est à mes yeux un droit si sacré que le mot « tolérance », qui voudrait l'exprimer, me paraît en quelque sorte tyrannique lui-même, puisque l'existence de l'autorité qui a le pouvoir de tolérer attente à la liberté de penser par cela même qu'elle tolère, et qu'ainsi elle pourrait ne pas tolérer.

— Vous n'avez pas l'impression d'avoir commis quelques erreurs au début de la Révolution et de les payer aujourd'hui ?

— Je n'ai pas fait le mal volontairement, j'ai subi le joug des circonstances où je me suis trouvé malgré moi. Le grand mal qui a été fait a été l'œuvre de tous, sauf les crimes qui appartiennent à quelques-uns.

Comment ne pas se prendre de sympathie pour cet homme ? Comment ne pas céder à sa séduction ? Son drame, à la fin de 1789 et au début de 1790, c'est d'être à la fois tenu en méfiance par l'Assemblée et en haine par la cour. Les députés se montrent d'autant plus soupçonneux à son égard qu'ils se sont sentis fascinés par son génie oratoire. La cour, et singulièrement la reine, voient en lui l'incarnation de cette Révolution qu'elles haïssent. Pourquoi ne comprennent-elles pas que Mirabeau peut être un rempart, la seule digue capable de protéger une famille royale réconciliée avec la nation ? Pendant tous ces mois-là, Mirabeau enrage de se sentir tant de force inemployée. Un jour, il a décidé de franchir le Rubicon. Il a dit au comte de La Marck : « Faites donc qu'au château on me sache plus disposé pour eux que contre eux. » Mais la reine a longtemps refusé l'entrevue. Trop longtemps.

— Par l'intermédiaire de M. de La Marck, vous vous

êtes rapproché de la cour, mais on vous accuse de lui être vendu.

— Qu'on me soupçonne, qu'on m'accuse d'être vendu à la cour, peu m'importe ! Personne ne croira que je lui ai vendu la liberté de mon pays, que je lui ai préparé des fers. Vous m'avez vu dans les rangs du peuple, luttant contre la tyrannie, et c'est elle que je combats encore ; mais l'autorité légale, la monarchie constitutionnelle, l'autorité tutélaire du monarque, je me suis toujours réservé le droit de les défendre.

— Ne voyez-vous pas la calomnie grandir autour de vous ?

— En vérité, je me vends à tant de gens que je ne comprends pas comment je n'ai pas encore acquis la monarchie universelle.

Enfin, le 3 juillet 1790, le roi et la reine se sont décidés à recevoir Mirabeau. On ne sait rien de l'entrevue, sinon que la reine a, par la suite, avoué à La Marck qu'elle et le roi avaient acquis la conviction du « dévouement sincère de Mirabeau à la cause de la monarchie et à leurs personnes ». En quittant le couple royal, après avoir, croit-on, baisé la main de la reine, Mirabeau se serait écrié : « Madame, la monarchie est sauvée ! » Malheureusement, ce qui a presque toujours perdu Mirabeau, c'est sa faiblesse et son appétit d'argent. Il n'a pas de fortune, il est criblé de dettes. Il acceptera donc de l'argent de la cour. Erreur insigne qui le mettra dans une éternelle position de faiblesse vis-à-vis de ses contemporains aussi bien que de la postérité.

— On commence à parler de votre entrevue avec les souverains à Saint-Cloud.

— Je sais à n'en pouvoir douter que les Lameth, Duport, Menou, d'Aiguillon et même Pétion de Villeneuve mettent une grande activité à acquérir la preuve que j'ai eu une conférence à Saint-Cloud. La récolte de toutes leurs machinations ne fera pas, je crois, qu'ils puissent m'entamer sérieusement à l'Assemblée, mais elle peut me compromettre et me désinfluencer.

A la reine, il déclare : « Madame, la monarchie est sauvée ! »
Portrait par Dabos (Musée Carnavalet). Photo Bulloz.

— Vous avez su manœuvrer avec un grand sens politique.

— Il faut dissimuler quand on veut suppléer à la force par l'habileté, comme on est obligé de louvoyer dans une tempête.

— Vous sentez-vous le seul à pouvoir exercer quelque influence sur les souverains ?

— Je répugnerais à jouer un rôle dans ce moment de partialité et de confusion, si je n'étais convaincu que le rétablissement de l'autorité légitime du roi est le premier besoin de la France et l'unique moyen de la sauver. Mais je vois si clairement que nous sommes dans l'anarchie et que nous nous y enfonçons chaque jour davantage, je suis si indigné de l'idée que je n'aurais contribué qu'à une vaste démolition, et la crainte de voir un autre chef à l'Etat que le roi m'est si insupportable que je me suis senti impérieusement rappelé aux affaires dans un moment où, voué en quelque sorte au silence du mépris, je croyais n'aspirer qu'à la retraite.

— Vous n'ignorez pas que vous êtes pour certains un objet de haine.

— Je suis devenu personnellement le point de mire des ambitieux, des factieux et des conspirateurs. La section du parti populaire, qui ne veut que le trouble, matée par moi dans maintes occasions, domptée dans celle du droit de la paix et de la guerre, désespère de me voir abandonner les principes monarchiques et, en conséquence, a juré ma perte... Le trône n'a ni conceptions, ni mouvements, ni volonté. Le peuple, ignorant et anarchisé, flotte au gré de tous les jongleurs politiques et de ses propres illusions. Certainement il est difficile de marcher dans une route plus semée de chausse-trapes.

— Quels sont les plus grands maux qui menacent la France ?

— Les vrais périls qui menacent l'Etat sont la longue lutte de l'anarchie, l'inhabitude du respect pour la loi, toute secousse qui pourrait démembrer l'empire, toute scission de l'opinion publique, les combats des nouveaux corps administratifs et, surtout, le jugement que le royaume et l'Europe vont porter sur l'édifice de la Constitution... Au milieu de tant de dangers, j'oublie le plus grand : l'inaction du seul homme qui puisse les prévenir.

— Arriverez-vous à persuader le roi de la nécessité d'agir ?

— L'indécision du roi peut être surmontée, dans son intérieur par la reine et dans le conseil par le concert des ministres. Si l'indécision du roi se communiquait au gouvernement, la royauté, entièrement nulle, graduellement avilie, ne paraîtrait qu'un fantôme dont on croirait pouvoir se passer.

— La reine sait mieux ce qu'elle veut, mais elle est haïe d'une partie de la nation. Qu'en pensez-vous ?

— Les préventions contre la reine sont moins un obstacle direct qu'une arme offensive dont on se sert contre la cour, contre les ministres, contre le gouvernement. La dissimulation de la reine ne suffirait pas. Il faut qu'elle rassure sur ses intentions, que sa conduite prenne un autre cours, que les ministres l'associent à ce qu'ils feront dans le sens de la Révolution et l'investissent de toute leur popularité.

— Si le roi vous écoutait, le pays pourrait-il être sauvé ?

— J'ai prédit, j'ai deviné ; mes projets, mes conseils ont été inutiles. Cette terrible position où tous les sentiments, tous les projets, toutes les combinaisons cèdent aux craintes individuelles, où l'on n'ose pas consulter ni employer un homme de sens, ni même se désentourer de traîtres, ni parler un langage qui puisse avoir quelque dignité, ni enfin changer de ministère, cette terrible position fait tout avorter.

— A un moment, vous acceptiez l'idée que le roi se réfugie en Normandie. Vous semblez redouter aujourd'hui qu'il n'aille donner la main aux émigrés.

— Se retirer à Metz ou sur toute autre frontière serait déclarer la guerre à la nation et abdiquer le trône. Un roi qui est la seule sauvegarde de son peuple ne fuit point devant son peuple. Il le prend pour juge de sa conduite et de ses principes, mais il ne brise pas d'un seul coup tous les liens qui l'unissent à lui, il n'excite pas contre lui toutes les défiances, il ne se met pas dans la position de ne pouvoir rentrer au sein de ses Etats que les armes à la main où d'être réduit à mendier des secours étrangers.

— Que ferez-vous si le roi s'enfuit ?

— J'ai défendu la monarchie jusqu'au bout, je la défends même encore que je la crois perdue, parce qu'il dépendrait du roi qu'elle ne le fût point et que je la crois encore utile. Mais s'il part, je monte à la tribune, je fais déclarer le trône vacant et proclamer la République.

— Le roi acceptera-t-il de suivre vos conseils ?

— Toujours réduit à conseiller, ne pouvant jamais agir, j'aurai probablement le sort de Cassandre : je prédirai toujours vrai et ne serai jamais cru.

Il y a longtemps que nous parlons. Nous servant nous-mêmes sur les étagères disposées à côté de nous, nous avons épuisé le premier service. Mirabeau sonne. Trois valets surgissent qui emportent en un instant les plats vides. Ils les remplacent par autant de plats formant le second service et ils disparaissent. Je regarde cet homme que l'on se ligue pour écarter du pouvoir. Cet homme qui est sûr de lui, alors que les autres ne croient pas en lui. C'est là sa tragédie.

— Vous travaillez pour le pays sans trop croire au succès final ?

— Celui qui a la conscience d'avoir bien mérité de son pays et surtout de lui être encore utile, celui que ne rassasie pas une vaine célébrité et qui dédaigne les succès d'un jour pour une véritable gloire, celui qui veut dire la vérité, qui veut faire le bien public indépendamment des mobiles mouvements de l'opinion populaire, cet homme porte en lui la récompense de ses services, le charme de ses peines et le prix de ses dangers ; il ne doit attendre sa moisson, sa destinée, la destinée de son nom, que du temps, ce juge incorruptible qui fait justice à tous.

— Le grand lutteur que vous êtes est-il fatigué de combattre ?

— Je ne suis pas découragé, mais je suis las. J'aspire au repos plus qu'on ne le croit et je l'embrasserai le jour où je le pourrai avec honneur et sécurité.

En vérité, son drame reste de ne pouvoir se faire comprendre. Sa popularité vient du peuple. La droite ne l'oublie pas et le déteste. Elle méconnaît ses efforts pour aider le roi. Le drame, aussi, est que le roi et la reine s'identifient à cette droite. Le rêve de Mirabeau ? Que Louis XVI prenne hardiment la tête de la Révolution. Et il ne s'y résout point. Marie-Antoinette encore moins. Alors, Mirabeau rêve : si le roi ne l'appelle pas au ministère, peut-être le peuple l'y portera-t-il. Alors, alors seulement, il réalisera son grand projet : faire du roi la tête de la Révolution.

— Que pensez-vous de l'actuelle Assemblée ?

— La direction d'une Assemblée aussi nombreuse, eût-elle été possible au moment de sa formation, ne l'est plus aujourd'hui, grâce à l'habitude qu'elle a prise d'agir comme le peuple qu'elle représente, par des mouvements toujours brusques, toujours passionnés, toujours précipités. Elle a ses orateurs et ses spectateurs, son théâtre et son parterre, son foyer et ses coulisses ; elle favorise le talent quand il la sert, elle l'humilie s'il la contrarie ; nul secret, nul concert n'est possible au milieu du choc des amours-propres dont elle est l'arène ; elle se croit trop forte pour chercher à s'éclairer, trop avancée pour rétrograder, trop puissante pour composer.

— Les députés vous semblent donc se laisser conduire par le peuple ?

— On oublie toujours, lorsqu'on parle des effets de la Révolution et des maux de la Constitution, que leur résultat le plus redoutable est cette action immédiate du peuple et, si je puis m'exprimer ainsi, cette espèce d'exercice de la souveraineté en corps de la nation, dont l'effet le plus sensible est que le législateur lui-même n'est plus qu'un esclave, qu'il est obéi quand il plaît, et qu'il serait détrôné s'il choquait l'impulsion qu'il a donnée. Avec un tel esprit public, peu importe que la théorie du gouvernement soit monarchique ou démocratique ; la masse du peuple est tout, ses mouvements impétueux sont les seules lois ; caresser le peuple, le flatter, le corrompre est tout l'art des législateurs, comme la seule ressource des administrateurs.

— Si je vous comprends bien, vous craignez le despotisme populaire ?

— Il n'est pas vrai qu'aucun corps délibérant, et je n'en excepte pas l'Assemblée nationale, soit libre aujourd'hui à côté de la redoutable influence qu'on a voulu donner au peuple ; les tribunaux ne seront pas libres non plus ; déjà des juges ont été dénoncés et déclarés traîtres à la patrie pour n'avoir pas rendu des jugements exigés par le peuple...

— La Révolution pourra-t-elle se terminer sans guerre civile ?

— Je n'ai jamais cru à une grande révolution sans effusion de sang et je n'espère plus que la fermentation intérieure, combinée avec les mouvements du dehors, n'occasionne pas une guerre civile ; je ne sais même si cette terrible crise n'est pas un mal nécessaire.

— Est-ce l'anarchie que vous craignez le plus ?

— Nous avons ici force gens qui ne veulent que troubles. Leur audacieuse turbulence en impose aux timides, effraie les sages, entraîne les inflammables, rallie les factieux. Il a fallu former, guider, faire triompher un parti vraiment monarchique, et la chose n'était pas aisée chez une nation si mobile qui ne fait rien que par émotions et par mode. Or la mode, en ce moment, c'est la licence et l'anarchie.

— Vous ne croyez donc pas que le peuple soit bon ?

— La férocité du peuple n'augmente-t-elle pas par degrés ? N'attise-t-on pas de plus en plus toutes les haines contre la famille royale ? Ne parle-t-on pas ouvertement d'un massacre général des nobles et du clergé ? N'est-on pas proscrit par la seule différence d'opinion ? Ne fait-on pas espérer au peuple le partage des terres ?

Il parle toujours et je l'écoute. Nous avons achevé le second service. Mirabeau sonne pour avertir que l'on prépare le café et les liqueurs. Nous nous levons de table. Nous passons dans une autre pièce. C'est Mirabeau lui-même qui me servira liqueurs et café. Là aussi il ne veut la présence d'aucun domestique. La chère, décidément, est excellente chez Mirabeau. Peut-être pourrait-on toutefois regretter que les mets soient par trop épicés. C'est le goût de l'amphitryon. Ses préférences culinaires ressemblent à ses goûts amoureux et à ses ambitions politiques : sans cesse il côtoie l'excès.

— Vous devriez vous ménager. Vous n'êtes qu'un homme.

— Vous avez raison, mais pourtant, naguère, j'avais plus de vie que dix hommes qui en ont assez.

C'est vrai qu'il est une force de la nature. Les orages qui s'amoncellent, il les devine avec une lucidité qui lui ressemble.

— Selon vous, la tempête est proche ?

— Il s'agit de savoir si la monarchie et le monarque survivront à la tempête qui se prépare, ou si les fautes faites et celles qu'on ne manquera pas de faire encore nous engloutiront tous.

— Le roi serait donc incapable de surmonter les obstacles ?

— Le vaisseau de l'Etat est battu par la plus violente tempête et il n'y a personne à la barre... J'emporte dans mon cœur le deuil de la monarchie dont les débris vont devenir la proie des factieux.

— Ne voyez-vous aucun moyen d'éviter le pire ?

— J'ai été tenté d'envelopper ma tête d'un manteau pour me dérober du spectacle des malheurs pour lesquels tout mon rôle serait impuissant.

— Votre pessimisme ne vient-il pas de votre mauvais état de santé ?

— Si je croyais aux poisons lents, je ne douterais

pas que je ne fusse empoisonné, je me sens dépérir, je me sens me consumer à petit feu.

— Que se passera-t-il donc si vous disparaissez avant l'heure ?

— Le roi et la reine périront et, vous le verrez, la populace battra leurs cadavres.

Pour le malheur de la France, M. de Mirabeau est justement mort avant l'heure, exactement le samedi 2 avril 1791, à 8 heures et demie du matin.

Il mourut trop tôt. Ici, Talleyrand à son lit de mort. (Collection du château de Rochecotte.) Photo B.N.

IV

ROBESPIERRE

Quand, venant de la rue Royale, vous allez vers la place du Théâtre-Français par la rue Saint-Honoré, vous apercevez sur votre gauche une enseigne : *Le Robespierre*. Au vrai, il s'agit d'un restaurant. Si la curiosité vous prend de déjeuner ou de dîner sous le signe de l'Incorruptible, engagez-vous sous la voûte, passez par une cour réduite à un couloir et entrez. Là, dans un décor révolutionnaire, vous pourrez évoquer l'ombre de l'hôte le plus célèbre de cette maison : Maximilien Robespierre.

Il n'était pas encore question de restaurant quand, simple élève de seconde au lycée Jeanson-de-Sailly, je m'arrêtai un après-midi devant la maison de la rue Saint-Honoré qui portait le numéro 398. Je venais de lire ce qu'en avait écrit G. Lenotre, et je voulais découvrir ce qu'il restait de la maison de Robespierre, si bien décrite par le père de la « petite histoire ». J'avais devant moi une haute façade aux murs noircis. Je me glissai dans la cour où une femme balayait. Je ressentais l'impression d'être au fond d'un puits, tant cette cour était resserrée, dominée de toutes parts par des murailles dans lesquelles d'étroites fenêtres semblaient chercher un jour parcimonieux. Dans l'esprit, je gardais la description de cette vaste cour qui, au temps de Robespierre, était celle du menuisier Duplay. Dès que l'on avait débouché de la voûte, on se trouvait sur une aire alors assez vaste. A droite, s'élevait un petit hangar prolongé par un jardin. A gauche, un autre hangar, plus grand, devant l'atelier de Duplay. Les bâtiments n'avaient qu'un étage. Ils ont été surélevés sous l'Empire. C'est là, sur la gauche, au premier étage, que se trouvait la chambre de Robespierre. La fenêtre dominait le toit des hangars. Au fond de la cour et du jardin, au rez-de-chaussée, c'était la salle à manger des Duplay, leur salon, le cabinet d'étude des enfants, devenu le salon de réception de Robespierre. Le salon, comme le cabinet d'étude, s'ouvrait sur un autre petit jardin, appelé jardin des enfants, parce que chacun des jeunes Duplay avait reçu là un coin de terre à cultiver. Derrière, encore, c'étaient d'immenses parcs, ceux des Feuillants, de la Conception, des Capucins, de l'Assomption. Un coin de campagne en plein Paris. L'odeur des arbres, le chant des oiseaux.

Je me souviens. Timidement, à la femme qui balayait, le potache que j'étais demanda :

— Madame, la maison de Robespierre, c'est bien ici ?

— Oui. C'est ici.

Le ton de sa réponse me prouvait que je n'étais pas le seul à m'intéresser à l'Incorruptible. Souvent, on devait lui poser la même question. Silencieusement, j'ai regardé autour de moi. Et puis je m'en suis allé.

Assurément, c'est ici, chez les Duplay, que l'on peut le mieux se figurer Robespierre. Le 17 juillet 1791, au soir, après l'affaire du Champ-de-Mars, Robespierre avait paru pour la première fois dans la maison. On craignait des arrestations. Le menuisier Duplay, un brave homme, qui avait rencontré Maximilien aux Jacobins, lui avait offert de l'abriter pour la nuit. Il habitait là avec son épouse, Eléonore, fille d'un marchand de bois de Créteil. Ils approchaient tous les deux de la soixantaine. On vantait la probité et la droiture du mari, l'autorité, la vivacité, les qualités d'ordre de la femme. Duplay conduisait ses ouvriers avec bonhomie. Sa femme menait tout le monde à la baguette et en particulier les filles, Eléonore, l'aînée,

On l'appela l'Incorruptible... (*Ecole française du XVIIIe siècle.*
Musée Carnavalet). **Photo Jérôme da Cunha.**

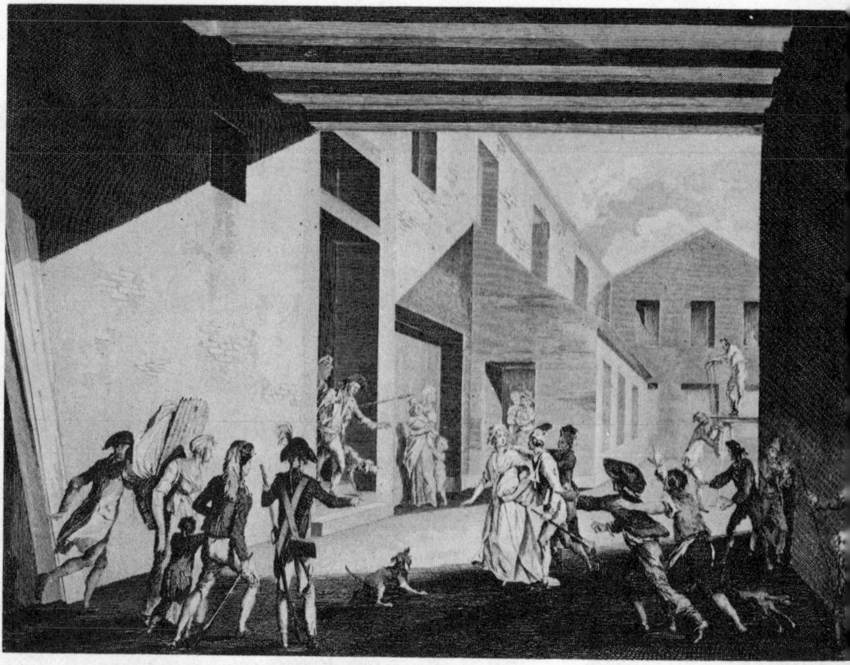

Cette gravure, qui évoc l'arrestation de Cécile [illegible] naud chez Robespierre, p met de se figurer la c de la maison Duplay, [illegible] Saint-Honoré. La chambre Robespierre se trouvant premier étage à gauche, dessus du toit du hang (B.N. estampes.)

Ici il voulait refaire monde : Robespierre da sa chambre, chez les D play. (Collection partic lière.)

la moins jolie, Sophie, mariée à un avocat d'Issoire, Victoire, et Elisabeth, la plus charmante, jolie, gaie et vive. Il y avait également le jeune fils, âgé d'une douzaine d'années, prénommé Maurice comme son père, et le neveu, Simon Duplay.

Imaginez, chez ces braves gens, l'arrivée de Maximilien Robespierre. Tout à coup, un remue-ménage incroyable, l'irruption de plain-pied dans la vie politique. La maison est soudain le principal centre d'intérêt de Paris. Les visiteurs qui se pressent, et quels visiteurs ! Que de chuchotements, chez les jeunes filles, que de noms prononcés à l'oreille, et des « oh ! » et des « ah ! ». L'impression de se sentir soi-même quelque chose. Un document capital, le manuscrit que laissa plus tard Elisabeth, devenue l'épouse de Philippe Le Bas, autre Conventionnel, nous aide à pénétrer chez ces artisans qui auraient pu tenter le pinceau de Greuze. Robespierre est à présent l'idole de la famille. Et il est vrai qu'il apparaît profondément différent de l'image stéréotypée que d'autres historiens en ont fait. Les jeunes filles l'appellent « bon ami ». Elles l'aiment de tout leur cœur. Avec lui, de temps en temps, ces demoiselles s'en vont prendre l'air aux Champs-Elysées. Grande fête quand on accompagne « bon ami » dans un bois des environs de Paris. Robespierre herborise, ou bien tout simplement il promène son chien Brount qu'il a ramené d'Arras. Le soir, quand il ne va pas aux Jacobins, il fait la lecture des classiques aux demoiselles Duplay, ou bien il écoute son ami Buonarroti jouer du piano. Dans un âge avancé, Elisabeth Le Bas s'attendrira en évoquant son grand homme. Au jeune Victorien Sardou, avide d'informations, elle dira résolument, en parlant de l'Incorruptible : « Vous l'auriez aimé. »

Les visiteurs, Robespierre les recevait tantôt dans sa chambre, au premier étage, tantôt dans le petit cabinet du rez-de-chaussée que les Duplay lui avait concédé avec joie. Puisque nous allons être l'un de ces visiteurs et puisqu'il va se soumettre à nos questions, rejoignons-le d'abord dans sa chambre. On passe dans la salle à manger, sur la gauche de la cour. Un petit escalier en bois s'ouvre dans la salle elle-même, par où l'on monte aux appartements. A droite, la chambre à coucher du ménage Duplay. A gauche, un petit cabinet de toilette, qu'il faut traverser pour entrer dans la chambre de Maximilien. Une seule fenêtre à cette chambre, qui ouvre sur la cour, au-dessus du toit du hangar. Un lit de noyer, avec des rideaux en damas bleu à fleurs blanches que la bonne Mme Duplay a taillés dans une ancienne robe à elle. Une table servant de bureau. Quelques chaises de paille. Un casier faisant office de bibliothèque. Voilà le domicile de celui dont l'Europe s'occupe. Sur le rebord de la fenêtre, des fleurs que Maximilien soigne et arrose lui-même.

C'est dans cette chambre que Robespierre a reçu, par exemple, Barras et Fréron, venant lui rendre compte de leur mission dans le Midi. Déshonorante, cette mission. Longuement ils avaient tenté une impossible défense, cependant que Robespierre les regardait fixement en faisant sa toilette. Pendant toute l'entrevue, l'Incorruptible n'avait pas dit un mot. La Révellière-Lépeaux, lui, n'avait pas été reçu dans la chambre, mais dans le cabinet de réception.

Singulier, ce cabinet où se voyaient partout les effigies de l'Incorruptible : des bustes de toute sorte, certains rouges, certains gris. Des portraits du grand homme au crayon, à l'estampe, au bistre, à l'aquarelle. Quand La Révellière entra, Maximilien prenait son petit déjeuner, bien peigné et poudré, vêtu d'une robe de chambre « des plus propres », assis dans un grand fauteuil, devant une table chargée de fruits, de café, de beurre et de lait. Barbaroux, lui aussi, fut reçu dans ce cabinet, « un joli boudoir où son image était répétée dans toutes les formes et par tous les arts. Il était peint sur la muraille à droite, gravé sur la gauche ; son buste était au fond et son bas-relief vis-à-vis. Il y avait en outre sur la table une demi-douzaine de Robespierre en petites gravures ».

ROBESPIERRE

A la suite de ces « ténors » de la Révolution, entrons donc dans ce cabinet. Pourquoi Robespierre ne nous réserverait-il pas le même accueil qu'à La Révellière-Lépeaux ? Pourquoi ne nous sourirait-il point et ne tendrait-il pas la main ?

Je le regarde. Il s'est levé pour m'accueillir. Il n'est pas grand. Mais il porte haut la tête, comme par une volonté de se grandir. Point d'orgueil sur le visage, mais l'allure hautaine, fière. Avec, en même temps, quelque chose de la contenance des timides. Le visage sous les cheveux poudrés, soigneusement ramenés en arrière, à la mode de l'Ancien Régime, m'apparaît large, avec des pommettes quelque peu saillantes. Les yeux sont verts et beaux. Mais il est myope. Il porte souvent des lunettes aux verres teintés. Il en joue, tantôt les haussant sur son front, tantôt les laissant retomber devant ses yeux, comme s'il voulait se protéger des importuns. Les quelques mots qu'il m'a adressés pour m'accueillir ont été prononcés d'une voix grêle, un peu criarde. Mais quand il parle plus longuement, le ton devient plus assuré, la voix prend de l'ampleur, de l'harmonie.

Comment ne pas penser à ses origines ? Comment ne pas penser au petit boursier d'Arras, venu à onze ans au collège de Clermont, à Paris ? Dans ce même collège, il est demeuré jusqu'à vingt-trois ans. Ensuite, il est devenu avocat dans sa province, député aux états généraux. Et maintenant, il semble que le destin de la République pèse tout entier sur ses épaules. Et que peut-il penser lui-même de son propre destin, du pouvoir, des hommes, de l'Etat ? Et d'abord, a-t-il une doctrine ? Je pose la question. Il répond en citant ce qu'il a écrit, un jour d'enthousiasme, du cher Jean-Jacques Rousseau :

— Je t'ai vu dans tes derniers jours et ce souvenir est pour moi la source d'une joie orgueilleuse. J'ai contemplé tes traits augustes ; j'y ai vu l'empreinte des noirs chagrins auxquels t'avaient condamné les injustices des hommes... Ton exemple est là, devant mes yeux. Je veux suivre ta trace vénérée, dussé-je ne laisser qu'un nom dont les siècles à venir ne s'informeront pas ; heureux si, dans la périlleuse carrière qu'une révolution inouïe vient d'ouvrir devant nous, je reste constamment fidèle aux inspirations que j'ai puisées dans tes écrits.

Voilà qui est clair. Il se veut disciple de Rousseau. Rousseau est son maître. Il l'a dit :

— Homme divin ! Tu m'as appris à me connaître ; bien jeune tu m'as fait apprécier la dignité de ma nature et réfléchir aux grands principes de l'ordre social.

Ce qui est certain, c'est que la prodigieuse carrière de Robespierre a pris son élan sur un intérêt réel manifesté aux déshérités. Il n'était pas aimé de ses collègues. Mais chaque fois qu'il intervenait en faveur du peuple, il était lu par le public. Ces nouveaux lecteurs remarquaient peu à peu qu'un député, presque seul, songeait à défendre les droits des pauvres gens et que ce député s'appelait Robespierre. Sans que nul y prît garde, insensiblement, la popularité de Maximilien se créa.

— D'où vient cet intérêt que vous portez au peuple, citoyen Robespierre ?

— J'atteste [...] qu'en général il n'y a rien d'aussi juste ni d'aussi bon que le peuple, toutes les fois qu'il n'est pas irrité par l'excès de l'oppression, qu'il est reconnaissant des plus faibles égards qu'on lui témoigne, du moindre bien qu'on lui fait, du mal même qu'on ne lui fait pas ; que c'est chez lui qu'on trouve, sous des dehors que nous appelons grossiers, des âmes franches et droites, un bon sens et une énergie que l'on chercherait longtemps en vain dans la classe qui le dédaigne. Le peuple ne demande que le nécessaire, il ne veut que justice et tranquillité ; les riches prétendent à tout, ils veulent tout envahir et tout dominer. Les abus sont l'ouvrage et le domaine des riches, ils sont les fléaux du peuple. L'intérêt est l'intérêt général, celui des riches est l'intérêt particulier.

— Entre les riches et le peuple, vous avez donc choisi, une fois pour toutes ?

— Etranger à tous les excès, le peuple est toujours du parti de la morale, de la justice et de la raison.

— Certains estimeront qu'il y a quelque naïveté dans un tel propos. Réellement, est-il possible d'estimer qu'une classe sociale, en tant que telle, détient seule toutes les vertus ?

— Jamais les maux de la société ne viennent du peuple, mais du gouvernement. Comment n'en serait-il pas ainsi ? L'intérêt du peuple, c'est le bien public, l'intérêt de l'homme en place est un intérêt privé. Pour être bon, le peuple n'a besoin que de se préférer lui-même à ce qui n'est pas lui ; pour être bon, il faut que le magistrat s'immole lui-même au peuple. Si je daignais répondre à des préjugés absurdes et barbares, j'observerais que ce sont le pouvoir et l'opulence qui enfantent l'orgueil et tous les vices ; que c'est le travail, la médiocrité, la pauvreté qui sont les gardiens de la vertu ; que les vœux du faible n'ont pour objet que la justice et la protection des lois bienfaisantes ; qu'il n'estime que les passions et l'honnêteté ; que les passions de l'homme puissant tendent à s'élever au-dessus des lois justes, ou à en créer de tyranniques ; je dirais enfin que la misère des citoyens n'est autre chose que le crime des gouvernements.

— La souveraineté du peuple vous semble donc un dogme indiscutable ?

— Posez cette maxime incontestable : que le peuple est bon et que ses délégués sont incorruptibles, que c'est dans la vertu et la souveraineté du peuple qu'il faut chercher un préservatif contre les vices et le despotisme du gouvernement.

— Et la bourgeoisie ?

— Les dangers intérieurs viennent des bourgeois ; pour vaincre les bourgeois, il faut rallier le peuple. Tout était disposé pour mettre le peuple sous le joug des bourgeois et faire périr les défenseurs de la République sur l'échafaud... Il faut que le peuple s'allie à la Convention et que la Convention se serve du peuple. Il faut que l'insurrection s'étende de proche en proche, que les sans-culottes soient payés... Il faut leur procurer des armes, les colérer, les éclairer...

— Certains s'étonneront que vous ne vous en preniez pas d'abord aux nobles.

— Je maudis l'aristocratie qui, depuis si longtemps, sonne l'alarme et lève, partout dans l'empire, l'étendard de la révolution... Au-dedans, l'aristocratie est plus dangereuse que jamais, parce que jamais elle ne fut plus perfide. Autrefois, elle vous attaquait en bataille rangée, maintenant, elle est au milieu de vous... Elle vous porte dans le secret des coups de poignard dont vous ne vous défiez pas... Il est temps de fonder le repos des gens de bien sur la ruine des scélérats...

— Exprimerai-je exactement votre pensée en disant que vous préconisez, chaque fois qu'il le faut, contre les nobles et les bourgeois, l'insurrection populaire ?

— Quand le peuple est opprimé, quand il ne lui reste plus que lui-même, celui-là serait un lâche qui ne lui dirait pas de se lever. C'est quand toutes les lois sont violées, c'est quand le despotisme est à son comble, c'est quand on foule aux pieds la bonne foi et la pudeur que le peuple doit s'insurger.

Cependant qu'il parle du peuple, il y a dans sa voix, dans toute son attitude, comme une sorte d'enthousiasme, de sincérité profonde qui ne peut venir que du cœur. Et je pense à cette scène du 30 septembre 1791 qui causa à tous les députés une surprise immense. Ce jour-là, l'Assemblée constituante s'était séparée. Elle était, comme on a écrit justement, « usée ». Ces députés naguère tant acclamés étaient devenus parfaitement indifférents à l'opinion. Malgré tout, la foule se groupa pour voir passer une dernière fois ses représentants. Mais le défilé se poursuivit dans un silence glacial. Tout à coup, éclata une acclamation passionnée : Robespierre venait de paraître au bras de son ami Pétion. On hurlait : Vive la liberté ! Vive Robespierre ! Vive l'Incorruptible !

Les collègues de Maximilien avançaient toujours, abasourdis. Ainsi ce petit Artésien, qu'ils jugeaient assez grotesque, était devenu l'idole des Parisiens ! C'était à ne pas croire. Pourtant, cela était. Il était populaire. Peut-être le peuple a-t-il des antennes, peut-être sait-il reconnaître ses vrais amis. Au fait, s'est-il rendu compte, dans les premiers temps de sa vie politique, des progrès accomplis par sa popularité ?

— Dans le commencement de la Révolution, lorsque j'étais à peine aperçu dans l'Assemblée nationale, lorsque je n'étais vu que de ma conscience, j'ai fait le sacrifice de ma vie à la vérité.

D'un autre, une telle réponse pourrait choquer. On pourrait en déduire de la suffisance, voire une inutile grandiloquence. Erreur. Robespierre ne pose point. Ce qu'il exprime, c'est sa pensée, tout simplement. Et il faut évoquer le mot de Mirabeau : « Il ira loin, il croit tout ce qu'il dit. » C'est l'un de ses meilleurs historiens, M. Jean Massin, qui a constaté que, à la différence d'un Mirabeau ou d'un Condorcet, par exemple, Robespierre était l'un des très rares hommes politiques de la Révolution à avoir connu réellement la gêne. Au collège de Clermont, il lui était arrivé de ne pas pouvoir sortir, faute d'habits convenables. En 1790, le jeune militaire qui habitait avec lui, Villiers, témoigna : « Ce que je puis dire de sa vie privée, c'est qu'il était dans la plus grande disette, qu'il manquait même des vêtements nécessaires. Lorsque l'Assemblée constituante décréta qu'on prendrait le deuil pour honorer la mémoire de Franklin, je priai un jeune homme de mes amis de lui prêter un habit complet de tricot noir, qu'il endossa, quoique le propriétaire fût de quatre pouces plus haut... » Quand Robespierre parlait des souffrances du peuple, il savait ce qu'il disait. Essayons d'aller plus loin avec lui.

— Selon vous, les richesses sont-elles un danger pour l'homme qui les possède ?

— Les grandes richesses corrompent et ceux qui les possèdent et ceux qui les envient. Avec les grandes richesses, la vertu est en horreur ; le talent même, dans les pays corrompus par le luxe, est regardé moins comme un moyen d'être utile à la patrie que comme un moyen d'acquérir de la fortune.

— Etes-vous donc opposé à la propriété privée ?

— Demandez à ce marchand de chair humaine ce qu'est la propriété ; il vous dira, en vous montrant cette longue bière qu'il appelle navire, où il a encaissé et serré des hommes qui paraissaient vivants : « Voilà mes propriétés, je les ai achetées tant par tête. » Interrogez ce gentilhomme qui a des terres et des vassaux et qui croit l'univers bouleversé depuis qu'il n'en a plus, il vous donnera de la propriété des idées à peu près semblables. Interrogez les augustes membres de la dynastie capétienne, ils vous diront que la plus sacrée des propriétés est, sans contredit, le droit héréditaire dont ils ont joui, de toute antiquité, d'opprimer, d'avilir et de s'assurer légalement et monarchiquement les vingt-cinq millions d'hommes qui habitaient le territoire de la France sous leur bon plaisir.

— Un homme peut-il léguer ses biens à ses descendants ?

— L'homme peut-il disposer de cette terre qu'il a cultivée lorsqu'il est réduit lui-même en poussière ? Non, la propriété de l'homme, après sa mort, doit retourner au domaine public de la société. Ce n'est que pour l'intérêt public qu'elle transmet ces biens à la postérité du premier propriétaire. Or l'intérêt public est celui de la légalité.

— Que doit-on faire, d'après vous, en faveur de ceux qui n'ont, en fait de richesses, que leurs bras ?

— La société est obligée de pourvoir à la subsistance de tous ses membres, soit en leur procurant du travail, soit en assurant les moyens d'exister à ceux qui sont hors d'état de travailler... Les secours indispensables à celui qui manque du nécessaire sont une dette de celui qui possède le superflu. Il appartient à la loi de déterminer la manière dont cette dette doit être acquittée.

— Sont-ce là les seuls devoirs de la société envers le peuple ?

— Elle doit favoriser de tout son pouvoir les progrès de la raison publique et mettre l'instruction à la portée de tous les citoyens... Il faut éclairer le peuple. Mais

Tel qu'il apparaissait aux séances de la Convention. Dessin de David (Collection particulière).

quels sont les obstacles à l'instruction du peuple ? Les écrivains mercenaires [qui] l'égarent par des impostures. Comment ferez-vous taire tous ces écrivains mercenaires, ou comment les attacherez-vous à la cause du peuple ? Ils sont à ceux qui les paient ; or les seuls hommes capables de les payer sont les riches, ennemis naturels de la justice et de l'égalité, et le gouvernement, qui tend sans cesse à étendre son pouvoir aux dépens du peuple. Que conclure de là ? Qu'il faut proscrire ces écrivains comme les plus dangereux ennemis de la patrie, qu'il faut répandre les bons écrits avec profusion... Quel autre obstacle y a-t-il à l'instruction du peuple ? La misère. Quand le peuple sera-t-il donc éclairé ? Quand il aura du pain et que les riches et le gouvernement cesseront de soudoyer des plumes et des langues perfides pour le tromper.

— Vous condamnez donc la liberté de la presse ?

— La liberté de la presse ne doit pas être permise lorsqu'elle compromet la liberté publique.

J'oublie un instant le petit homme dans son cabinet de réception. Je le revois dans sa chambre, assis à sa table de bois blanc, devant la fenêtre. Il relève sur son front ses lunettes fumées, il frotte ses paupières fatiguées. Seul, il édifie des plans gigantesques. Sous sa plume s'alignent les phrases lourdes de sens. C'est ici, dans cette chambre, qu'ont été conçus les textes redoutables qui ont fait de Louis XVI un cadavre tronqué, qui ont abattu les Girondins, qui ont conduit à la guillotine Hébert — le Père Duchesne — coupable d'être « exagéré », puis Danton et Desmoulins, coupables, eux, d'être « indulgents ». Surtout, c'est là, dans cette chambre, qu'ont été conçus les principes du gouvernement révolutionnaire.

— Comment peut-on définir le gouvernement révolutionnaire ?

— La théorie du gouvernement révolutionnaire est aussi neuve que la révolution qui l'a amenée. Il ne faut pas la chercher dans les livres des écrivains politiques, qui n'ont point prévu cette révolution, ni dans les lois des tyrans. Le but du gouvernement constitutionnel est de conserver la République, celui du gouvernement révolutionnaire de la fonder. La révolution est la guerre de la liberté contre ses ennemis ; la Constitution est le régime de la liberté victorieuse et paisible... Le gouvernement révolutionnaire doit aux bons citoyens toute la protection nationale, il ne doit aux ennemis du peuple que la mort... Si le gouvernement révolutionnaire doit être plus actif dans sa marche et plus libre dans ses mouvements que le gouvernement ordinaire, en est-il moins juste et moins légitime ? Non ! Il est appuyé sur la plus simple de toutes les lois, le salut du peuple ; sur le plus irréfragable de tous les titres, la nécessité. Il a aussi ses règles, toutes puisées dans la justice et dans l'ordre public. Il n'a rien de commun avec l'anarchie ni avec le désordre ; son but, au contraire, est de les réprimer, pour ramener et pour affermir le règne des lois... Il doit voguer entre deux écueils, la faiblesse et la tenacité, le modérantisme et l'excès ; le modérantisme qui est à la modération ce que l'impuissance est à la chasteté, et l'excès, qui ressemble à l'énergie comme l'hydropisie à la santé.

— Vous avez fait mettre à l'ordre du jour à la fois la terreur et la vertu. Est-ce donc qu'elles vous semblent complémentaires ?

— Le principe fondamental du gouvernement démocratique ou populaire, c'est-à-dire le ressort qui le soutient et le fait mouvoir, c'est la vertu. Le ressort du gouvernement populaire en révolution est à la fois la vertu et la terreur : la vertu, sans laquelle la terreur est funeste, la terreur, sans laquelle la vertu est impuissante. La terreur n'est autre chose que la justice prompte, sévère, inflexible. Elle est une émanation de la vertu. Elle est moins un principe particulier qu'une conséquence du principe général de la démocratie appliquée au plus pressant besoin de la patrie.

Oui, comme il croit ce qu'il dit ! Et comme il croit encore ceci, qu'il exprime comme un résumé de la théorie du gouvernement révolutionnaire :

— Le gouvernement de la révolution est le despotisme de la liberté contre la tyrannie.

La formule est belle, la pensée remarquable. Il faut songer pourtant à l'époque où tout cela a été dit. Ce qui peut nous paraître parfois aujourd'hui de simples évidences politiques, tout cela, de 1791 à 1794, était d'une saisissante nouveauté. Le passionnant de l'affaire, d'ailleurs, est qu'il ne s'agissait pas de la théorie de ce qui aurait pu être, mais de la théorie de ce qui était. Avec tout cela, quel but a-t-il donc poursuivi, Robespierre ? Il répond :

— La jouissance paisible de la liberté et de l'égalité.

Il a dit « paisible ». Et le souvenir que nous gardons de son passage au pouvoir est celui d'une guerre sans merci. Pourquoi ?

— Nous voulons un ordre de choses où toutes les passions basses et cruelles soient enchaînées, toutes les passions généreuses et bienfaisantes éveillées par les lois ; où l'ambition soit le désir de mériter la gloire et de servir la patrie ; où les distinctions ne naissent que de l'égalité même ; où les citoyens soient soumis au magistrat, le magistrat au peuple, et le peuple à la justice, où la patrie assure le bien-être de chaque individu, et où chaque individu jouisse avec orgueil de la prospérité et de la gloire de la patrie... Nous voulons substituer dans notre pays la morale à l'égoïsme, la probité à l'honneur, les principes aux usages, les devoirs aux bienséances, l'empire de la raison à la tyrannie de la mode, le mépris du vice au mépris du malheur, la fierté à l'insolence, la grandeur d'âme à la vanité, l'amour de la gloire à l'amour de l'argent, les bonnes gens à la bonne compagnie, le mérite à l'intrigue, le génie au bel esprit, la vérité à l'éclat, le charme du bonheur aux ennuis de la volupté, la grandeur de l'homme à la petitesse des grands, un peuple magnanime puissant, heureux, à un peuple aimable, frivole et misérable, c'est-à-dire toutes les vertus et tous les miracles de la République à tous les vices et à tous les ridicules de la monarchie.

Tout cela est beau, peut-être un peu trop beau. Les

républiques idéales sont comme les hommes idéaux : un rêve.

— Citoyen Robespierre, ne mettez-vous pas trop haut votre idéal ?

— Qui de nous ne sent pas s'agrandir toutes ses facultés, qui de nous ne croit pas s'élever au-dessus de l'humanité même, en songeant que ce n'est pas pour un peuple que nous combattons, mais pour l'univers ; non pour les hommes qui vivent aujourd'hui, mais pour tous ceux qui existeront ?

Je pense à cette meute d'ennemis qui ont accompagné Robespierre, de son vivant comme après sa mort. Précisément, s'est-on moqué de l'idéaliste qu'il fut ! On ne s'est pas dit qu'à vouloir pourfendre un idéaliste, souvent, c'est soi-même qu'on rabaisse. De même, quand, à la Convention, Robespierre a proclamé qu'il croyait en Dieu, toute une foule s'est levée, ricanante.

— Quelle idée vous faites-vous de Dieu ?

— Mon Dieu c'est celui qui créa tous les hommes pour l'égalité et le bonheur. C'est celui qui protège les opprimés et extermine les tyrans, celui qui, dès le commencement des temps, décréta la république et mit à l'ordre du jour, pour tous les siècles et pour tous les peuples, la liberté, la bonne foi et la justice...

— Ce Dieu est-il très loin du Dieu des chrétiens ?

— J'admire la doctrine sublime et touchante de la vertu et de l'égalité que le fils de Marie enseigna jadis à ses concitoyens... L'auteur pauvre et bienfaisant de la religion a recommandé au riche de partager ses richesses avec les indigents ; il a voulu que ses ministres fussent pauvres ; il savait qu'ils seraient corrompus par les richesses ; il savait que les plus riches ne sont pas les plus généreux, que ceux qui sont séparés des misères de l'humanité ne compatissent guère à ces misères, que, par leur luxe et par les besoins attachés à leurs richesses, ils sont souvent pauvres au sein de l'opulence.

— Fouché, envoyé en mission, a fait inscrire dans le

cimetière : « La mort est un sommeil éternel. » Que doit-on en penser ?

— Non, la mort n'est point un sommeil éternel. Citoyens, effacez des tombeaux cette maxime impie qui jette un crêpe funèbre sur la nature et qui insulte à la mort. Gravez-y plutôt celle-ci : « La mort est le commencement de l'immortalité. »

— L'athéisme doit donc être condamné ?

— L'athéisme est lié à un système de conspiration contre la république... L'athéisme est aristocratique. L'idée d'un grand être qui veille sur l'innocence opprimée et qui punit le crime triomphant est toute populaire.

— Mais les rois, eux aussi, se réclamaient de la divinité.

— Armés tour à tour des poignards du fanatisme et des poisons de l'athéisme, les rois conspirent toujours pour assassiner l'humanité. S'ils ne peuvent plus défigurer la divinité par la superstition pour l'associer à leur forfait, ils s'efforcent de la bannir de la terre pour y régner seuls avec le crime.

— En prônant les idées religieuses, ne craignez-vous pas d'attiser de vieux fanatismes ?

— Rappeler les hommes au culte pur de l'Etre suprême, c'est porter un coup mortel au fanatisme. Toutes les fictions disparaissent devant la vérité et toutes les folies tombent devant la raison. Sans contrainte, sans persécution, toutes les sectes doivent se confondre d'elles-mêmes dans la religion universelle de la nature...

Ce qui me frappe, c'est l'implacable logique de tout ce développement. Rien de tout cela qui se contredise. Or cette logique aussi lui a été reprochée.

— Depuis des années, vous luttez contre le despotisme ?

— Les rois, les aristocrates, les tyrans, quels qu'ils soient, sont des esclaves révoltés contre le souverain de la terre qui est le genre humain, et contre le législateur de l'univers qui est la nature. L'anarchie a régné en France depuis Clovis jusqu'au dernier des Capet.

Qu'est-ce que l'anarchie si ce n'est la tyrannie qui fait descendre du trône la nature et la loi pour y placer des hommes ?... Le despotisme a produit la corruption des mœurs, et la corruption des mœurs a soutenu le despotisme. Dans cet état de choses, c'est à qui vendra son âme au plus fort pour légitimer la justice et diviniser la tyrannie. Alors la raison n'est plus que folie ; l'égalité, anarchie ; la liberté, désordre ; la nature, chimère ; le souvenir des droits de l'humanité, révolte. Alors on a des bastilles et des échafauds pour la vertu, des palais pour la débauche, des trônes et des chars de triomphe pour le crime. Alors on a des rois, des prêtres, des nobles, des bourgeois, de la canaille ; mais point de peuple et point d'hommes.

Encore une fois, je songe au sort singulier de cet homme. Presque seul, il avait refusé cette folle guerre dans laquelle les Girondins avaient plongé la France, faisant d'ailleurs le jeu de la monarchie. Mais quand il avait fallu mener cette guerre, il s'y était livré corps et âme, à l'avant-garde. Animateur du Comité de salut public, il incarnait la Révolution. Au reste, les étrangers ne s'y trompaient point. N'écrivait-on pas dans les rapports diplomatiques : « Les armées de Robespierre... Les soldats de Robespierre... Le gouvernement de Robespierre » ? Longuement, il venait de m'exprimer les principes qui avaient régi son action. Mais l'action elle-même ?

— Vous avez frappé à droite et à gauche...

— Les ennemis intérieurs du peuple français se sont divisés en deux factions, comme en deux corps d'armée. Elles marchent sous des bannières de différentes couleurs et par des routes diverses, mais elles marchent vers le même but : ce but est la désorganisation du gouvernement populaire, la ruine de la Convention, c'est-à-dire le triomphe de la tyrannie. L'une de ces deux factions nous pousse à la faiblesse, l'autre aux excès. L'une veut changer la liberté en bacchante, l'autre en prostituée.

— Que doit-on penser d'Hébert et de ses complices ?

— Ils réclamaient la souveraineté du peuple pour égorger la Convention nationale et anéantir le gouvernement républicain.

— Et l'exécution de Danton ? Pourquoi vous a-t-elle paru nécessaire ?

— Danton eût été le plus dangereux ennemi de la patrie s'il n'en avait été le plus lâche, ménageant tous les crimes, lié à tous les complots, promettant aux scélérats sa protection, aux patriotes sa fidélité, habile à expliquer les trahisons par des prétextes de bien public... Le mot de vertu faisait rire Danton, il n'y avait pas de vertu plus solide, disait-il plaisamment, que celle qu'il déployait toutes les nuits avec sa femme. Comment un homme à qui toute idée de morale était étrangère pouvait-il être le défenseur de la liberté ?

— Le châtiment des traîtres doit donc être sévère ?

— J'ai toujours eu pour principe qu'un peuple qui s'élance vers la liberté doit être inexorable envers les conspirateurs, qu'en pareil cas la faiblesse est cruelle, l'indulgence est barbare et qu'une juste sévérité est impérieusement commandée par l'humanité même... Il faut chasser impitoyablement de nos sections tous ceux qui se sont signalés par un caractère de modérantisme ; il faut désarmer non seulement les nobles et les calotins, mais tous les citoyens douteux, tous les intrigants, tous ceux qui ont donné des preuves d'incivisme.

— Dans une telle perspective, vous chargez le Tribunal révolutionnaire d'une tâche immense.

— Il faut qu'un tribunal révolutionnaire établi pour faire marcher la révolution ne la fasse pas rétrograder par sa lenteur criminelle. Il est inutile d'accumuler les jurés et les juges... Puisqu'il n'existe qu'une sorte de délit à ce tribunal, celui de la haute trahison, et qu'il n'y a qu'une seule peine, qui est la mort, il est ridicule que des hommes soient occupés à chercher la peine qu'il faut appliquer à tel délit, puisqu'il n'en est qu'une et qu'elle est applicable *ipso facto*.

Cette fois, la logique est devenue impitoyable. Celui qui fait de la mort un système politique, celui-là, juge ecclésiastique d'Arras, avait dû un jour prononcer contre un assassin la peine la plus forte, c'est-à-dire la mort. Sa sœur Charlotte témoigne : « Mon frère aîné rentra dans la maison le désespoir dans le cœur, et ne prit aucune nourriture pendant deux jours. « Je sais bien qu'il est coupable, répétait-il toujours, que c'est un scélérat, mais faire mourir un homme ! » Cette pensée lui était insupportable... » Robespierre avait prononcé à la Constituante un discours contre la peine de mort. Alors, est-ce le même homme que j'ai devant moi ? Sans aucun doute. La différence est qu'aujourd'hui il se bat. Il mène une double guerre, à l'extérieur et à l'intérieur. Et il veut gagner. Pour lui, ceux qui voudraient maintenant imposer la paix sont des criminels. On doit les traiter comme tels.

— Un peuple qui traite sur son territoire avec les ennemis, c'est un peuple vaincu et qui a renoncé à son indépendance.

— Peut-on dire alors que vous êtes partisan d'une guerre de conquêtes ?

— Il faut borner nos entreprises militaires et leur prescrire les bords du Rhin pour limites... La victoire ne fait qu'armer l'ambition, éveiller l'orgueil et creuser de ses mains brillantes le tombeau de la République. Qu'importe que nos armées chassent devant elles les satellites armés des rois si nous reculons devant les destructeurs de la liberté publique...

— Il y a là, d'après vous, un danger pour la République ?

— Laissez flotter un moment les rênes de la révolution, vous verrez le despotisme militaire s'en emparer et le chef des factions renverser la représentation nationale avilie.

— Vous craignez le despotisme militaire ?

— Je dis que le pire des despotismes, c'est le gouvernement militaire... La puissance militaire est toujours le plus redoutable écueil de la liberté.

Comment s'empêcher de voir se dessiner à l'horizon le profil de Bonaparte ? La crainte du despotisme militaire est encore une des clés de Robespierre. Il l'a partagée avec Saint-Just. Au 9-Thermidor, quand ils pouvaient encore insurger Paris, l'un et l'autre ne pourront s'y résoudre, parce que la seule issue, c'était le despotisme militaire. Cela explique leur attitude presque passive à l'Hôtel de Ville.

Il pourrait parler longtemps encore, le petit homme aux cheveux poudrés, dans la maison Duplay. En vérité, de son vivant, il a tant et tant parlé que l'on n'a que l'embarras du choix. Discours à l'Assemblée, discours aux Jacobins. Entre ces deux pôles s'inscrit toute sa pensée. Peut-on se demander si cette pensée officielle reflète bien le secret de son âme ? Sûrement. Pensez encore à Mirabeau : « Il ira loin... »

On comprend qu'il ait été passionnément aimé. On comprend aussi qu'on l'ait haï avec férocité. Il est un sentiment que nul à son endroit ne peut ressentir : l'indifférence. Henri Béraud, homme de droite, écrivit *Mon ami Robespierre* : aisément, l'Incorruptible fait naître le paradoxe.

On a vu en lui un aigri, un envieux. Après sa mort, Robespierre, comme l'a si bien vu M. Jean Ratinaud, est entré dans « l'enfer de l'Histoire ». Le XIXe siècle a idéalisé Danton au détriment de Robespierre. L'impur plutôt que le pur. Il a fallu attendre l'entrée en lice, au XXe siècle, du grand historien Mathiez, entouré et suivi de disciples ardents, pour que l'image se transforme. J'ai moi-même suivi à la Sorbonne un cours de Georges Lefebvre sur Robespierre. Nous étions peu nombreux, mais passionnés à découvrir une image différente de celui que Michelet avait accablé.

Ce que nul, ami ou ennemi, ne peut dénier à Robespierre, c'est de s'être sacrifié tout entier à sa vie politique. Il a toujours su, dès qu'il s'est engagé dans son combat, qu'il y laisserait la vie. Ecoutons-le, encore une fois.

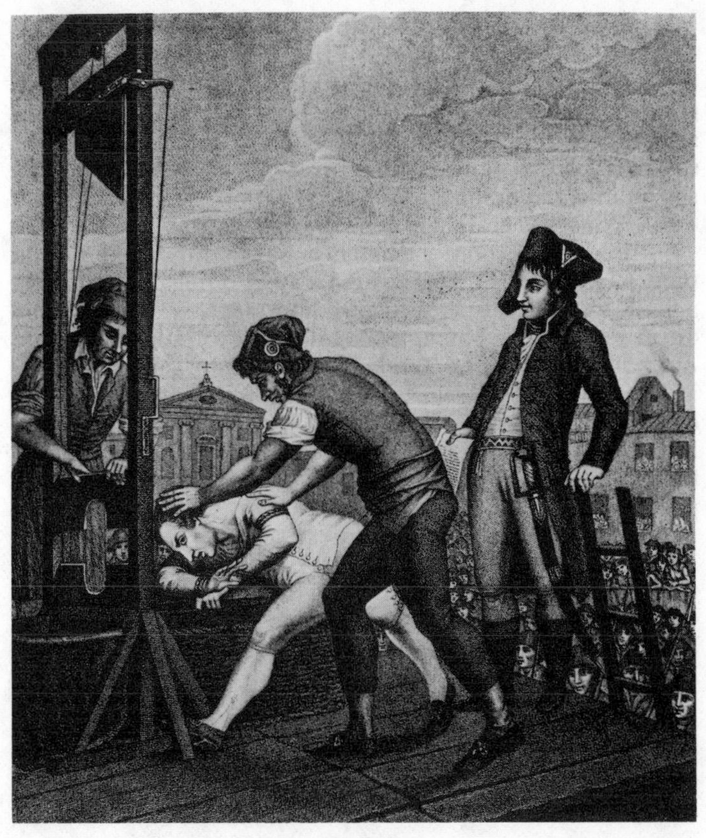

Ainsi mourut-il, en emportant ses rêves... (*Gravure contemporaine anglaise.* B.N. estampes).

— Le ciel, qui me donne une âme passionnée pour la liberté, m'appelle peut-être à tracer de mon sang la route qui doit conduire mon pays au bonheur et à la liberté ; j'accepte avec transport cette douce et glorieuse destinée... Ma chute s'avance à grands pas. Mais que m'importent les dangers ? Ma vie est à ma patrie, mon cœur est exempt de crainte, et si je mourais, ce serait sans reproche et sans ignominie... Je ne tiens plus à une vie passagère que par l'amour de la patrie et par la soif de la justice... J'ai assez vécu, j'ai vu le peuple français s'élancer du sein de l'avilissement et de la servitude au faîte de la gloire et de la liberté, j'ai vu ses fers brisés et les trônes près d'être renversés sous ses mains triomphantes...

— Vous ne craignez donc pas la mort ?

— Pour moi, dont l'existence paraît aux ennemis de mon pays un obstacle à leurs projets odieux, je consens à leur en faire le sacrifice si leur affreux empire doit durer encore... Je sais quels sont les devoirs d'un homme qui peut mourir en défendant la cause du genre humain.

Il avait voulu assurer le règne de la terreur — et celui de la vertu. Un jour, ceux qu'il terrifiait se rebelleront. Les Tallien, les Fouché, les Barras ne supporteront plus l'horrible attente, l'angoissante question posée chaque matin. Le 9-Thermidor, la peur donnera aux lâches le courage du dernier espoir.

Quand on portera Robespierre sur l'échafaud, le bourreau arrachera d'un seul coup le pansement sanglant qui soutenait sa mâchoire. Il poussera le cri inarticulé d'une bête qu'on tenaille. Puis le couperet tombera. La tête roulera dans le panier.

V

MADAME ROLAND

Pénétrer dans la cellule d'une prison sous la Révolution : c'est ce à quoi nous devons nous résoudre si nous voulons rencontrer Mme Roland. Il faut l'imaginer, cette prison de Sainte-Pélagie, d'après les papiers du temps. Elle s'élevait dans notre actuel 5e arrondissement, non loin du Jardin des Plantes. C'était un vaste quadrilatère bordé par les rues du Battoir, du Puits-de-l'Ermite, Lacépède et de la Clé. Sous l'Ancien Régime, la maison était habitée par des religieuses qui recevaient des « pensionnaires », victimes de lettres de cachet. Depuis la Révolution, on abritait là des prisonniers des deux sexes, notamment des prostituées, des ivrognesses. Le corps de logis réservé aux femmes était divisé en longs corridors où s'ouvraient de petites cellules.

Quand Manon Roland est arrivée à Sainte-Pélagie, on l'a fait entrer dans une chambre de six pieds de large sur douze de long, avec deux lits. On lui a appris qu'elle devait payer un loyer, quinze livres pour un lit, le double pour les deux. Il fallait aussi qu'elle se nourrisse à ses frais. « C'est là, écrira-t-elle, que, sous le même toit, sur la même ligne, séparée par un léger plâtrage, j'habite avec des filles perdues et des assassins... Chaque cellule est fermée par un gros verrou à clé, qu'un homme vient ouvrir tous les matins, en regardant effrontément si vous êtes debout ou couché ; alors leurs habitants se réunissent dans les corridors, sur les escaliers, dans une petite cour, ou dans une salle humide et puante, digne réceptacle de cette écume du monde. » Manon Roland, elle, a préféré demeurer le plus possible dans sa cellule. On la comprend.

C'est là qu'on me conduit. Quand j'entre, elle est à sa table où elle écrit. Une pile de feuilles noircies prouve qu'elle a dû beaucoup écrire dans cette prison.

Elle se lève pour m'accueillir. Je la découvre, telle que l'a vue, à la même époque, l'un de ses compagnons de prison, Beugnot. Elle a trente-neuf ans, et ce visage agréable que l'on voit sur le portrait d'Heinsius. De beaux cheveux blonds qui tombent sur les épaules, de grands yeux bleus, une taille gracieuse, une main parfaite, un regard expressif. « Elle n'avait pas besoin de parler, dit Beugnot, pour qu'on lui soupçonnât de l'esprit, mais aucune femme que j'aie entendue ne parlait avec plus de pureté et d'élégance... Elle relevait encore l'harmonie de sa voix par des gestes pleins de grâce et de vérité, par l'expression de ses yeux, qui s'animaient avec le discours et j'éprouvais chaque jour un charme nouveau à l'entendre, moins par ce qu'elle disait que par la magie de son débit. »

Pas de doute, elle suscite le respect. Il en est ainsi, d'ailleurs, quand il lui arrive — rarement — de descendre dans la cour. Les femmes perdues se pressent autour d'elle, elle leur prodigue des conseils, distribue des secours aux plus nécessiteuses. Tout autour, l'enfer. Chaque nuit, les prisonniers sont réveillés par les cris des filles publiques qui se battent. La chambre de Manon Roland, c'est l'asile, c'est la paix.

— Citoyenne Roland, vous voici prisonnière. Comment supportez-vous votre captivité ?

— Il n'y a pas de puissance humaine capable d'enlever à une âme saine et forte l'espèce d'harmonie qui la tient au-dessus de tout.

— Vous dominez l'adversité ?

— Les méchants croient m'accabler en me donnant des fers. Les insensés ! Que m'importe d'habiter ici ou là ?

— Et l'avenir, comment l'envisagez-vous ?

— Je saurai attendre paisiblement le retour du règne

Ce visage agréable que l'on voit sur le portrait d'Heinsius...
(Musée de Versailles) Photo Bulloz.

La prison de Saint-Pélagie, telle qu'elle apparaissait en 1899 avant sa destruction (Musée de la préfecture de police).

de la justice ou subir les derniers excès de la tyrannie de manière que mon exemple ne soit pas inutile.

— Dans cette prison de Sainte-Pélagie, ne côtoyez-vous pas le pire ?

— L'asile ordinaire du crime est devenu l'abri de l'innocence et de l'amour ; purifié par leur présence, il n'offre plus dans l'étroite enceinte qui les renferme que l'image de la paix, les souvenirs affectueux d'une âme aimante, d'une conscience pure, la résignation du courage et l'espoir de la vertu.

— Vos ennemis vous reprochent de graves fautes ?

— Je suis plus paisible avec ma conscience que mes

oppresseurs ne le sont avec leur domination... Les tyrans peuvent s'opprimer, mais m'avilir ? Jamais, jamais...

Assurément, il a raison, Beugnot. De toute sa personne émane un charme contre lequel on ne tient pas à lutter. La voix est chaude, le ton prenant. Comment se défendre pour elle de sympathie ? Elle convainc d'autant plus aisément qu'elle-même est convaincue de la justice de sa cause. Elle aime ceux qui l'aiment, elle déteste ceux qui la haïssent. Elle ne trouve la justice que dans son camp et accuse d'iniquité tous les autres. Une telle certitude représente une arme redoutable. Et puis on doit dire qu'aucune femme n'a fait autant pour la Révolution, ni surtout cru autant dans la Révolution. C'est de là que naît la tragédie : ce n'est pas du fait des ennemis de la Révolution que Manon Roland souffre, mais par ses propres amis de la veille. Absolue, la désillusion. Total, le regret. Manon Roland haïssait Marie-Antoinette. Le paradoxe a voulu qu'elle fût jetée en prison en même temps que Marie-Antoinette.

— Cette Révolution qui vous écrase aujourd'hui, vous l'avez vue naître avec un grand espoir au cœur ?

— Amie de la liberté, j'ai vu la Révolution avec transport, persuadée que c'était l'époque du renversement de l'arbitraire que je hais, de la réforme d'abus dont j'avais souvent gémi en m'attendrissant sur le sort de la classe malheureuse.

— Dès votre jeunesse, vous êtes-vous senti une âme de républicaine ?

— Dans les premiers élans de mon jeune cœur, je pleurais à douze ans de n'être pas née Spartiate, ou Romaine ; j'ai cru voir dans la Révolution française l'application inespérée des principes dont je m'étais nourrie.

— Vous avez toujours préféré la République à la monarchie ?

— J'ai haï les rois dès l'enfance, et je n'ai jamais vu sans une sorte de frémissement involontaire l'abaissement d'un homme humilié devant son semblable qui le protège.

— Comment jugiez-vous Louis XVI ?

— Louis XVI n'était pas précisément tel qu'on s'était attaché à le peindre pour l'avilir, ce n'était ni l'imbécile abruti qu'on exposait au mépris du peuple ni l'honnête homme bon et sensible que préconisaient ses amis. La nature en avait fait un être commun qui aurait été bien placé dans un état obscur, que déprava l'éducation du trône et que perdit sa médiocrité dans un temps difficile où son salut ne pouvait être opéré qu'à l'aide du génie ou de la vertu.

— Pourtant, il a montré un vrai courage à la fin de son existence ?

— Il a été assez bon sur l'échafaud, mais il ne faut pas lui en faire un mérite : les rois sont élevés dès l'enfance à la représentation.

— Reconnaissez que votre maître, que votre Dieu, c'est, comme pour beaucoup de vos contemporains, Jean-Jacques Rousseau.

— Il est le bienfaiteur de l'humanité, le mien. Qui donc peint la vertu d'une façon plus noble et plus touchante ? Je lui dois ce que j'ai de meilleur ; son génie a échauffé mon âme.

Je songe au destin singulier de cette femme. Elle est née Phlipon, de bonne bourgeoisie artisanale. Son père était maître graveur. On habitait un appartement sur le quai de l'Horloge, avec un loyer de cent cinquante livres par an. A vingt ans, Manon Phlipon avait « la jambe bien faite, le pied bien posé, les hanches très relevées, la poitrine large et superbement meublée, l'attitude ferme et gracieuse, la marche rapide et légère » : croyons-le, car c'est elle qui le dit. Elle-même lisait sur son visage « les caractères que les physionomistes indiquent pour ceux de la volupté ».

A vingt ans, un oncle chanoine l'a conduite à Versailles. Cette petite-bourgeoise y a souffert mille morts.

Elle a haï l'aristocratie et sa condescendance. Elle a dit : « Encore quelques jours et je détesterai si fort ces gens-là que je ne saurai plus que faire de ma haine. » Voilà qui explique presque tout.

Elle perd toute jeune sa mère, elle gouverne le ménage paternel. Une femme parfaite. En 1780, à vingt-six ans, elle va épouser Roland de La Platière, inspecteur des Manufactures, de vingt ans plus âgé qu'elle. Elle l'a épousé, confiera-t-elle, « comme un philosophe n'existant que par la réflexion et pour ainsi dire sans sexe ». Curieuse résolution chez une jeune mariée...

Elle résidera en province, avec son mari. Elle a une trentaine d'année quand un certain M. Lémontey la rencontre. Il a noté : « Elle réalisait pleinement l'idée que je me faisais de la Julie de Jean-Jacques Rousseau... Et quand je l'entendis, l'illusion fut encore plus complète. » Il suffit que l'on aborde devant elle un sujet qui la passionne pour qu'elle parle d'abondance, avec feu, avec enthousiasme. Son sujet préféré : la liberté. Le digne Roland partage les élans de son épouse. Comment s'étonner qu'ils se soient lancés tous deux avec la même fougue dans la grande aventure révolutionnaire ? Mais autre chose est d'y adhérer et d'y participer. Le journaliste Brissot allait faciliter la transition.

— Au début de la Révolution, vous résidiez avec votre mari et votre fille dans votre propriété du Clos, à deux lieues de Villefranche, dans la vallée du Rhône. Comment êtes-vous entrée en relation avec Brissot ?

— Brissot ayant commencé une feuille périodique que l'excellence du raisonnement allait faire souvent consulter, nous lui faisions passer tout ce dont les circonstances nous présentaient la publicité comme utile : bientôt la connaissance fut perfectionnée ; nous devînmes confiants et intimes, sans nous être encore vus ni rencontrés.

— Dans quelles circonstances Roland et vous-même êtes-vous venus à Paris ?

— Au mois de février 1791, Roland fut député extraordinairement par la commune de Lyon pour discuter ses intérêts auprès de l'Assemblée constituante. Nous vînmes à Paris avec tout l'empressement qu'on peut imaginer. J'avais suivi — dans les papiers publics — les opérations de l'Assemblée, les opinions de ses membres ; j'avais étudié le caractère et les talents de chacun ; je me hâtai d'aller voir ce que leurs personnes et leur débit devaient ajouter ou retrancher à mon opinion.

— C'est alors que vous avez fait la connaissance de Brissot ?

— Brissot nous vint visiter ; nous nous trouvâmes liés comme d'anciens amis... A mesure que je l'ai connu davantage, je l'ai plus estimé ; il est impossible d'unir un plus entier désintéressement à un plus grand zèle pour la chose publique, et de s'adonner au bien avec plus d'oubli de soi-même.

— Brissot vous fit aussitôt connaître ses amis, ceux qu'on appellera plus tard les Girondins : Vergniaud, Louvet, Pétion, Buzot. Vous les avez reçus chez vous, rue Guénégaud. Que pensez-vous de ces jeunes talents ?

— Vergniaud fut peut-être l'orateur le plus éloquent de l'Assemblée... Ses discours préparés, forts de logique, brûlants de chaleur, pleins de choses, étincelants de beauté, soutenus par un très noble débit, se faisaient lire encore avec un grand plaisir.

— Et Buzot ?

— Buzot est l'homme le plus doux de la terre pour ses amis, et le plus rude adversaire des fripons. Jeune encore, la maturité de son jugement et l'honnêteté de ses mœurs lui valurent l'estime et la confiance de ses concitoyens. Il justifia l'une et l'autre par son dévouement à la vérité, par sa fermeté, sa persévérance à la dire.

— Vous receviez également chez vous Robespierre, qui pourtant allait devenir un des ennemis les plus acharnés du groupe des Girondins.

— Je l'ai beaucoup connu et estimé, je l'ai cru un sincère et ardent ami de la liberté... Je crains qu'il n'aime aussi la domination, je crains qu'il n'aime beaucoup la vengeance et surtout à l'exercer contre ceux dont il croit n'être pas admiré ; je pense qu'il est très susceptible de préventions, facile à se passionner en conséquence, jugeant trop vite comme coupable quiconque ne partage pas en tout ses opinions.

— Mais au début de vos relations avec Robespierre, vous le jugiez avec indulgence ?

— Robespierre me paraissait alors un honnête homme ; je lui pardonnais, en faveur des principes, son mauvais langage et son ennuyeux débit... Sa timidité, sa frayeur dans les dangers ne me frappèrent pas moins lors de la fuite du roi et l'affaire du Champ-de-Mars, mais j'en avais pitié.

— Vous ne vous sentiez pas en confiance avec lui ?

— Jamais le sourire de la confiance ne s'est reposé sur les lèvres de Robespierre, tandis qu'elles sont presque toujours contractées par le rire amer de l'envie qui veut paraître dédaigner.

— Vous ne le trouvez même pas bon orateur...

— Son talent, comme orateur, était au-dessous du médiocre : sa voix triviale, ses mauvaises expressions, sa manière vicieuse de prononcer rendaient son débit fort ennuyeux. Mais il défendait les principes avec chaleur et opiniâtreté.

— Aujourd'hui, vous le considérez comme votre plus terrible adversaire ?

— Ce Robespierre, qu'un temps je crus honnête homme, est un être bien atroce. Comme il ment à sa conscience ! Comme il aime le sang !

De nouveau, je songe à ce M. Lémontey qui avait vu Manon avant la Révolution. En 1792, le même revoit le ménage Roland à Paris. Mais plus rien ne ressemble au passé. Roland est devenu ministre de l'Intérieur. Manon et lui habitent le magnifique hôtel ministériel, rue Neuve-des-Petits-Champs. M. Roland évoque l'image d'un ascète dont Manon serait la fille. M. Lémontey s'émeut, car Manon « n'avait rien perdu de son air d'adolescence, de fraîcheur et de simplicité ». Il s'émeut plus encore en voyant la fille de Manon, la jeune

Le mari : Jean-Marie Roland (Gravure par Nicolas Colibert)
B.N. estampes.

Eudora, « voltiger autour d'elle avec de beaux cheveux flottant jusqu'à la ceinture ».

— Comment votre mari aborda-t-il ses fonctions de ministre de l'Intérieur ?

— Roland ministre eut bientôt, avec son incroyable activité, sa facilité pour le travail et son grand esprit d'ordre, classé dans sa tête toutes les parties de son département.

— A l'hôtel de l'Intérieur, receviez-vous beaucoup d'hommes politiques ?

— Je recevais à dîner deux fois par semaine des ministres, des députés, celles des personnes avec lesquelles mon mari avait besoin de s'entretenir ou de conserver des relations. On causait d'affaires devant moi... Je me suis ainsi trouvée dans le courant des choses sans intrigue ni vaine curiosité ; Roland y avait l'agrément de m'en entretenir ensuite dans le particulier avec cette confiance qui a toujours régné entre nous.

— Vous assistiez aux audiences que Roland accordait à ses visiteurs et aux conférences qui se tenaient au ministère ?

— Les conférences se tenaient en ma présence sans que j'y prisse aucune part ; placée hors du cercle et près d'une table, je travaillais des mains ou faisais des lettres, tandis que l'on délibérait ; mais eussé-je expédié dix missives, je ne perdais pas un mot de ce qui se débitait.

— Vous semblez avoir été une précieuse collaboratrice pour Roland ?

— Nous avions mis en communauté nos connaissances et nos opinions.

— On a beaucoup parlé de votre rôle personnel.

— Les femmes doivent inspirer le bien et nourrir, enflammer tous les sentiments utiles à la patrie, mais non paraître concourir à l'œuvre politique.

— Vous ne pouvez ignorer que l'on vous a accusée de mener les affaires à la place de Roland.

— Durant douze années de ma vie, j'ai travaillé avec mon mari, comme j'y mangeais, parce que l'un m'était aussi naturel que l'autre.

— C'est donc votre ardeur que vous communiquiez à votre époux ?

— J'aimais mon pays, j'étais enthousiaste de la liberté, je ne connaissais point d'intérêt ni de passions qui puissent entrer en balance avec eux, mon langage devait être pur et pathétique, c'était celui du cœur et de la vérité.

— Quelle a été votre attitude par rapport au roi ?

— Durant trois semaines, j'ai vu Roland et Clavière enchantés des dispositions du roi, ne rêver que le meilleur ordre des choses et se flatter que la Révolution était finie. « Bon Dieu ! leur disais-je, chaque fois que je vous vois partir pour le Conseil avec cette belle confiance, il me semble toujours que vous êtes prêts à faire une sottise. »

— Ce qui vous a surtout indignée, n'est-ce pas le refus du roi de sanctionner les décrets proposés par l'Assemblée ?

— Les délais du roi démontraient sa fausseté ; Roland avait achevé de s'en convaincre ; il n'y avait donc plus qu'une résolution à prendre pour un ministre honnête homme : c'était de quitter sa place si le roi s'obstinait à refuser des mesures nécessaires au salut de l'empire.

— Avant de quitter la place, justement, Roland envoya à Louis XVI une lettre qui fit beaucoup de bruit à Paris. Est-il vrai que cette lettre ait été écrite par vous ?

— Cette lettre fut tracée d'un trait, comme à peu près tout ce que je fais en ce genre.

— Le roi renvoya alors le ministère, mais l'Assemblée applaudit au geste de Roland.

— Je n'avais pas été fière de son entrée au ministère, je le fus de sa sortie.

C'était le temps où l'on comparait Roland à Necker. Probablement Manon a-t-elle vécu ses plus belles heures en ce temps-là. Vais-je lui parler de Buzot ? François Buzot, a-t-elle écrit, est celui des Girondins « dont la sensibilité, les mœurs douces » lui ont « inspiré infiniment d'attachement ». Phrase bien timide. La vérité est qu'elle a aimé, qu'elle aime Buzot passionnément. Et que Buzot l'aime. Buzot a six ans de moins que Manon. Il est marié avec une femme qu'il n'aime pas. Il fréquente le salon de Manon depuis 1791. A cette époque, il est député à la Constituante. Pendant l'Assemblée législative, il est retourné à Evreux, d'où il est originaire. Il a été élu à la Convention et il a tout naturellement retrouvé sa place chez les Roland. Immense, la joie de Manon en le retrouvant. Elle croyait éprouver pour lui de l'amitié. Elle sait maintenant que cette amitié est de l'amour.

Mais tout se mêle en cette époque de fièvre, la politique et la vie privée.

— Après la chute de la monarchie, Roland fut placé au ministère de l'Intérieur, tandis que Danton devenait ministre de la Justice. Comment vous êtes-vous entendus avec lui ?

— Rappelé au ministère, Roland y rentra avec de nouvelles espérances pour la liberté. « Il est grand dommage, disions-nous, que le Conseil soit gâté par ce Danton qui a une réputation si mauvaise ! » Placer Danton, c'était inoculer dans le gouvernement ces hommes qui le tourmentent quand ils ne sont pas employés par lui, mais qui le détériorent et l'avilissent dès qu'ils participent à son action.

— Le physique même de Danton ne vous inspirait-il pas une sorte de répulsion ?

— La férocité de son visage dénonçait celle de son cœur ; il empruntait inutilement de Bacchus une apparente bonhomie et la jovialité des festins ; l'emportement de ses discours, la violence de ses gestes, la brutalité de ses jugements le trahissaient.

— Mais c'est surtout à la Commune de Paris que vous adressiez de violents reproches ?

— Il n'est guère possible d'imaginer une situation plus pénible que celle d'un homme équitable et ferme, à la tête d'une grande administration dans laquelle il paraît avoir une puissance considérable, témoin journalier d'abus révoltants sur lesquels l'autorité législative qu'il éclaire ne sait ou n'ose prendre un parti.

— Dès le mois d'août 1792, vos amis et vous-même étiez en opposition avec les sections et la Commune. Que pensez-vous des opérations effectuées par les sans-culottes à la veille des massacres de Septembre ?

— Les visites domiciliaires sous le prétexte de chercher les armes cachées, de découvrir les gens suspects ; ces visites, si fréquentes depuis le 10 août, furent arrêtées comme dispositions générales et faites au milieu de la nuit. Elles donnèrent lieu à des arrestations nouvelles et nombreuses, à des vexations inouïes. La Commune du 10 août, déjà coupable de mille excès, avait besoin d'en commettre de nouveaux car c'est par l'accumulation des crimes que s'assure l'impunité.

— Est-ce alors que vous avez senti le danger grandir ?

— Nous étions sous le couteau de Robespierre et de Marat ; ces gens-là s'efforçaient d'agiter le peuple et de le tourner contre l'Assemblée nationale et le Conseil... Croiriez-vous qu'ils avaient lancé un mandat d'arrêt contre Roland et Brissot, comme suspects d'intelligences avec Brunswick ?... Si on eût exécuté leur mandat d'arrêt, ces deux excellents citoyens auraient été conduits à l'Abbaye et massacrés avec les autres.

— Je pense que les massacres dans les prisons vous ont fait horreur.

— Si vous connaissiez les affreux détails des expéditions ! Les femmes brutalement violées avant d'être déchirées par des tigres, les boyaux coupés, portés en rubans, des chairs humaines mangées sanglantes... Vous connaissiez mon enthousiasme pour la Révolution, eh bien, j'en eus honte. Elle était ternie par des scélérats, elle était devenue hideuse.

— C'est à cette époque que les haines s'accumulèrent contre vous ?

— La Convention était menée par une trentaine de furieux, aidés du souverain bastonneur des tribunes... Le ministre de l'Intérieur était abhorré comme le grand inspecteur qui empêchait le renouvellement des massacres... Il fallait un courage surhumain pour se maintenir dans cet enfer.

— Vous avez dû vivre de bien pénibles semaines ?

— Toujours dans la tempête, toujours sous la hache populaire, nous marchions à la lueur des éclairs et, sans cette paix de la conscience qui résiste à tout, il y aurait eu de quoi s'ennuyer de la vie. Mais avec un peu de force dans l'âme, on se familiarise avec les idées les plus difficiles à soutenir.

— N'avez-vous pris aucune précaution ?

— J'ai fait partir ma fille pour la campagne et

disposé mes petites affaires comme pour le grand voyage, et j'ai attendu les événements de pied ferme.

Elle parle, et moi, de nouveau, je songe à Buzot. C'est la singularité de sa vie publique : on n'en discerne que le dehors alors que les drames avoués se doublent parfois de tragédie secrète. C'est le temps où la passion de Manon est à son zénith. Il semble qu'elle ait pensé au divorce, mais Buzot s'y est refusé. Alors, Manon, fidèle aux enseignements de son bien-aimé Rousseau, va avouer à l'infortuné Roland qu'elle en aime un autre. Ce qui ne plaira nullement au citoyen ministre. Au demeurant, cette passion demeure chaste. Elle le restera jusqu'au bout.

Oui, tout se mêle. Car voici que Buzot attaque Danton. Danton, informé, comprend que le coup vient de Manon. Aussitôt, il lance cette phrase terrible : « Nous avons besoin de ministres qui voient par d'autres yeux que par ceux de leur femme ! » Du coup, Manon va vouer à Danton une véritable exécration. Danton, pour elle, devient l'homme à abattre. Elle jettera contre lui les Girondins. L'impopularité de ceux-ci grandit. On multiplie les pamphlets contre Roland et sa femme, *Coco Roland* et *Mme Coco, la reine Coco*. Chaque camp s'oppose avec violence. Dès lors, on sent que chacun va lutter pour sa vie. Or, au lendemain de la mort du roi, Roland a adressé à la Convention sa démission : une lettre que Manon a entièrement rédigée elle-même.

— N'a-t-on pas blâmé votre mari d'avoir quitté le ministère ?

— On a fait un tort à Roland d'avoir quitté le ministère fort peu après avoir dit qu'il braverait tous les orages. On n'a pas vu qu'il avait eu besoin de montrer sa résolution pour soutenir les faibles... Mais le jugement de Louis XVI démontrant la minorité des sages et la chute de leur empire dans la Convention, il n'avait plus de soutien à espérer... Certes, Roland abhorrait la tyrannie et croyait Louis coupable, mais il voulait assurer la liberté et la crut perdue dès que les mauvaises têtes eurent pris l'ascendant.

— Et malgré cette démission, les persécutions contre votre mari ont continué ?

— Roland avait porté un coup terrible à ses adversaires en publiant, lors de sa retraite, des comptes tels qu'aucun ministre n'en avait encore fourni. Les examiner et les sanctionner par un rapport était une justice qu'il devait solliciter vainement, car c'eût été reconnaître la fausseté des calomnies répandues contre lui... Il fallait continuer de l'injurier sans en venir à la preuve, ébranler, obscurcir, égarer l'opinion publique à son sujet au point de pouvoir le perdre impunément.

— Mais ces comptes, Roland n'en obtint pas l'apurement ?

— Il eut beau prier, publier, écrire sept fois en quatre mois à la Convention pour demander l'examen et le rapport de sa conduite administrative, les Jacobins continuèrent de faire crier par leurs affidés qu'il était un traître ; Marat prouva à son peuple qu'il fallait sa tête pour la tranquillité de la République.

— Vous vous êtes retirée alors dans votre logis de la rue de La Harpe ?

— Depuis la sortie du ministère, je m'étais tellement retirée du monde que je ne voyais plus personne.

— Est-il vrai que vous receviez de nombreuses menaces de mort ?

— Je m'étais familiarisée avec l'idée de la mort... Les avis d'assassinat pleuvaient sur ma table, car on me faisait l'honneur de me haïr... L'aboyeur Marat, lâché après moi, ne m'a pas quittée d'un moment, les pamphlets se sont multipliés et je doute qu'on ait publié plus d'horreurs contre Marie-Antoinette, à laquelle on me comparait, qu'on ne m'en attribuait chaque jour... J'étais Galigaï, Brinvilliers, Voisin, tout ce qu'on peut imaginer de monstrueux et les dames de la halle voulaient me traiter comme Mme de Lamballe.

Encore une fois, je pense à cette dualité de deux actions qui devrait frapper un auteur dramatique. Cependant que les périls se lèvent contre elle, Manon, toujours, ne songe qu'à Buzot. Le désastre de sa vie conjugale obsède littéralement Roland. Manon ne lui a pas dit qui elle aimait. Chaque jour, Roland supplie qu'elle lui livre l'identité de son rival. Manon se tait. Pour elle, l'éloignement du ministère marque un autre drame. Au ministère, il était logique que Buzot se présentât souvent. Rue de La Harpe, il faut craindre de susciter les soupçons de Roland. Alors, il ne vient que de loin en loin. La haine contre les Girondins monte. Roland pense qu'il serait sage de partir pour Villefranche. C'est vrai, la prudence l'exigerait. Mais quitter Paris, ce serait renoncer à voir Buzot. Alors, on reste.

— Vous étiez donc à Paris quand les Montagnards, aidés des sans-culottes parisiens, ont chassé de la Convention tout le groupe des députés girondins ?

— Les plus francs républicains, les seuls hommes de l'Assemblée qui réunissent au courage de l'austère probité l'autorité du talent et des lumières, sont présentés comme des fauteurs du despotisme et de vils conspirateurs ; tantôt, on les suppose d'accord avec les rebelles de la Vendée, tantôt on les accuse de travailler à partager la France en petites républiques et on les fait maudire comme fédéralistes. C'est avec la même justesse que l'on met Brissot à la solde de l'Angleterre.

— Comment expliquez-vous que le coup de force contre les députés ait réussi, le 2 juin ?

— Les journées de Septembre ne furent que l'ouvrage d'un petit nombre de tigres enivrés ; celles du 31 mai et du 2 juin marquèrent le triomphe de la scélératesse par l'apathie des Parisiens et leur aveu tacite à l'esclavage ; depuis cette époque, la gradation est effrayante ; ce qu'on appelle encore improprement la Convention ne présente que des brigands prêchant le meurtre et donnant l'exemple du pillage.

— Et la défaite de votre parti, comment l'expliquez-vous ?

— Nous avons tous été trompés, ou, pour mieux dire, nous périssons victimes de la faiblesse des honnêtes gens ; ils ont cru qu'il suffisait, pour le triomphe de la vertu, de la mettre en parallèle avec le crime il fallait étouffer celui-ci.

— N'avez-vous pas songé à vous cacher pendant ces terribles journées ?

— Dans les deux derniers mois du ministère de Roland, nos amis nous pressèrent souvent de quitter l'hôtel, et parvinrent trois fois à nous faire coucher dehors. Ce fut toujours malgré moi...

— Vous avez pourtant réussi à faire évader votre mari ?

— Roland a été obligé, pour se soustraire à l'aveugle fureur d'hommes abusés par ses ennemis, de se cacher comme un coupable, de trembler même pour la sûreté de ceux qui le recevaient, de dévorer en silence la détention de son épouse, l'apposition des scellés sur tout ce qui lui appartenait.

— Pardonnez-moi cette question indiscrète : quels étaient alors vos sentiments pour Roland ?

— J'honore, je chéris mon mari comme une fille sensible adore un père vertueux à qui elle sacrifierait même son amant, mais j'ai trouvé l'homme qui pouvait être cet amant en demeurant fidèle à mes devoirs. Mon ingénuité n'a pas su cacher les sentiments que je leur soumettais. Mon mari, excessivement sensible, et d'affection et d'amour-propre, n'a pu supporter l'idée de la moindre altération dans son empire, son imagination s'est noircie, sa jalousie m'a irritée, le bonheur a fui loin de nous ; il m'adorait, je m'immolais à lui, et nous étions malheureux.

J'évoque ce détachement armé envahissant l'appartement de la rue de La Harpe, le jour même où Roland avait pu fuir. On exige de Manon qu'elle dise où est son mari. Elle affirme qu'elle n'en sait rien. Un peu plus tard, on vient l'arrêter. Au moment où on la pousse dans une voiture, elle entend le cri clamé par des femmes : « A la guillotine ! »

D'abord, elle sera conduite à la prison de l'Abbaye. Tous ses amis sont en fuite, ou emprisonnés, risquant la mort. Mais le cœur de Manon bat délicieusement, car le cher Buzot a pu fuir. Ils s'écrivent. De ses lettres, elle lui dira : « Comme je les relis ! Je les presse sur mon cœur, je les couvre de baisers ! »

Nouveau paradoxe : en prison elle est libérée de l'inquiète jalousie de Roland. Elle peut penser autant qu'elle le veut à ce Buzot qu'elle idolâtre. Elle lui confie : « Toi seul au monde peux comprendre comme j'ai été peu fâchée d'être arrêtée ! » Et encore : « Je chéris ces fers où il m'est libre de t'aimer sans partage ! »

Sa passion, on la décèle dans toutes les pages qu'elle trace à l'intention de Buzot : « Les tyrans peuvent m'enfermer, mais m'avilir, jamais... Par la captivité je me sacrifiais à mon époux, je me conserve à mon ami et je dois à mes bourreaux de concilier le devoir et l'amour. Ne me plains pas. Les autres admirent mon courage mais ils ne connaissent pas mes jouissances. Va ! nous ne pouvons cesser d'être réciproquement dignes des sentiments que nous nous sommes inspirés ; on n'est pas moins malheureux avec cela, mon ami, mon bien-aimé. Adieu. »

Cette autre lettre : « Jouis, du moins, ô mon ami, de l'assurance d'être chéri du cœur le plus tendre qui fut jamais... Adieu, l'homme le plus aimé de la femme la plus aimante ! Va, je puis te le dire, on n'a pas encore tout perdu avec un tel cœur ; en dépit de la fortune, il est à toi, pour jamais... Adieu ! Oh ! comme tu es aimé ! »

— Donc, vous avez été arrêtée chez vous, une première fois. C'est à la prison de l'Abbaye que vous avez entendu annoncer, par des crieurs de journaux, les manœuvres opérées à la Convention ?

— Quels cris répétés se firent entendre ! C'étaient ceux d'un colporteur qui annonçait la grande conspiration découverte des Rolandistes, Buzotiens, Pétionistes, Girondins avec les « rebelles de la Vendée, les agents de l'Angleterre ».

Ce dessin, Manon Roland l'a exécuté en prison pour son ami Bosc. (B.N. estampes.) Photothèque Presses de la Cité.

— On a hurlé des injures et des menaces contre Roland et des insanités sur votre compte.

— Les vraisemblances physiques n'étaient pas mieux aménagées que les autres, je n'étais pas seulement transformée en contre-révolutionnaire, mais aussi en vieille édentée, et l'on finissait par m'exhorter à pleurer mes péchés en attendant que je les expiasse sur l'échafaud.

— Votre arrestation était illégale. Alors, on vous a joué une triste comédie, en paraissant vous relâcher, pour vous arrêter de nouveau quelques heures plus tard, cette fois en bonne et due forme. C'est depuis ce temps que vous êtes à Sainte-Pélagie.

— Mon courage n'était point en dessous de la nouvelle disgrâce que je venais d'essuyer, mais le raffinement de cruauté avec lequel on m'avait donné l'avant-goût de la liberté pour me charger de nouvelles chaînes, mais le soin barbare de se prévaloir d'un décret m'enflammaient d'indignation.

— Savez-vous que Brissot a pris votre place dans votre ancienne cellule de l'Abbaye ?

— Je n'ai su l'arrivée du malheureux Brissot qu'après mon départ du même lieu, et j'imagine que le dessein de m'ôter de son voisinage a contribué à l'atroce manœuvre par laquelle j'ai été reprise au même moment que relâchée.

— Brissot va bientôt comparaître devant le Tribunal révolutionnaire. Croyez-vous qu'il sera condamné à mort ?

— Je sais que Brissot va être immolé, et trouve plus atroce que cela même la disposition qui interdit tout discours aux accusés.

— Quelles nouvelles avez-vous de votre mari ?

— Le pauvre Roland est dans un triste état. Ma seconde arrestation l'a rempli de terreur ; il m'a envoyé de trente lieues une personne qu'il a chargée de tout tenter. J'ai fait sentir l'imprudence et les dangers d'une pareille entreprise ; d'ailleurs, je ne veux pas m'y prêter ; ce serait gâter ses affaires en pure perte, s'exposer davantage et se couvrir d'un vernis de crainte en compromettant encore de dignes gens.

— Quelles sont vos occupations dans votre cellule ?

— J'ai employé mes premières journées à écrire quelques notes qui feront plaisir un jour ; je les ai mises en bonnes mains...

— Que lisez-vous ?

— J'ai pris pour Tacite une sorte de passion ; je le relis pour la quatrième fois de ma vie, avec un

Devant ses juges. Gravure par Duplessis-Bertaux (B.N. estampes).
Photo Bibl. nat.

goût très nouveau, je le saurai par cœur, je ne puis me coucher sans en avoir savouré quelques pages.

— Dois-je penser que vous avez fait le sacrifice de votre vie ?

— Je connais de la vie ce qu'elle a de meilleur, et sa durée ne m'obligerait peut-être qu'à de nouveaux sacrifices. L'instant où je me suis le plus glorifiée d'exister, où j'ai senti plus vivement cette exaltation d'âme qui brave tous les dangers et s'applaudit de les courir, est celui où je suis entrée à la bastille que mes bourreaux m'avaient choisie. Je ne dirai pas que j'ai été au-devant d'eux, mais il est très vrai que je ne les ai pas fuis.

— Peut-on espérer que la France connaîtra des jours meilleurs ?

— Je sais que le règne des méchants ne peut être de longue durée, ils survivent ordinairement à leur pouvoir et subissent presque toujours les châtiments qu'ils ont mérités.

— Le règne de la liberté vous semble-t-il actuellement un rêve impossible ?

— La liberté ! Elle est pour les âmes fières qui méprisent la mort et savent à propos la donner. Elle n'est pas faite pour cette nation corrompue qui ne sort du lit de la débauche ou de la fange de la misère que pour s'abrutir dans la licence et rugir en se vautrant dans le sang qui ruisselle des échafauds.

— Vous allez, à votre tour, comparaître devant le Tribunal. Que ressentez-vous ?

— Il est nécessaire que je périsse à mon tour, parce qu'il est dans les principes de la tyrannie de sacrifier ceux qu'elle a violemment opprimés et d'anéantir jusqu'aux témoins de ses excès... Quand l'innocence marche au supplice où la condamnent l'erreur et la perversité, c'est à la gloire qu'elle arrive. Puissé-je être la dernière victime immolée aux fureurs de l'esprit de parti ! Je quitterai avec joie cette terre infortunée qui dévore les gens de bien et s'abreuve du sang des justes.

Elle est calme, tranquille. Elle n'a pas de doute sur le sort qui l'attend. Je repense à l'évasion que lui a proposée Roland. Si elle a refusé, c'est que, libre, elle ne supporterait pas de vivre de nouveau avec son mari. Plutôt la guillotine. Elle écrit à Roland : « Tu ne perds qu'une ombre, inutile objet d'inquiétude déchirante ! »

— Etes-vous lasse de l'existence ?

— En vérité, je m'ennuie de ce monde, il n'est pas fait pour les honnêtes gens et l'on a quelque raison de les déloger.

— Vous avez pourtant une fille, à laquelle vous avez cruellement manqué.

— Son éducation peut s'achever sans moi, son existence offrira à son père des consolations. Mon exemple lui restera.

— Voyez-vous approcher la mort avec sérénité ?

— Qu'est-ce qu'une fourmi de plus ou de moins écrasée par le pied de l'éléphant, considérée dans le système du monde ?

— Vous acceptez votre destin sans murmurer ?

— Je crois qu'il faut s'envelopper la tête et, en vérité, le spectacle devient si triste qu'il n'y a pas grand mal à sortir de la scène... Je ne vis plus que pour me détacher de la vie...

Je l'ai quittée. Elle passera devant le Tribunal, le 8 novembre 1793. Beugnot l'a vue partir : « Sa figure me parut plus animée qu'à l'ordinaire. Ses couleurs étaient ravissantes et elle avait le sourire sur les lèvres. D'une main, elle soutenait la queue de sa robe et elle avait abandonné l'autre à une foule de femmes qui se pressaient pour la baiser... » Bien sûr, le Tribunal prononça la mort. La charrette la conduisit jusqu'à l'échafaud, place de la Révolution. Il faisait froid. La charrette roula devant la grande statue de la Liberté élevée à l'entrée du jardin des Tuileries. C'est à ce moment que Manon aurait dit : « O Liberté, que de crimes on commet en ton nom ! »

A la nouvelle de la mort de sa femme, Roland se suicidera. Et Buzot, ne supportant plus de vivre sans elle, se donnera la mort.

Roland née Phlipon

VI

SAINT-JUST

Elle est de nos jours bien abandonnée, la maison de Saint-Just à Blérancourt. C'est une grande demeure paysanne, à l'extrémité du village, à l'angle de la rue aux Chouettes. Elle est presque devenue méconnaissable, mais l'on comprend ceux qui voudraient la restituer dans son apparence originale. Il existe de mystérieuses affinités entre les personnages du passé et les lieux où ils ont vécu. La grande ombre de Saint-Just semble perdue dans Paris. On cherche en vain sa trace, ses résidences. Les adresses qui subsistent n'évoquent plus rien. Au vrai, cette vie fut si courte que ce qui domine, c'est le pays de l'enfance, de la jeunesse, tremplin d'où s'élança une prodigieuse carrière.

A-t-il tellement changé, le village ? On y pénètre par la route qui vient de Noyon. On entre dans un gros bourg que l'on traverse. A l'autre extrémité, voici la maison où vint s'établir, à la fin de 1776, un M. de Saint-Just. Il n'avait pas droit à la particule, mais, imitant maints contemporains, l'avait ajoutée de son propre chef. Il avait été officier de gendarmerie, puis régisseur d'un grand domaine. C'est une retraite qu'il venait chercher à Blérancourt, quand il s'y installa avec sa femme, ses deux filles, son fils. Ce fils, c'est celui que nous allons interroger. Nul peut-être n'a suscité de jugements aussi contradictoires. On l'a haï, mais aussi passionnément admiré. Rien de plus frappant que l'indéniable attirance, aujourd'hui, de la jeunesse pour Saint-Just. Elle vient peut-être de cette mort si prompte qui, dans l'Histoire, le fait éternellement jeune. La beauté ? Il faut en revenir à André Malraux : « La légende ne naît pas de la beauté de Saint-Just, sa beauté naît de la légende ; pour que sa tête devienne celle de l'archange de la guillotine, il faut que le bourreau la ramasse. »

Très tôt, il s'est drapé dans une froideur, une impassibilité qui glacerait si on ne la sentait de commande. La jeunesse, pour lutter contre elle-même, a besoin de masque. Ferons-nous tomber ce masque ?

— Citoyen Saint-Just, votre vie ne s'éclaire que par son combat pour la Révolution.

— Ceux qui font des révolutions dans le monde, ceux qui veulent faire le bien ne doivent dormir que dans le tombeau.

— Pour vous, la Révolution s'identifie-t-elle avec la liberté ?

— Quand tous les hommes seront libres, ils seront égaux. Quand ils seront égaux, ils seront justes.

— Que peut faire un peuple privé de liberté ?

— L'anarchie est la dernière espérance d'un peuple opprimé ; il a le droit de la préférer à l'esclavage et se passer plutôt de maître que de liberté.

— D'où vient la liberté ?

— Nous avons opposé le glaive au glaive et la liberté a été fondée ; elle est sortie du sein des orages, cette origine lui est commune avec le monde, sorti du chaos, et avec l'homme, qui pleure en naissant.

— Et la République, comment croyez-vous qu'elle pourra vivre ?

— On ne fait une république qu'à force de frugalité et de vertu.

— Espérez-vous que les idées révolutionnaires se répandront à travers le monde ?

— Bientôt les nations éclairées feront le procès à la mémoire de ceux qui ont régné sur elles et traîneront leurs ossements sur l'échafaud. L'Europe foulera aux pieds et la poussière et la mémoire des tyrans ; alors tout gouvernement qui ne sera point fondé sur la jus-

Il incarne l'absolu de la Révolution... (Portrait par David).
Coll. part.

tice sera abhorré... La victoire et la liberté couvriront le monde.

— Vous donnez l'image d'une révolution absolue.

— Ceux qui ont fait la révolution à moitié n'ont fait que creuser leur tombeau.

— Si vous aviez à tracer le portrait du vrai révolutionnaire, que diriez-vous ?

— Un homme révolutionnaire est inflexible, mais il est sensé, il est frugal ; il est simple sans afficher le luxe de la fausse modestie, il est l'irréconciliable ennemi de tout mensonge, de toute indulgence, de toute affectation... Un homme révolutionnaire est plein d'honneur, il est policé sans fadeur, mais par franchise et parce qu'il est en paix avec son propre cœur... Il est intraitable aux méchants, mais il est sensible ; il est si jaloux de la gloire de sa patrie et de la liberté, qu'il ne fait rien inconsidérément. Il sait que pour que la Révolution s'affermisse, il faut être aussi bon qu'on était méchant autrefois.

— Au sein d'une révolution dont on doit dire qu'elle s'est montrée bourgeoise, vous êtes l'un des rares à vous être préoccupé des problèmes économiques et de la misère populaire.

— Il est dans la nature des choses que nos affaires économiques se brouillent de plus en plus, jusqu'à ce que la République établie embrasse tous les rapports, tous les intérêts, tous les droits, tous les devoirs, et donne une allure commune à tous les partis de l'Etat. Un peuple qui n'est pas heureux n'a pas de patrie : il n'aime rien, et si l'on veut fonder une république, on doit s'occuper de tirer le peuple d'un état d'incertitude et de misère qui le corrompt... La misère a fait naître la Révolution, la misère peut la détruire.

— Nul doute que vos vœux n'aillent dans le sens d'une transformation profonde de la société.

— Tout ce qui n'est pas nouveau dans un temps d'innovations est pernicieux.

Le ton est net, tranchant. Même ici, à Blérancourt, on a du mal à évoquer le Saint-Just d'avant la Révolution. Son père est mort lorsqu'il avait dix ans. Alors, à Blérancourt, ce fut l'enfance libre, ardente, les galopades effrénées en compagnie des gamins du village. Ce fut le calme du soir que trouble seulement un chien qui aboie. Ce fut l'appel de la mère pour le souper. Fut-il, au collège de Soissons, bon élève ? Ses amis l'affirment, ses ennemis le nient. Essayons d'imaginer le petit-maître qui chaque été revient en vacances dans son village, vêtu à la dernière mode de Soissons, fier d'un gentil talent de versificateur et de quelques facilités pour le dessin. Fier aussi d'être allé à Paris. On l'a dépeint très obsédé par la gent féminine, portant le scandale dans les foyers. Qu'y a-t-il de vrai dans tout cela ? Au vrai, de cette adolescence, il ne reste que des traditions, des rumeurs.

Ce qui est beaucoup plus certain, c'est l'affection qui l'a lié très vite à une petite fille, appelée Thérèse Gellé, fille du notaire de l'endroit. Insensiblement, cette amitié s'est transformée en amour. C'est en 1783, aux vacances, qu'ils ont su que cet amour était devenu une passion. Thérèse a dix-sept ans, lui seize. Une de ses filleules le dira : « Son caractère s'accordait bien à celui de Saint-Just. » Elle est jolie, avec de très beaux cheveux blonds, le teint éclatant. Les familles n'ont pas vu d'un mauvais œil un sentiment aussi apparent. Il suffira d'attendre qu'Antoine ait une position. On les mariera, ces enfants. Malheureusement, ils n'ont pas su attendre. Aux vacances de 1785, ils deviennent amants. Et puis Saint-Just obtient une bourse pour Louis-le-Grand. Alors, c'est le scandale. Les familles apprennent la vérité sur la liaison de Thérèse et d'Antoine. Le père Gellé veut laver cette tache sur l'honneur de sa fille. Il la marie de force avec le fils d'un autre notaire. Quand Antoine revient de Louis-le-Grand en vacances — l'été de 1786 — le mariage est consommé. Il croit devenir fou de douleur. Il s'enfuit, emportant, a-t-on dit, des souvenirs de famille. Implacable, la mère qui aurait fait poursuivre son fils et l'aurait fait jeter en prison. M. Albert Ollivier, dans sa grande biographie de Saint-Just, a dit pourquoi il ne croyait pas à cet

*La maison de Blérancourt, dessinée au XIX*e *siècle* (Archives départementales de l'Aisne).

épisode si souvent rapporté. C'est à la même époque que Saint-Just compose le poème d'*Organt*. Vingt chants. Sept mille vers. Le premier seul est resté fameux : *J'ai vingt ans, j'ai mal fait, je pourrais faire mieux.*

Plus tard, ce sera l'université de Reims, où Saint-Just découvre la misère prolétarienne. Et toujours, le souvenir de Thérèse. Quand il revient à Blérancourt, aux vacances de 1788, il la retrouve. Il l'aime toujours. Ils s'aiment et ils souffrent. Et c'est la Révolution, dans laquelle il se lance corps et âme. Il est élu lieutenant-colonel de la garde nationale de Blérancourt. Il s'est posé ardemment une question : « Suis-je libre ? » Cette interrogation ne porte pas sur son indépendance personnelle. Elle a trait au sens de sa vie. A cette Révolution qui accélère sa marche, il se donne tout entier. Il noue quelques relations avec Camille Desmoulins. Il écrit à Robespierre qu'il admire, du fond de sa province : « Je ne vous connais pas, mais vous êtes un grand homme. Vous n'êtes pas seulement le député d'une province, vous êtes celui de l'humanité et de la République. » Il est trop jeune pour la députation. Il s'est malgré tout présenté en 1791 et l'on a dû constater qu'il n'avait pas l'âge requis. De son inaction forcée naîtra un essai : l'*Esprit de la Révolution et de la Constitution en France.* Ce texte est bien autre chose qu'*Organt* et mérite une attention tout autre. La langue est souvent belle, les formules heureuses. Combien de là apparaît fallacieuse la conception de certains biographes qui veulent qu'un être soit tout d'une pièce, monolithique. Chaque homme voit sa personnalité se renouveler, se transformer. L'auteur d'*Organt* vient de se muer en un penseur et en un écrivain politique d'une indéniable classe.

Le 4 septembre 1792, dans l'église Saint-Gervais à Soissons, on proclame les résultats de l'élection à la Convention nationale. Saint-Just est élu avec 349 suffrages. Dans cette même maison de Blérancourt où nous sommes revenus rejoindre son ombre, il a joui de son triomphe. Il a remercié ses concitoyens. Mais a-t-il senti tourner le destin ?

Le voici à Paris, à l'hôtel des Etats-Unis, rue Gaillon. La Convention est à deux pas. Et aussi le Club des Jacobins. Robespierre habite tout près de là, rue Saint-Honoré, chez les Duplay. Tous les pôles de la vie du nouveau député.

Dans le journal des Jacobins du 22 octobre 1792, on peut lire : « Le 22 de ce mois, on a vu monter à la tribune un jeune citoyen, député à la Convention, Saint-Just. » On peut lire qu'il a « obtenu des applaudissements moins vifs que mérités ». C'est une répétition générale. Il reste à Saint-Just de faire ses véritables débuts — et de les faire à la Convention. Le sort de Louis XVI, enfermé au Temple, est en question. Le 13 novembre, Saint-Just monte lentement les marches qui mènent à la tribune.

— C'est le procès du roi qui a fait de vous le vrai Saint-Just. Avant même qu'il commence, vous avez proclamé devant la Convention le vœu de le voir mis à mort sans jugement.

— Nous avions moins à juger le roi qu'à le combattre.

— L'idée d'un procès mené par la Convention vous semblait alors une grande erreur.

— On s'étonnera un jour qu'au XVIIIe siècle on ait été moins avancé que du temps de César ; là, le tyran fut immolé en plein Sénat, sans autres formalités que vingt-trois coups de poignard et sans autre loi que la liberté de Rome.

— Quels étaient à vos yeux les crimes commis par Louis XVI ?

— Ses crimes sont partout écrits avec le sang du peuple... Il opprima une nation libre, il se déclara son ennemi, il abusa des lois... Il était dans ses vues d'accabler le peuple pour assurer son repos. Ne passa-t-il pas, avant le combat du 10 août, les troupes en revue ? Ne prit-il pas la fuite au lieu de les empêcher de tirer ? Que fit-il pour arrêter la fureur des soldats ?... Au lieu de conserver le peuple, il ne fit que sacrifier le peuple à lui-même.

— Par le seul fait qu'on est roi on est donc coupable ?

— On ne peut point régner innocemment ; la folie en est trop évidente. Tout roi est un rebelle et un usurpateur.

— De même que Robespierre, vous considériez qu'un roi ne devait pas être jugé selon une procédure ordinaire ?

— On ne peut juger un roi selon les lois du pays, ou plutôt les lois de la cité... Il n'y avait rien dans les lois de Numa pour juger Tarquin, rien dans les lois d'Angleterre pour juger Charles Ier ; on les jugea selon le droit des gens, on repoussa la force par la force, on repoussa un étranger, un ennemi. Voilà ce qui légitima ces exécutions.

— A vos yeux, Louis méritait-il cette exécution ?

— Louis était un autre Catilina... Louis a combattu le peuple, il a été vaincu... Vous avez vu ses desseins perfides, vous avez vu son armée : le traître n'était pas le roi des Français, c'était le roi de quelques conjurés. Il faisait des levées secrètes de troupes, avait des magistrats particuliers, il regardait les citoyens comme ses esclaves, il avait proscrit secrètement tous les gens de bien et de courage. Il a été le meurtrier de la Bastille, de Nancy, du Champ-de-Mars, des Tuileries ; quel ennemi, quel étranger nous a fait plus de mal ?

— Le Tribunal révolutionnaire n'a-t-il pas, lui aussi, fait verser beaucoup de sang ?

— En 1788, Louis XVI fit immoler huit mille personnes de tout âge, de tout sexe, dans Paris, dans la rue Mêlée et sur le Pont-Neuf... La cour pendait dans les prisons, les noyés que l'on ramassait dans la Seine étaient ses victimes ; il y avait quatre cent mille prisonniers et l'on pendait, par an, quinze mille contrebandiers ; on rouait trois mille hommes, il y avait dans Paris plus de prisonniers qu'aujourd'hui... Le Tribunal révolutionnaire a fait périr trois cents scélérats depuis un an : et l'Inquisition d'Espagne n'en a-t-elle pas fait plus ? Et les tribunaux d'Angleterre n'ont-ils égorgé personne cette année ? Parle-t-on de clémence chez les rois d'Europe ?

Je l'écoute, et je l'imagine à la tribune. Dans l'enceinte de la Convention, l'acoustique est mauvaise. Saint-Just doit l'affronter avec un organe vocal que certains jugent « voilé et comme assourdi par la passion contenue ». Dès qu'il a parlé, on l'a écouté. On a demandé son nom. Dans les tribunes, on répétait : « Comme il est jeune ! » Quel redoutable accusateur ! Robespierre n'aura plus qu'à achever l'œuvre commencée. Il reprendra les mêmes idées. Le dialogue Robespierre-Saint-Just s'est noué. Désormais, on verra souvent Saint-Just franchir la porte de la maison Duplay. Saint-Just, de toute évidence, c'est d'abord le disciple. Il plaît à l'Incorruptible de se connaître un disciple. Et puis, peu à peu, Robespierre devra reconnaître en Saint-Just comme une valeur complémentaire de la sienne. L'un des biographes de Saint-Just, M. Gignoux, a dit très exactement que « Saint-Just apparaîtra un peu comme l'accoucheur de la pensée de Robespierre. Il la stimulera, la débarrassera des scrupules ou des hésitations qui sans cela l'eussent paralysée, et en tirera les conséquences extrêmes et implacables ». Du dialogue Robespierre-Saint-Just, dans la petite chambre de la maison Duplay, naîtront ainsi des résolutions sans retour.

L'indiscutable, en tout cas, c'est que l'inconnu Saint-Just est maintenant célèbre. On s'accoutumera, à la Convention, à le voir trancher de tout. Dans les domaines militaire, économique, administratif, il présente des suggestions claires, hardies. C'est lui qui déposera sur le bureau de la Convention le texte d'une nouvelle Constitution. Il s'y trouve des traits fulgurants : « Le peuple français vote la liberté du monde. » Cet autre encore : « La République protège ceux qui sont bannis de leur patrie pour la cause sacrée de la liberté. » Le 30 mai 1793, Saint-Just est élu membre du Comité de salut public. Le 23 octobre, il est envoyé extraordinaire à l'armée du Rhin.

— Citoyen Saint-Just, vous avez été envoyé en mission aux armées du Rhin et du Nord. Quel est, à votre avis, le rôle des représentants aux armées ?

— Les représentants aux armées doivent être les pères et les amis du soldat : ils doivent être peu familiers avec les généraux afin que le soldat ait plus de confiance dans leur justice et leur impartialité quand il les aborde, le soldat doit les trouver jour et nuit prêts à l'entendre ; les représentants doivent manger seuls, ils doivent être frugaux, et se souvenir qu'ils répondent du salut public, et que la chute des rois est préférable à la mollesse passagère... Les représentants du peuple dans les camps doivent y vivre comme Annibal avant d'arriver à Capoue, et, comme Mithridate, ils doivent savoir, si je puis ainsi parler, le nom de tous les soldats, ils doivent poursuivre toute injustice, tout abus...

— Quelles sont les conditions d'une victoire ?

— Ce n'est point du nombre et de la discipline des soldats que nous devons attendre la victoire, nous ne l'obtiendrons qu'en raison des progrès que l'esprit républicain aura fait dans l'armée.

— Mais comment nos armées ont-elles pu résister aux nations européennes liguées contre la République ?

— Je ne connais qu'un moyen de résister à l'Europe : c'est de lui opposer le génie de la liberté ; on prétend que les élections militaires doivent affaiblir et diviser l'armée, je crois au contraire que ses forces en doivent être multipliées.

— Comment justifiez-vous le bien-fondé de ces élections ?

— Si l'on examine le principe du droit de suffrage dans le soldat, le voici : c'est que témoin de la conduite, de la bravoure et du caractère de ceux avec lesquels il a vécu, nul ne peut mieux que lui les juger.

— Ce principe d'élection n'est-il pas sans danger ?

— Je ne prétends pas dissimuler le danger des élections militaires, si elles pouvaient s'étendre à l'état-major des armées et au généralat ; mais il faut poser les principes et les mettre à leur place. Les corps ont le droit d'élire leurs officiers, parce qu'ils sont proprement des corporations. Une armée ne peut élire ses chefs, parce qu'elle n'a point d'éléments fixes, que tout y change et y varie à chaque instant ; une armée n'est point un corps, elle est l'agrégation de plusieurs corps, qui n'ont de liaison entre eux que par les chefs que la République leur donne ; une armée qui élirait ses chefs serait donc une armée de rebelles... Je voudrais qu'un général en chef ne pût être élu que par la Convention.

— L'art militaire a-t-il changé depuis l'avènement de la République ?

— L'art militaire de la monarchie ne nous convient plus, ce sont d'autres hommes et d'autres ennemis ; la puissance des peuples, leurs conquêtes, leur splendeur politique et militaire dépendent d'un point unique, d'une Constitution forte... Notre nation a déjà un caractère ; son système militaire doit être autre que celui de ses ennemis, or si la nation française est terrible par sa fougue, son adresse, et si ses ennemis sont lourds, froids et tardifs, son système militaire doit être impétueux.

— Vous ne voulez accepter que la guerre à outrance ? Vous refusez tout compromis avec l'ennemi ?

— La République française ne reçoit de ses ennemis et ne leur envoie que du plomb.

— Comment comptez-vous récompenser le courage du soldat ?

— Le soldat portera une étoile d'or sur son vêtement à l'endroit où il a reçu des blessures. S'il est mutilé ou s'il a été blessé au visage, il portera l'étoile sur son cœur.

— A Fleurus, vous avez contribué à obtenir une grande victoire.

— Il fallait vaincre ; on a vaincu. La journée de Fleurus a ouvert la Belgique. Je désire qu'on rende justice à tout le monde et qu'on honore des victoires, mais non point de manière à honorer davantage le gouvernement que les armées car il n'y a que ceux qui sont dans les batailles qui les gagnent, et il n'y a que ceux qui sont puissants qui en profitent.

— Imaginez-vous que la République pourra un jour déposer les armes ?

— Nous sommes destinés à faire changer de face aux gouvernements de l'Europe ; nous ne devons plus nous reposer qu'elle ne soit libre, sa liberté garantira la nôtre... Il y a trois sortes d'infamies sur la terre, avec lesquelles la vertu républicaine ne peut composer : la première, ce sont les rois ; la seconde, c'est de leur obéir ; la troisième, c'est de poser les armes, s'il existe quelque part un maître et un esclave.

Soyons-en assurés : les séjours aux armées de Saint-Just représentent les plus belles pages de cette vie. Il a su donner aux armées un élan irrésistible et les conduire à la victoire. L'intransigeance et l'absolu qui l'animent, il a su les transmettre aux autres. Il a pourfendu l'indécision, la pusillanimité. Il a créé partout — l'essentiel peut-être dans l'art de la guerre — un climat offensif. Et puis il rentrera à Paris où il va siéger au Comité de salut public. La lutte d'influence commence entre Danton et Desmoulins, d'une part, Robespierre et Saint-Just, de l'autre. Heures capitales, heures de passion et de haine. Ces hommes qui se déchirent furent des amis. Ils sont prêts à s'envoyer à la mort. Jamais autant, aux yeux de Saint-Just, n'est apparue la nécessité d'un gouvernement révolutionnaire.

— Croyez-vous à la nécessité d'un gouvernement révolutionnaire ?

— Il est impossible que les lois révolutionnaires soient exécutées, si le gouvernement lui-même n'est constitué révolutionnairement.

— Comment définissez-vous le gouvernement révolutionnaire ?

— Le gouvernement révolutionnaire n'est autre chose que la justice favorable au peuple et terrible à ses ennemis...

— Pour quelles raisons croyez-vous utile d'établir un tel gouvernement ?

— Aujourd'hui que la République a douze cent mille hommes à nourrir, des rebelles à soumettre et le peuple à sauver ; aujourd'hui qu'il s'agit de prouver à l'Europe qu'il n'est point en son pouvoir de rétablir chez nous l'autorité d'un seul, nous devons rendre le gouvernement propre à nos desseins, propre à l'économie et au bonheur public.

— Le bien public passe donc avant toute autre considération ?

— Dans la République, il n'y a point de considération qui doive prévaloir sur l'utilité commune, il serait juste que le peuple régnât à son tour sur ses oppresseurs et que la sueur baignât l'orgueil de leur front.

— Les lois de la République ne sont-elles pas exagérément sévères ?

— Il est difficile d'établir une République autrement que par la censure inflexible de tous les crimes... Lorsqu'une République voisine de tyrans en est agitée, il lui faut des lois fortes, il ne lui faut point de ménagement contre les partisans de ses ennemis, contre les indifférents même... Ce qui constitue une République, c'est la destruction totale de ce qui lui est opposé.

— Est-ce donc que toute pitié vous semble néfaste ?

— Quiconque ménage le crime veut rétablir la monarchie et immoler la liberté.

— Et le pardon ?

— Les jours du crime sont passés, malheur à ceux qui soutiendraient sa cause. Que tout ce qui fut criminel périsse. On ne fait point de République avec des ménagements, mais avec la rigueur farouche, la rigueur inflexible envers tous ceux qui ont trahi.

— Que deviendront les coupables ?

— Il faut que les cimetières plus que les prisons regorgent de traîtres.

— Le nombre des traîtres est-il si grand ?

— Il n'y a point de prospérité à espérer, tant que le dernier ennemi de la liberté respirera. On doit punir non seulement les traîtres, mais les indifférents même, on doit punir quiconque est passif dans la République et ne fait rien pour elle...

— La terreur vous semble donc parfaitement justifiée ?

— Si les conjurations n'avaient pas troublé cet empire, si la patrie n'avait pas été mille fois victime des lois indulgentes, il serait doux de régir par des maximes de paix et de justice naturelle ; ces maximes sont bonnes entre les mains de la liberté, mais entre le peuple et ses ennemis, il n'y a plus rien de commun que le glaive. Il faut gouverner par le fer ceux qui ne peuvent l'être par la justice.

— Est-ce un devoir pour les particuliers de dénoncer ceux qu'ils considèrent comme des traîtres ?

— Tous les Français sont avertis de dévoiler les partisans de la tyrannie, les étrangers conspirateurs, les fripons, les trames criminelles contre le droit des peuples.

— Pour vous comme pour Robespierre, la terreur et la vertu doivent marcher de pair. Comment amener le peuple à la vertu ?

— Un peuple qui n'est point heureux n'a point de patrie, il n'aime rien... Faites en sorte que le peuple ait le courage d'être vertueux. On n'a point de vertus politiques sans orgueil, on n'a point d'orgueil dans la détresse.

— Vous avez désigné les aristocrates comme les premiers ennemis du peuple.

— L'aristocratie, fidèle à ses maximes, accuse le gouvernement de dictature... Sous le régime monarchique elle foulait aux pieds la religion, objet de ses railleries. La noblesse se moquait des rois qui n'étaient, comme ils le sont encore, que les premières dupes de leurs empires. L'aristocratie, abhorrée pour ses crimes, pesait sur la terre, la probité était ridicule à ses yeux, elle insultait à la misère et se moquait de la terre et du ciel. Aujourd'hui l'aristocratie hypocrite qui, elle-même, sans s'en apercevoir, a détruit ce qu'elle regrette, nous oppose effrontément des bienséances qu'elle foula toujours aux pieds : il n'y a point de bienséances à respecter envers les ennemis du peuple.

— Mais en dehors des aristocrates ?

— Le gouvernement ne doit pas être seulement révolutionnaire contre l'aristocratie, il doit l'être contre ceux qui volent le soldat, qui dépravent l'armée par leur insolence et qui, par la dissipation des deniers publics, ramèneraient le peuple à l'esclavage et l'empire à sa dissolution par le malheur.

— Quel but final poursuivez-vous, qui justifie tant de sévérité ?

— Notre but est de créer un ordre de choses tel qu'une pente universelle vers le bien s'établisse ; tel que les factions se trouvent tout à coup lancées sur l'échafaud ; tel qu'une mâle énergie incline l'esprit de la nation vers la justice ; tel que nous obtenions dans l'intérieur le calme nécessaire pour fonder la félicité du peuple... Notre but est d'établir un gouvernement sincère, tel que le peuple soit heureux, tel enfin que, la sagesse et la providence éternelle présidant seules à l'établissement de la République, elle ne soit plus chaque jour ébranlée par un forfait nouveau.

Tel que l'a vu Prud'hon...
(Coll. part.). Photo Bulloz.

Comment un homme qui profère de telles paroles aurait-il pu supporter les tièdes ? Il a fallu que ces tièdes-là meurent. Danton, Desmoulins et leurs amis sont allés à l'échafaud.

— Vous avez reproché à Danton et à Camille Desmoulins d'avoir plaidé la clémence.

— Il s'éleva dans le commencement de la Révolution des voix indulgentes en faveur de ceux qui la combattaient : cette indulgence qui ménagea pour lors quelques coupables a depuis coûté la vie à 200 000 hommes dans la Vendée, cette indulgence nous a mis dans la nécessité de raser des villes, elle a exposé la patrie à une ruine totale, et si aujourd'hui on se laissait aller à la même faiblesse, elle nous coûterait un jour trente ans de guerre civile.

— La clémence vous apparaît donc comme un crime ?

— Nous n'avons pas le droit d'être cléments, ni d'être sensibles pour les trahisons. Nous ne travaillons pas pour notre compte, mais pour le peuple.

— L'indulgence qu'a prêchée Camille Desmoulins dans *le Vieux Cordelier* l'a conduit à l'échafaud. Son crime fut-il si grand ?

— Camille Desmoulins, qui fut d'abord dupe et finit par être complice, fut un instrument de Fabre d'Eglantine et de Danton... Comme il manquait de caractère, on se servit de son orgueil. Il attaqua en rhéteur le gouvernement révolutionnaire dans toutes ses conséquences, il parla effrontément en faveur des ennemis de la Révolution, proposa pour eux un comité de clémence, se montra très inclément pour le parti populaire, attaqua les représentants du peuple dans les armées... Il avait été le défenseur de l'infâme Dillon.

— Mais Danton ?

— Danton a servi la tyrannie, il fut toujours contraire au parti de la liberté et il conspirait avec Mirabeau, avec Dumouriez, avec Brissot, avec Hébert, avec Hérault de Séchelles.

— Ces hécatombes ne sont-elles pas terribles ?

— Il y a quelque chose de terrible dans l'amour sacré de la patrie ; il est tellement exclusif qu'il immole tout sans pitié, sans frayeur, sans respect humain, à l'intérêt public.

Il vient de citer le nom d'Hébert. Son acharnement envers lui est peut-être ce qui gêne le plus ses amis. Pourquoi avoir frappé ceux que l'on appelait enragés ? Il n'était pas très loin d'eux. Sans doute faut-il voir là la nécessité politique. Il est devenu porte-parole du Comité de salut public à l'Assemblée. Il s'efface derrière la raison d'Etat. Voilà que plane cette « force des choses » qui l'explique et, à partir d'un certain moment, le domine.

Restait maintenant à faire de cette Révolution un moyen de changer les hommes. Voilà la singulière originalité de Saint-Just. La République de ses rêves n'a plus rien de semblable avec la société qu'il a connue. Peut-être parce qu'il est foncièrement intolérant, il ne la tolère plus. Il jette sur le papier des projets, les « Institutions républicaines », qui frisent l'utopie. On y sent poindre encore une grande jeunesse. Visionnaire, il peint des hommes et des femmes qui ne ressemblent plus en rien à ceux que les contemporains ont pu connaître. On est en présence d'une telle fuite devant la réalité que l'on en demeure étonné.

— Comment concevez-vous le mode de vie des Français dans la République idéale ?

— Il ne peut exister de peuple vertueux et libre qu'un peuple agriculteur... Un métier s'accorde mal avec le véritable citoyen, la main de l'homme n'est faite que pour la terre ou pour les armes.

— Quelle est votre conception du bonheur ?

— Une famille à l'abri de la lubricité d'un brigand, une charrue, un champ, une chaumière à l'abri du fisc, voilà le bonheur.

— Et cette famille ?

— L'homme et la femme qu'il aime sont époux. S'ils n'ont point d'enfant, ils peuvent tenir leur engagement secret ; mais si l'épouse devient grosse, ils sont tenus de déclarer au magistrat qu'ils sont époux.

— Qu'adviendra-t-il des couples sans enfants ?

— Les époux qui n'ont point eu d'enfants dans les sept premières années de leur union et qui n'en ont point adopté seront séparés par la loi et devront se quitter.

— Comment encourager les jeunes couples au mariage ?

— Tous les ans, le 1er floréal, le peuple de chaque commune choisira, parmi ceux de la commune exclusivement, et dans les temples, un jeune homme riche, vertueux et sans difformité, âgé de vingt et un ans accomplis et de moins de trente, qui choisira et épousera une vierge pauvre, en mémoire de l'égalité humaine.

Tel que l'a vu Greuze...
(Coll. part.). Photo Bulloz.

— Qui aura la charge de l'éducation des enfants ?

— Les enfants appartiendront à leur mère jusqu'à cinq ans, si elle les a nourris, à la République ensuite jusqu'à leur mort. La mère qui n'a point nourri son enfant a cessé d'être mère aux yeux de la patrie.

— Que deviendront les enfants de plus de cinq ans ?

— Les enfants mâles seront élevés depuis l'âge de cinq ans jusqu'à seize pour la patrie. Ils vivront en commun, ils seront vêtus de toile en toute saison. Ils coucheront sur des nattes et dormiront huit heures. Ils ne vivront que de racines, de fruits, de légumes, de laitage, de pain et d'eau. Ils ne mangeront point de viande avant seize ans accomplis. Depuis dix ans jusqu'à seize ans, leur éducation sera militaire et agricole. Tous les enfants conserveront le même costume jusqu'à seize ans. De seize à vingt et un ans, ils auront le costume d'ouvrier. De vingt et un ans à vingt-six ans, celui de soldat.

— Les gens âgés joueront-ils un rôle dans la cité ?

— Les communes éliront tous les deux ans six vieillards recommandables par leurs vertus dont les fonctions seront d'apaiser les séditions. Les vieillards seront décorés d'une écharpe tricolore et d'un panache. Lorsqu'ils paraîtront revêtus de leurs attributs, le peuple gardera le silence et arrêtera quiconque poursuivrait le tumulte. Si le trouble continue, les vieillards annonceront le deuil de la loi. Ceux qui insulteront les vieillards seront réputés méchants et déchus de la qualité de citoyens.

Tout cela a fait sourire. On s'est moqué. Mais tous les grands réformateurs ont rêvé de changer l'homme. Même si c'est impossible.

Rendre les hommes plus égaux : une autre grande pensée de Saint-Just. Faire que les riches soient moins riches, et les pauvres moins pauvres. Telle fut l'explication des décrets de Ventôse, dont il fut presque l'unique inspirateur.

— Par les décrets de Ventôse, vous avez entrepris une vaste opération politique et sociale.

— Il faut être juste, mais au lieu de l'être conséquemment à l'intérêt particulier, il faut l'être conséquemment à l'intérêt public. On a donc moins à décider de ce qui importe à tel ou tel individu qu'à décider de ce qui importe à la République, moins à céder aux vues privées qu'à faire triompher des vues universelles.

— Selon ces principes, les biens des suspects doivent être séquestrés et redistribués.

— Celui qui s'est montré l'ennemi de son pays n'y peut être propriétaire... Celui-là seul a des droits dans notre patrie qui a coopéré à l'affranchir... Les propriétés des patriotes sont sacrées, mais les biens des conspirateurs sont là pour tous les malheureux. Les malheureux sont la puissance de la terre ; ils ont le droit de parler en maîtres aux gouvernements qui les négligent.

— Voulez-vous nous rappeler le décret que vous avez proposé ?

— Les propriétés des patriotes sont inviolables et sacrées. Les biens des personnes reconnues ennemies de la Révolution seront séquestrés au profit de la République ; ces personnes seront détenues jusqu'à la paix et bannies ensuite à perpétuité.

— Comment devait se faire la redistribution des biens ainsi récupérés ?

— Toutes les communes de la République devaient dresser un état des patriotes indigents qu'elles renfermaient avec leur nom, leur âge, leur profession, le nombre et l'âge de leurs enfants... Le Comité de salut public devait faire un rapport sur les moyens d'indemniser tous les malheureux avec les biens des ennemis de la Révolution.

— Croyez-vous qu'un jour la misère puisse être vaincue ?

— Je défie qu'il n'y ait plus de malheureux si l'on ne fait en sorte que chacun ait ses terres ; il faut détruire la mendicité par la distribution des biens nationaux aux pauvres.

Je le regarde, l'implacable jeune homme. Qui est-il ? Sur le portrait de Prud'hon, la bouche est cruelle. Elle est moqueuse sous le pinceau de David, pleine de distinction quand le voit Greuze. Disparate, aussi, le regard, tantôt loin dans l'avenir, tantôt dominateur. On songe à ce qu'a dit Camille Desmoulins, irrité : « Dans la démarche et le maintien de Saint-Just, on voit qu'il regarde sa tête comme la pierre angulaire de la République et qu'il la porte sur ses épaules avec respect comme un saint sacrement. » Carnot a parlé de « son arrogance [qui] dépassait toutes les bornes ». Et Barère évoque « son orgueil insupportable ». De tous ces jugements à l'emporte-pièce, Albert Ollivier a eu raison de préférer la description du Conventionnel Paganel : « Une taille moyenne, un corps sain, des proportions qui exprimaient la force, une grosse tête, des cheveux épais, le teint bilieux, des yeux vifs et petits, le regard dédaigneux, les traits réguliers et la physionomie austère, la voix forte mais voilée, une teinte générale d'anxiété, le sombre accent de la préoccupation et de la défiance, une froideur extrême dans le ton et les manières... Soupçonneux, dissimulé, ténébreux, il sut, sans conseils et sans études, être impénétrable et garder son secret. » Oui, qui est-il ? Le monstre qu'ont vu certains ? L'homme au cœur pur ? On l'a vu « assoiffé du sang de ses ennemis », ou « ami fidèle jusque dans la mort ». On a dit qu'il n'aima personne que lui-même. On a dit qu'il fut grand.

On ne peut reprocher à un politique de fuir les vues étriquées, de choisir un horizon immense. Mais il faudrait qu'une telle ambition s'accompagnât toujours d'humanité. Chez Saint-Just, c'est ce qui manque. Chez Robespierre, on trouve des éclairs de sensibilité, des émotions. Rien de tel chez Saint-Just. On peut être fasciné par l'absolu qu'il incarne. On ne peut s'attacher. Faut-il croire son ami Gateau qui affirme qu'il a été indigné quand il a lu la loi du 22 prairial ? Cette indignation lui ressemble si peu qu'on est tenté d'en douter.

Comme un arc trop tendu, le moment arrive où la corde va fléchir. Elle approche, la fin de ce paroxysme qu'est la Terreur.

— Savez-vous que votre inflexibilité vous vaut, à vous et à vos amis, beaucoup d'inimitiés ?

— On peut arracher à la vie les hommes qui, comme nous, ont tout osé pour la vérité, on ne peut point leur arracher le cœur ni le tombeau hospitalier dans lequel ils se dérobent à l'esclavage et à la honte de voir laisser triompher les méchants.

— Tout un clan déjà répand des calomnies.

— Il est des imputations faites par l'esprit hypocrite, auxquelles l'homme sincère et innocent ne peut répondre. Il est tels hommes traités de dictateurs et d'ambitieux qui dévorent en silence les outrages.

— Les exemples de l'Histoire ne vous donnent-ils pas quelque inquiétude sur l'avenir de la République ?

— Quand je pense que Rome mourut après Caton, et que l'excès de sa puissance produisit des monstres plus terribles et plus superbes que les Tarquins, la douleur déchire mon cœur.

— Ne craignez-vous pas que tous les intrigants ne se liguent contre vous ?

— Je sais que ceux qui ont voulu le bien ont souvent péri. Codrus mourut précipité dans un abîme ; Lycurgue eut un œil crevé par les fripons de Sparte que contrariaient ses lois dures, et mourut en exil. Phocion et Socrate burent la ciguë, Athènes ce jour-là se couronna de fleurs ; n'importe, ils avaient fait du bien, s'il fut perdu pour leur pays, il ne fut point caché pour la Divinité.

— Jusqu'où pensez-vous que la marche de la Révolution puisse aller ?

— La Révolution est glacée. On ne voit plus que des bonnets rouges portés par l'intrigue. L'exercice de la terreur a blasé le crime comme les liqueurs fortes blasent le palais.

— Les circonstances vous semblent aujourd'hui difficiles ?

— Les circonstances ne sont difficiles que pour ceux qui reculent devant leur tombeau. Je l'implore, ce tombeau, comme un bienfait de la Providence, pour n'être plus témoin de l'impunité des forfaits ourdis contre ma patrie et l'humanité. Certes, c'est quitter peu de chose qu'une vie malheureuse, dans laquelle est condamné à végéter le complice ou le témoin impuissant du crime.

— Vous sentez-vous maître de votre destin ?

— Le jour où je me serai convaincu qu'il est impossible de donner au peuple français des mœurs douces, énergiques, sensibles et inexorables pour la tyrannie et l'injustice, je me poignarderai.

Le 10 thermidor an II, Saint-Just, assis sur le bord de la fenêtre de la salle d'audience du Comité de salut public ; Saint-Just, vaincu, arrêté ; Saint-Just qui peut considérer Robespierre étendu sur un brancard, la mâchoire fracassée ; Saint-Just jette un regard sur l'affiche qui porte le texte de la Constitution. Les premiers rayons de l'aurore éclairent l'affiche blanche. Saint-Just murmure : « C'est pourtant moi qui ai fait cela. » Il ne dira plus rien. Il a vingt-sept ans. Dans quelques heures, le couperet tranchera le fil de cette courte existence. Il avait dit qu'il ne craignait pas la mort :

— Je méprise la poussière qui me compose et qui vous parle, on pourra la persécuter et faire mourir cette poussière, mais je défie qu'on m'arrache cette vie indépendante que je me suis donnée dans les siècles et dans les cieux...

Allant vers la mort, place de la Révolution. (B.N. estampes) Photo Bulloz.

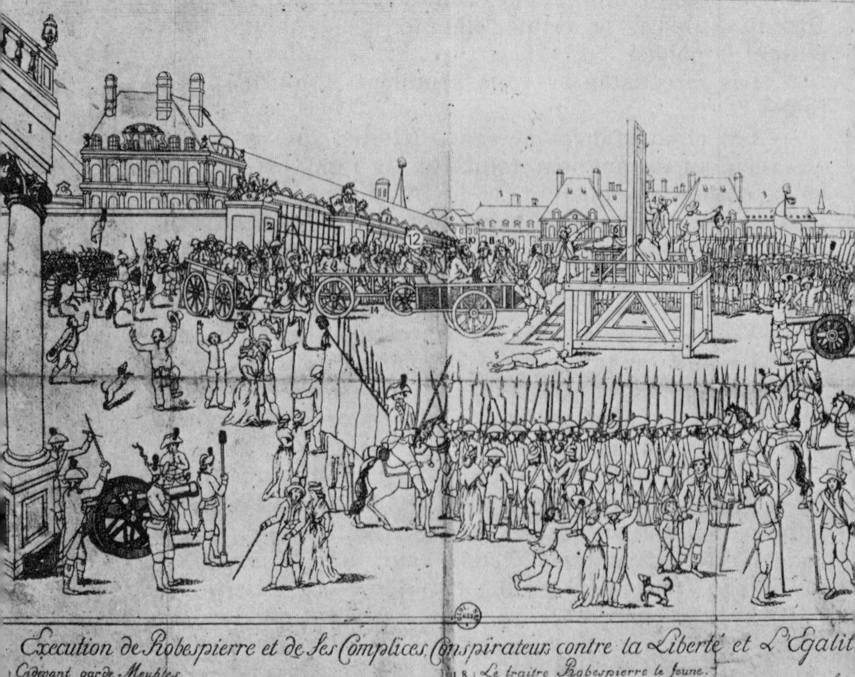

VII

MARAT

La maison de Marat, que l'on appelait l'hôtel de Cahors, 20, rue des Cordeliers, a été détruite en 1876. Là, passe aujourd'hui la rue de l'Ecole-de-Médecine. De quoi attrister l'amateur du passé, de quoi aviver les regrets de l'historien. N'importe, on la connaît si bien, cette maison, par les travaux qui lui ont été consacrés, que, pour y rencontrer Marat, je n'aurai pas trop de mal.

Devant moi, un immeuble de trois étages, divisé en appartements. Une porte cochère, serrée entre deux boutiques. Une petite cour étouffante, avec un puits. Voici la loge de la portière. Je m'approche. La femme qui répond à ma question a un œil de verre et le visage couturé de petite vérole.

— Le citoyen Marat, je vous prie ?

— Au premier étage, sur le devant.

Je distingue, sous une arcade, à droite, un escalier de pierre, avec une rampe de fer forgé. J'en gravis les marches, dans la demi-clarté qui tombe de vitres poussiéreuses. Le palier, la porte de Marat. Je tire la poignée de métal qui pend au bout d'une tige de fer. Un tintement, un bruit de serrure, la porte qui s'entrebâille, une femme qui me dévisage. C'est qu'il faut montrer patte blanche pour être reçu chez le citoyen Marat. Il faut s'expliquer. Donc, je m'explique, je suis admis.

Me voici dans un vestibule carré, avec une tenture usée qui prétend représenter des colonnes. Par des portes entrouvertes, j'aperçois à gauche la cuisine, à droite, une petite salle à manger. Il n'est pas bien grand, l'appartement de Marat : un salon, une salle à manger, un cabinet de travail, une chambre à coucher.

La femme qui m'a ouvert, c'est la compagne de Marat, Simone Evrard. Sa femme, comme il dit. Il faut dire que les cérémonies du mariage ont été un peu particulières. Pas très jolie, dotée d'une physionomie d'une grande banalité, Simone a rencontré Marat en 1790. Très vite, ils se sont, comme on dit, mis en ménage. Et puis, un jour, il l'a « épousée ». C'est-à-dire qu'il l'a conduite devant la fenêtre de sa chambre, qu'il a ouvert la fenêtre, qu'il a mis sa main dans la main de Simone et dit :

— C'est dans le vaste temple de la nature que je prends pour témoin de la fidélité que je te jure le Créateur qui nous entend.

Puisque je suis admis dans le saint des saints, Simone Evrard m'invite à passer dans la salle à manger. Et au-delà, dans la salle de bains.

Moite, l'atmosphère. Une odeur m'étreint, de crasse et de vinaigre. Au mur, une carte des départements, sous laquelle on a accroché deux pistolets et une pancarte ne portant que deux mots : LA MORT. Sur le carrelage rouge, voici la fameuse baignoire, le « sabot » dans lequel s'est glissé Marat.

Le voilà donc, devant moi, celui qui a terrifié ses contemporains. On lit avec quelque stupeur les jugements qu'il a suscités. On en a fait un épouvantail ignoble, évoquant à son égard tout le vocabulaire des jardins zoologiques. Pour certains, il est un sapajou ; pour d'autres, un oiseau de proie, une hyène, un insecte, un chien enragé, un tigre, un serpent et même un « reptile épileptique ». C'est beaucoup.

Reconnaissons pourtant qu'il n'est pas beau : le nez est écrasé, les lèvres minces, le visage asymétrique, les yeux gris-jaune, un peu glauques. Les arcades sourcilières s'accusent. Mais surtout, ce qui donne une

Retenir la sympathie : pourquoi ? (Portrait par Boze, Musée Carnavalet) Photo Bulloz.

impression de malaise, c'est le teint, la peau boursouflée, bourgeonnante. Sur la tête, une serviette humide. Seul le haut du corps est visible, car il a disposé en travers du sabot une planche sur laquelle il écrit. Dans cette baignoire, il séjourne pendant des heures. C'est qu'il est malade, très malade. Un eczéma généralisé, doublé d'effroyables migraines : « Une maladie inflammatoire, a-t-il écrit, suite des tourments que je me suis donnés sans relâche depuis quatre ans pour défendre la liberté. » Un journaliste le dépeint « tourmenté par une migraine affreuse et dévoré d'une fièvre ardente, la tête enflée comme un boisseau, avec une fluxion épouvantable sur tout le côté gauche et des vésicatoires, ne pouvant changer d'attitude depuis plusieurs jours ».

Ces souffrances, il ne parvient à les soulager qu'en prenant des bains, toujours plus longs.

Cet homme-là, que j'ai devant moi, on comprend qu'il n'ait pas retenu la sympathie. On comprend que tant de gens l'aient trouvé repoussant. Mais doit-on juger quelqu'un par rapport à ses infirmités physiques ? Ce qui compte, c'est ce qu'il a cru, ce qu'il a pensé, ce qu'il a dit. Alors, interrogeons Marat pour essayer de mieux le comprendre. Essayons de le suivre à la trace, ce fils d'un père sarde et d'une mère suisse, né à Boudry, canton de Neuchâtel. A sa naissance, il s'appelait Mara. Lorsqu'il a choisi la France, il a ajouté un t à son patronyme.

— Citoyen Marat, que pouvez-vous nous dire de votre jeunesse à Boudry ?

— Né avec une âme sensible, une imagination de feu, un caractère bouillant, franc, tenace, un esprit droit, un cœur ouvert à toutes les passions exaltées et surtout à l'amour de la gloire, je n'ai jamais rien fait pour altérer ou détruire ces dons de la nature, et j'ai tout fait pour les cultiver. Par un bonheur peu commun, j'ai eu l'avantage de recevoir une éducation très soignée dans la maison paternelle, d'échapper à toutes les habitudes vicieuses de l'enfance et d'éviter tous les écarts de jeunesse.

— Vous avez toujours aimé l'étude ?

Le porche et l'escalier de la maison de Marat, dessinés d'après nature en 1876 par Ch. Duprez (B.N. estampes) Photothèque Plon-Perrin.

— J'étais réfléchi à quinze ans, observateur à dix-huit, penseur à vingt et un. Dès l'âge de dix ans, j'ai contracté l'habitude de la vie studieuse. Le travail de l'esprit est devenu pour moi un véritable besoin, même dans mes maladies, et mes plus doux plaisirs je les ai trouvés dans la méditation...

— Un grand nombre de vos contemporains ont manifesté pour Rousseau une véritable passion. Et vous ?

— Rousseau est le plus grand homme qu'aurait produit le siècle si Montesquieu n'eût pas existé... La réputation de Rousseau sera éternelle et si elle pouvait encore augmenter, elle recevrait aujourd'hui un nouvel éclat.

— Elève vétérinaire à Paris, vous avez acquis un diplôme de docteur en médecine en Ecosse. Pourquoi avez-vous traversé la Manche ?

— L'envie de me former aux sciences et de me soustraire aux dangers de la dissipation m'avait engagé à passer en Angleterre.

— C'est alors que vous avez publié votre *Essai sur l'âme humaine* ?

— M. de La Rochette, qui connaissait la maligne influence de la cabale des philosophes et qui désirait le succès de cet ouvrage, me conseilla de le donner anonyme et en anglais.

— Mais ce sont *les Chaînes de l'esclavage* qui vous ont mis le plus en vedette. Cet ouvrage vous a-t-il demandé un grand effort ?

— Mon ardeur était sans bornes... Je travaillais régulièrement vingt et une heures par jour ; à peine en prenais-je deux de sommeil ; et pour me tenir éveillé, je fis un usage si excessif de café à l'eau qu'il faillit me coûter la vie, plus encore que l'excès de travail. L'ouvrage sortit enfin de dessous la presse.

Il faut s'arrêter sur ces *Chaînes de l'esclavage,* publiées à Londres en 1774. Certes, on y trouve bien des idées reçues, une sorte de condensé des opinions à la mode. Mais ce qui distingue ce livre de tant d'ouvrages similaires c'est que, l'un des premiers, Marat songe aux classes misérables, aux pauvres gens. Marat précède de très loin dans le radicalisme les philosophes du XVIIIe siècle. Il a vu souffrir les gens qu'il dépeint. Il cherche la raison de cette misère et la trouve dans l'oppression. Celle-ci, il la voit triple : elle vient de l'Etat, de la religion, de la richesse. Il s'en prendra donc aux princes, au christianisme et aux possédants. Véritable révolutionnaire d'avant-garde, Marat préconisera donc la limitation des fortunes et le partage des terres. Comment y parvenir ? Par la révolte des pauvres. Comme on voit, on est très loin d'un Montesquieu, d'un Voltaire ou d'un Rousseau. Et on comprend assez que Karl Marx, plus tard, ait jugé avec respect les *Chaînes de l'esclavage.*

— Citoyen Marat, comment vous considérez-vous par rapport aux classes laborieuses ?

— Je suis l'œil du peuple.

— D'où vient cet attachement, cette volonté de défendre les pauvres gens ?

— Presque en tous les pays, les sept dixièmes des membres de l'Etat sont mal nourris, mal vêtus, mal logés, mal couchés. Les trois dixièmes passent leurs jours dans les privations, souffrent également du présent, du passé et de l'avenir. Leur vie est une pénitence continuelle, ils redoutent l'hiver, ils appréhendent d'exister. Et combien sont réduits à un excès de misère qui saisit le cœur ; exténués par la faim et à demi nus, après avoir passé leur journée à chercher quelques racines, ils se retirent la nuit dans des tanières, où ils sont toute l'année étendus sur du fumier aux injures des saisons... A côté de ces malheureux, on voit des riches qui dorment sous des lambris dorés, dont la table n'est couverte que de primeurs [...] et qui dévorent en un repas la substance de cent familles... Ce sont eux qui commandent aux autres et que l'on a rendus maîtres des destinées du peuple.

— Selon vous, les vertus ne se découvrent que dans les classes populaires ?

— Je le répète, la classe des infortunés, que la richesse insolente désigne sous le nom de *canaille,* est la partie la plus saine de la société, la seule qui, dans ce siècle de boue, aime encore la vérité, la justice, la liberté ; la seule qui, consultant toujours le simple bon sens et s'abandonnant aux élans du cœur, ne se laisse ni aveugler par les sophismes, ni séduire par les cajoleries, ni corrompre par la vanité.

— Vous êtes très sévère pour les nantis.

— N'attendez rien des hommes riches et opulents, des hommes élevés dans la noblesse et les plaisirs, des hommes qui n'aiment que l'or. Il n'y a que les cultivateurs, les petits marchands, les artisans et les ouvriers, les manœuvres et les prolétaires, comme les appelle la richesse insolente, qui puissent former un peuple libre, impatient du joug de l'oppression et toujours prêt à le rompre.

— Les riches vous semblent donc aussi haïssables que les nobles ?

— Qu'aurions-nous gagné à détruire l'aristocratie des nobles si elle était remplacée par l'aristocratie des riches ?

— Toute richesse vous semble devoir être condamnable ?

— C'est sur l'abaissement, l'oppression, l'avilissement et le malheur de la multitude que le petit nombre a fondé son élévation, sa domination, sa gloire et son bonheur.

— A votre avis, le miséreux est dans son droit s'il s'empare des biens des riches ?

— L'honnête citoyen que la société abandonne à sa misère et à son désespoir rentre dans l'état de nature et a le droit de revendiquer à main armée des avantages qu'il n'a pu aliéner que pour s'en procurer des plus grands : toute autorité qui s'y oppose est tyrannique, et le juge qui le condamne à mort n'est qu'un lâche assassin.

Marat, premier théoricien de la reprise individuelle ? C'est bien ce qui apparaît dans ses propos. Ce qui me frappe, c'est la conviction, certes, mais aussi la haine. Il semble que les réserves de haine de Marat soient inépuisables. Et cette haine s'adresse à tant de gens que l'on en reste pantois. Bien sûr, ses défenseurs diront qu'il ne hait que les ennemis du peuple, justement parce qu'il aime le peuple. C'est vrai, mais pourquoi un tel déferlement ? Peut-on construire un monde meilleur sur la haine ? C'est une question, je crois, que l'on est libre de se poser. Ses articles de *l'Ami du peuple* sont pleins d'exhortations emphatiques à la nécessité de faire tomber des têtes. Le sang, on dirait qu'il obsède Marat. Parfois il s'explique, dit qu'il demande quelques gouttes d'un sang coupable pour éviter que ne coulent des flots de sang innocent. Sans doute. Mais ces appels apparaissent trop souvent frénétiques. Même si la cause est bonne, les moyens employés ne parviennent pas à susciter notre approbation.

Il est là, dans sa baignoire, essayant dans l'eau d'éteindre les maux qui le brûlent. Mais ce qui brûle aussi, c'est son regard. Cet homme-là, décidément, est un brasier. Ce qui l'anime, c'est une foi absolue. Il ne ressent pas le plus petit doute. Une force, peut-être, une telle certitude, mais souvent une faiblesse.

— Que pensez-vous du fait que les Parisiens aient pillé les boulangeries et les épiceries ?

— Quand les lâches mandataires du peuple encouragent au crime par l'impunité, on ne doit pas trouver étrange que le peuple poussé au désespoir se fasse lui-même justice... Dans tous les pays où les droits du peuple ne sont pas de vains titres consignés fastueusement dans une simple déclaration, le pillage de quelques magasins à la porte desquels on pendrait les accapareurs mettrait fin aux malversations.

— Dans le cas de nécessité, vous estimez donc le vol légitime ?

— Quand quelqu'un manque de tout, il a le droit d'arracher à un autre le superflu dont il regorge. Que dis-je ? Il a le droit de lui arracher le nécessaire, et plutôt que de périr de faim, il a le droit de l'égorger et de dévorer ses chairs palpitantes... Pour conserver ses jours, l'homme est en droit d'attenter à la propriété, à la liberté et à la vie même de ses semblables. Pour se soustraire à l'oppression, il est en droit d'opprimer, d'enchaîner, de massacrer.

Le moins qu'on puisse dire, c'est qu'une telle théorie mène loin. Elle est la négation même de la société. Qui pourrait admettre que quelqu'un s'arroge le droit d'opprimer pour battre en brèche l'oppression ? Dans ce que vient de dire Marat, on discerne cette sorte de délire qui a épouvanté tant de gens. Certaines fortes têtes ont puisé dans la lecture de *l'Ami du peuple* de nouvelles raisons d'enthousiasme. D'autres, en revanche, ont ressenti une horreur véritable.

— Ne croyez-vous pas que ces appels à la violence finiront par se retourner contre vous ?

— Je n'ignore pas que des apathiques, qu'on appelle des hommes raisonnables, désapprouvent la chaleur avec laquelle j'ai plaidé la cause de la nation ; mais est-ce ma faute s'ils n'ont point d'âme ? Insensibles à la vue des calamités publiques, ils contemplent d'un œil sec les souffrances des opprimés, les convulsions des malheureux réduits au désespoir, l'agonie des pauvres épuisés par la faim, et ils n'ouvrent la bouche que pour parler de patience et de modération.

Quelle inaltérable logique ! Ici, elle tient lieu de tout, elle prend le pas sur tout. Mais nous en étions aux *Chaînes de l'esclavage,* ce livre qui mérite que l'on s'y arrête. Vers 1776, Marat regagne la capitale française. Il y devient médecin.

— Pourquoi vous êtes-vous installé à Paris ?

— Plusieurs malades d'un rang distingué abandonnés des médecins et à qui je venais de rendre la santé se joignirent à mes amis et mirent tout en œuvre pour me fixer dans la capitale.

— Vous avez connu une réelle réussite professionnelle ?

— Le bruit des cures éclatantes que j'avais faites m'attira une foule prodigieuse de malades ; ma porte était constamment assaillie par les voitures des personnes qui venaient me consulter de toutes parts... Mes succès avaient fait ombrage aux médecins de la Faculté qui calculaient avec douleur la grandeur de mes gains. Ils se consolèrent en formant le projet d'en tarir la source.

Il est exact que le cabinet qu'il a installé sera vite florissant. Marat guérit d'une maladie de poitrine la marquise de Laubespine. Il se sert de l'électricité, du magnétisme et d'une drogue de sa composition, une « eau factice antipulmonique ». Cette nouveauté plaît à un siècle curieux. Les clients affluent. Quant à la marquise de Laubespine, subjuguée, elle devient la maîtresse du médecin à qui elle doit la vie. On découvre un peu plus tard Marat comme médecin des gardes du corps du comte d'Artois. Il gagne largement sa vie, il a un secrétaire et une servante. Il se livre à de nombreuses expériences scientifiques, publie quelquefois des études sur l'électricité, le feu, la lumière. Il se préoccupe des couleurs de l'arc-en-ciel. En 1783, il obtient de l'Académie de Rouen un prix pour un mémoire sur le rôle thérapeutique de l'électricité. Il donne des leçons d'optique, dont on dit grand bien. Bref, une manière de savant.

— Au cours de ces années, vous avez réfléchi à mille problèmes politiques, sociaux, métaphysiques.

— A part le petit nombre d'années que j'ai consacrées à l'exercice de la médecine, j'en ai passé vingt-cinq dans la retraite, à la lecture des meilleurs ouvrages de science et de littérature, à l'étude de la nature, à des recherches profondes et dans la méditation. Je crois avoir épuisé à peu près toutes les combinaisons de l'esprit humain sur la morale, sur la philosophie et la politique, pour en recueillir les meilleurs résultats. J'ai huit volumes de recherches métaphysiques, anatomiques et physiologiques sur l'homme, j'en ai vingt de découvertes sur les différentes branches de la physique, plusieurs sont publiés depuis longtemps, les autres sont dans les cartons. J'ai porté dans mon cabinet le désir sincère d'être utile à l'humanité, un saint respect pour la vérité, le sentiment des bornes de l'humaine sagesse et ma passion dominante, l'amour de la gloire.

Je le regarde encore, là, dans sa baignoire. Il s'est jeté corps et âme dans la Révolution. Il s'en est fait le chantre, le héraut, le fer de lance. Tout entier, il s'y consacre.

— Peut-on vous demander comment vous passez aujourd'hui vos journées ?

— Sur les vingt-quatre heures de la journée, je n'en donne que deux au sommeil, une seule à la table de toilette et aux soins domestiques. Outre celles que je consacre à mes devoirs de député du peuple, j'en emploie régulièrement six à recevoir les plaintes d'une foule d'infortunés et d'opprimés dont je suis le défenseur, à faire valoir leurs réclamations par des pétitions ou des mémoires, à lire et à répondre à une multitude de lettres [...], à prendre des notes sur tous les événements intéressants de la Révolution, à jeter sur le papier mes observations, à recevoir des dénonciations, enfin à faire ma feuille. Voilà mes occupations journalières ; je ne crains donc pas d'être accusé de paresse. Il y a plus de trois années que je n'ai pris un quart d'heure de récréation.

Mais cette Révolution, précisément, comment s'y est-il rallié ?

— En 1789, vous avez accueilli avec beaucoup d'espoir l'annonce de la convocation des états généraux.

— Gémissant depuis longtemps sur les malheurs de la patrie, j'étais au lit de la mort quand un ami m'instruisit de la convocation des états généraux : cette nouvelle fit sur moi une vive sensation, j'éprouvai une crise salutaire, mon courage se ranima.

— La prise de la Bastille vous est apparue comme un grand succès. Mais les suites de cet événement ?

— Cinq à six cents têtes abattues dès le jour de la prise de la Bastille nous auraient donné pour toujours paix, liberté et bonheur. Mais nous avons stupidement laissé aux ennemis de la Révolution le loisir de se confédérer dans tout le royaume, de se former des partis puissants au-dedans et au-dehors...

— Vous auriez donc voulu voir disparaître les classes privilégiées ?

— Comment prétendrez-vous que des hommes qui, toute la vie, jouirent du privilège d'être insolents [...], des hommes qui n'étaient occupés qu'à faire sentir au peuple leur élévation, des hommes qui s'indignaient d'avoir avec lui des besoins communs [...] se laissent dépouiller paisiblement de tous leurs avantages, souffrent patiemment qu'il partage leur puissance [...], consentent à se voir rabaisser à son niveau ? Comment prétendrez-vous qu'un courtisan hautain, qu'un baron, un comte, un marquis, un duc, un maréchal de France se regardent comme les égaux d'un menuisier, d'un maçon, d'un cordonnier, d'un porteur d'eau, de leurs valets ?

— Alors, quelles mesures préconisiez-vous déjà contre les nobles et les prêtres ?

— Couper les pouces des mains à tous les jadis nobles qui ont conspiré contre les patriotes ; fendre la langue à tous les calotins indignes.

J'observe qu'il disait déjà cela en décembre 1790. On n'en était qu'au début de la Révolution. Déjà le vocabulaire de Marat était marqué de son originalité toute particulière.

— Qu'avez-vous pensé de la *Déclaration des droits de l'homme et du citoyen* élaborée par les constituants ?

— La fameuse *Déclaration des droits* n'était qu'un leurre dérisoire pour amuser les sots.

— Au début de la Révolution, avez-vous été souvent obligé de vous cacher ?

— Condamné à toute espèce de privations, excédé de travail et de veille [...], environné d'espions [...], j'ai couru de retraite en retraite sans pouvoir souvent dormir deux nuits consécutives dans le même lit ; et toutefois, de ma vie, je n'ai été plus content ; la grandeur de la cause que je défendais élevait mon courage au-dessus de la crainte.

— Votre journal, *l'Ami du peuple,* a alors quelque peu inquiété les esprits ?

— Comme ma plume a fait quelque sensation, les ennemis publics, qui sont les miens, ont répandu dans le monde qu'elle était vendue ; ce qui, d'après le caractère commun des gens de lettres, n'était pas difficile à persuader à qui ne m'a point lu. Mais il suffit de jeter les yeux sur mes écrits pour s'assurer que je suis peut-être le seul auteur depuis Jean-Jacques qui dût être à l'abri des soupçons. Et à qui, de grâce, serais-je vendu ?

— Vos ennemis restent nombreux...

— Mes principes sont connus, mes mœurs sont connues, mon genre de vie est connu : ainsi, je ne m'abaisserai point à combattre de lâches assassins qui s'enfoncent dans les ténèbres pour me poignarder ; que l'homme honnête qui a quelque reproche à me faire se montre, et si j'ai manqué aux lois de la plus austère vertu, je le prie de publier les preuves de mon déshonneur.

— A cette époque, vous détestiez Mirabeau ?

— C'est un bas valet de cour, un vil scélérat qui a feint de servir la patrie, qui l'a vendue à la fois à la cour, à l'empereur, aux princes allemands, à l'évêque de Rome, et qui l'aurait vendue au diable s'il avait force argent.

— Mais vous vous êtes méfié encore plus de La Fayette ?

— Le héros des deux mondes, bas valet de la cour, était à la fois le créateur de la liberté française et le persécuteur des amis de la liberté, le défenseur de la Constitution et le conspirateur contre la patrie, le subtil caméléon de l'état-major et l'idole des contre-révolutionnaires des bataillons parisiens.

— Vous avez jugé avec une grande sévérité Louis XVI. Comment pourriez-vous définir ce « tyran » ?

— Un homme sans âme, de tout temps indigne du trône, un despote auquel ses courtisans ont perpétuellement fait tenir une conduite versatile, suivant les circonstances, un tyran qu'ils ont poussé à tous les crimes. Aussi sa conduite a-t-elle toujours été un tissu d'inconséquences et d'horreurs. Tour à tour superbe, insolent, bas, rampant, suppliant ; toujours il s'est montré dur, barbare, féroce, faux, fourbe, traître ; toujours il trempa ses mains sans remords dans le sang du peuple, et s'il n'est pas l'auteur même des complots tramés contre la liberté publique, il les a consentis, et il n'en était pas moins criminel aux yeux de la justice.

— Certains mettaient en doute que la Convention eût le droit de juger Louis XVI. Vous n'avez pas été de ceux-là.

— Mettre en question si un despote souillé de tous les crimes, si un monstre encore tout couvert du sang des amis de la patrie qu'il a fait égorger peut être amené en jugement et puni du dernier supplice, c'est se jouer de l'humanité, c'est renoncer à toute pudeur.

Portrait au physionotrace, lorsqu'il est député à la Convention
(B. N. estampes).

— Pourquoi avez-vous combattu la proposition girondine de l'appel au peuple ?

— L'appel au peuple était le seul moyen de faire absoudre Louis le traître.

— Vous avez naturellement voté la mort ?

— Dans l'intime conviction où j'étais que Louis était le principal auteur des forfaits qui ont fait couler tant de sang le 10 août et de tous les massacres qui ont souillé la France depuis la Révolution, j'ai voté la mort du tyran dans les vingt-quatre heures.

— Pour vous, comme pour Robespierre et Saint-Just, on ne peut être roi impunément ?

— Tout prince né sur le trône est le lâche ennemi des peuples et ses ministres ne peuvent être que des coquins.

Un peu plus tard, un certain Talleyrand dira : Tout ce qui est exagéré est insignifiant. Ce qui, devant l'Histoire, portera tort, éternellement, à Marat, c'est précisément son exagération. La mort de Louis XVI était un acte politique. Il s'agissait, comme l'a dit Danton, de jeter à l'Europe une tête de roi. D'autres s'en sont expliqués. Mais quand Marat prend la parole, il entre en transes. En politique, on devrait toujours fuir les réactions passionnelles. Elles ne peuvent avoir qu'un seul résultat : nuire à la cause que défendent ceux qui l'expriment.

Et pourtant, alors que, une fois de plus, il s'enfièvre, je songe à ce mémoire qui a été présenté en décembre 1779 à Berne. Esquissant un plan de rénovation de la législation criminelle, il a attaqué les lois « faites pour le bonheur de quelques individus au préjudice du genre humain ». Il y a là une démonstration claire, vive, beaucoup plus convaincante que ses invectives postérieures. Un peu plus tard, en février 1789, Marat faisait l'éloge de Louis XVI, ce bon roi, caractérisé, disait-il, par « son amour pour ses peuples, son zèle pour le bien public ». Puisque le roi s'était tourné vers les Français pour leur demander conseil, Marat s'écriait : « Béni soit le meilleur des rois ! » Il s'exprimait également sur Necker, qu'il devait tant vilipender plus tard. A cette époque-là, Necker était « le grand homme d'Etat que ses talents appelèrent à l'administration des finances, également distingué par la sagesse de ses vues et la pureté de ses mains ». Marat se déclarait persuadé que le gouvernement de la France devait être monarchique. Ainsi sont les hommes. Ils changent.

— Après la mort du roi, vous avez travaillé de toutes vos forces à la chute des Brissotins. Pourquoi cet acharnement contre eux ?

— On sait trop que Vergniaud, Guadet, Gensonné, Lacroix, Fauchet, Brissot, Kersaint, Lasource étaient encore royalistes le 10 août à 9 heures du matin et cela était tout simple : ils avaient été si longtemps de vils suppôts ministériels avant cette époque [...] ; ce sont eux qui couvraient toutes les iniquités du pouvoir exécutif, qui appuyaient ses scélératesses, qui tenaient le fatal bandeau sur les yeux de la nation et qui auraient décrété la contre-révolution si le canon des braves sans-culottes des faubourgs Saint-Antoine et Saint-Marceau réunis aux braves fédérés de tous les départements n'avaient battu en ruine le château des Tuileries... Ce sont eux qui, dès l'ouverture de l'Assemblée conventionnelle, entreprirent de faire le procès à la révolution du 10 août, qui souillèrent la tribune de mille dénonciations mensongères contre les Parisiens... Ce sont eux qui, pour éloigner le jugement de Louis Capet, ont amusé l'Assemblée de vaines discussions sur des objets ridicules... Ce sont eux qui, voyant que Louis Capet allait enfin être amené en jugement, ont plaidé la cause du tyran et fait jouer mille artifices pour la faire porter devant un tribunal facile à corrompre. Ce sont eux enfin qui, voyant l'affaire engagée, ont fait de nécessité vertu et qui, changeant tout à coup de batterie, ont eu recours à cent tours de passe pour surpasser les patriotes en motions énergiques et faire croire au public qu'ils étaient les plus violents ennemis des rois et de la royauté.

— Dans une des premières séances de la Convention,

les Brissotins ont accusé certains membres de la Montagne — dont vous-même — d'aspirer à la dictature ?

— Si quelqu'un est coupable d'avoir pensé que pour déjouer les complots d'une cour corrompue il fallait placer la hache vengeresse du peuple entre les mains d'un dictateur, c'est moi, et moi seul ; et si c'est un crime, j'appelle sur ma tête la vengeance nationale.

Un crime ? Tout au moins une faute. Une faute grave. Envisager froidement la dictature alors que la Révolution émerge à peine des fonts baptismaux, ce n'était pas là un choix défendable. Les critiques que Marat a encourues nous semblent aujourd'hui encore parfaitement justifiées.

— Que pensez-vous des critiques qu'ont fait naître vos vues ambitieuses ?

— Je ne descendrai pas à ma justification. Si j'avais voulu mettre un prix à mon silence, j'aurais été l'objet des faveurs de la cour, mais quel a été mon sort ? Je me suis jeté dans les cachots, je me suis condamné à la misère, à tous les dangers. Le glaive de vingt mille assassins était suspendu sur moi et je publiais la vérité la tête sur le billot.

Voilà donc des jugements, des opinions. Tous à l'emporte-pièce Mais Marat s'est également voulu un tacticien révolutionnaire. La prise du pouvoir, il en a parlé, il en écrit sans cesse. Toujours selon le même style direct. Pas de doute : Marat est un adepte de la manière forte. Je le lui rappelle. Il enchaîne :

— Parcourez l'histoire des nations, aucune n'est parvenue à rompre ses chaînes qu'en étouffant ses oppresseurs dans le sang, qu'en les passant au fil de l'épée un jour de bataille, qu'en les suppliciant un jour d'insurrection.

— Vous vous refusez à blâmer les incendiaires ?

— Les sots et les intéressés jettent des hauts cris contre les incendiaires, mais leur opération politiquement est excellente.

— C'est donc que l'incendie vous apparaît comme une façon d'instaurer l'égalité sociale ?

— S'il est vrai que la liberté ne puisse jamais être

établie que sur l'égalité, il importe qu'il n'y ait plus en France de ces vastes palais à côté d'humbles chaumières qui annoncent des maîtres et des esclaves. D'ailleurs, comment se partager ces vastes manoirs sans les démolir ?

— Ne croyez-vous pas qu'il puisse y avoir d'autres moyens d'arriver à une société plus juste ?

— Ce n'est pas que je veuille à chaque instant qu'on ait recours à des voies violentes, mais sous prétexte de ne pas exposer le repos public, les tranquilles citoyens ne voient pas qu'ils ne gagnent rien par leur lâcheté, que d'être opprimés plus audacieusement.

— Vous en tenez donc pour le droit à l'insurrection ?

— Le peuple ne se soulève que lorsqu'il est poussé au désespoir par la tyrannie. Que de maux ne souffre-t-il pas avant de se venger !... Et puis est-il quelque comparaison à faire entre un petit nombre de victimes que le peuple immole à la justice dans une insurrection et la foule innombrable des sujets qu'un despote réduit à la misère ou qu'il sacrifie à sa fureur, à sa cupidité, à sa gloire, à ses caprices ? Que sont quelques gouttes de sang que la populace a fait couler dans la Révolution actuelle pour recouvrer sa liberté, auprès des torrents que la frénésie mystique d'un Charles IX en a fait répandre, auprès des torrents qu'en a fait répandre la coupable ambition d'un Louis XIV ?

— On vous a reproché d'avoir provoqué, par vos incitations au meurtre, les massacres dans les prisons de Septembre 92.

— Lorsque par les attentats des scélérats, la patrie était prête à périr, qui eût osé me faire crime d'avoir, dans les transes de mon désespoir, appelé sur leurs têtes criminelles la hache des vengeances populaires ? Qui oserait se faire un crime d'avoir recommandé le seul moyen de salut public qui nous fût laissé ? Le peuple a eu le bon sens de sentir que c'étaient effectivement là toutes ses ressources ; il l'a employée plusieurs fois pour s'empêcher de périr. Ce sont les scènes sanglantes des 14 juillet, 6 octobre, 2 septembre qui ont sauvé la France.

— On pourrait penser que les tribunaux sont là pour châtier les coupables...

— Un préjugé destructeur de la liberté naissante dans tout Etat qui sort de l'esclavage retient le bras des patriotes ; ils croient qu'on ne doit punir les méchants que par les voies légales : préjugé qui ne peut être de saison que dans les gouvernements où il est superflu, dans les gouvernements bien ordonnés ; mais dans un temps d'anarchie et de confusion, c'est le comble de la folie de n'opposer que cette arme à de lâches conspirateurs qui foulent aux pieds les lois et qui n'attendent que d'être en force pour faire ruisseler le sang. Concevons donc enfin que nous sommes dans un état de guerre, que le salut du peuple est la loi suprême, et que tout moyen est bon, lorsqu'il est efficace, pour se défaire des perfides ennemis qui se sont mis au-dessus des lois et qui ne cessent de conspirer contre le bonheur public.

— Ne pensez-vous pas que la postérité fera sur ce point votre procès ?

— M'accusera-t-on d'être cruel, moi qui ne puis pas faire souffrir un insecte ? Lorsque je pense que, pour épargner quelques gouttes de sang, on s'expose à le verser à grands flots, je m'indigne, malgré moi, de nos fausses maximes d'humanité !... Je suis le plus humain des hommes !

— Quelles mesures préconisez-vous encore ?

— Nous avons un grand moyen de réduire les riches à la classe des sans-culottes. C'est de ne pas leur laisser de quoi se couvrir le derrière... Il faut désarmer les uns et mettre en état d'arrestation les autres. Vous verrez que, pour les empêcher de nuire, nous serons obligés de ne pas leur laisser un couteau de table. Nous lèverons des contributions pour les frais de guerre et nous rendrons les sans-culottes les vrais propriétaires.

— Que pensez-vous du droit de propriété ?

— D'où dérive ce droit de propriété ? L'usurpateur

le fonde sur celui du plus fort, comme si la violence pouvait jamais établir un titre sacré. Le possesseur le fonde sur celui du premier occupant : comme si une chose nous fût justement acquise pour avoir mis les premiers la main dessus. L'héritier le fonde sur celui de tester, comme si l'on pouvait disposer en faveur d'un autre de ce qui n'est pas même à soi. Le cultivateur le fonde sur son travail : sans doute, le fruit de votre travail vous appartient, mais la culture exige le sol, et à quel titre vous approprieriez-vous un coin de cette terre qui fut donnée en commun à tous ses habitants ? Ne sentez-vous pas que ce n'est que d'après une égale répartition de tout qu'on pourrait vous assigner votre quote-part ? Encore, après ce partage, n'auriez-vous droit sur le fonds que vous cultivez, qu'autant qu'il est absolument nécessaire à votre existence. Le droit de posséder découle de celui de vivre ; ainsi tout ce qui est indispensable à notre existence est à nous, et rien de ce qui est superflu ne saurait nous appartenir légitimement tandis que d'autres manquent du nécessaire.

Pour une fois, il s'est exprimé calmement, il a raisonné sans hargne. Que n'a-t-il en tous les temps soutenu cette attitude !

— Quels principes mettez-vous le plus haut ?

— Après la vérité et la justice, la liberté fut toujours ma déesse favorite.

— Et la presse, la voulez-vous libre ?

— Je ne suis pas de ceux qui réclament la liberté indéfinie des opinions : elle ne doit être illimitée que pour les vrais amis de la patrie et c'est un crime à mes yeux que d'agiter des questions inciviques, comme c'en est un que de prêcher la soumission à des lois oppressives. Dans le système des modérés, le salut public est sacrifié à un faux amour de l'humanité. Ils veulent qu'on laisse aux ennemis de la Révolution le moyen de fomenter des discussions sous prétexte de ne pas porter atteinte à la liberté de pensée ; ils veulent qu'on leur laisse la liberté de bouleverser l'Etat sous prétexte de ne pas gêner la liberté individuelle ; ils veulent qu'on leur laisse la liberté d'aller conspirer à l'étranger sous prétexte de ne pas porter atteinte à la liberté de voyager.

Toujours l'écrasante logique. Mais, à un tel prix, où est la liberté ?

— Vous semblez aujourd'hui sévère pour la Convention. Considérez-vous qu'elle n'est pas à la hauteur de sa tâche ?

— La Convention nationale n'a fait que profiter du concours de quelques circonstances favorables pour faire tomber la tête du tyran ; elle a remédié à quelques abus particuliers mais elle n'a point coupé la racine des maux qui désolent la patrie et qui la conduisent à sa perte. Jamais la misère du peuple n'a été si accablante, jamais les désordres de tout genre n'ont été portés à pareil excès, jamais la tyrannie n'a poursuivi les patriotes avec autant d'acharnement au mépris de toutes les lois...

— L'œuvre accomplie depuis 1789 vous semble donc bien incomplète ?

— Toutes les mesures prises par les assemblées constituante, législative et conventionnelle ont été vaines et illusoires.

— Quelles sont vos vues pour l'avenir ?

— Il est impossible que cet état de choses puisse durer longtemps encore, nous sommes dans une anarchie complète et dans un affreux chaos.

— Et pour en sortir ?

— Avec le malheureux penchant des Français à s'engouer de tout, il est à redouter que quelqu'un de nos généraux ne soit couronné par la victoire et qu'au milieu de l'ivresse des soldats et de la populace il ne ramène l'armée victorieuse contre la capitale pour faire triompher le despote.

Je le regarde encore, le torse nu sortant de son sabot, la tête enveloppée de sa serviette humide, le teint enfiévré, le regard enflammé. De tous les hommes de la Révolution, il est le plus haï. Assurément, il le sait. Comment l'ignorerait-il ? Alors, une question encore :

— Craignez-vous pour votre propre vie ?

Ainsi, mort, l'a vu David (Musées royaux des beaux-arts. Bruxelles).

— La crainte n'arrêtera pas ma plume ; j'ai renoncé plus d'une fois au soin de mes jours ; pour servir la patrie, pour venger l'humanité, je verserai, s'il le faut, jusqu'à la dernière goutte de mon sang.

Peut-on être prophète de sa propre mort ? Le 13 juillet 1793, à 7 heures du soir, une femme se présentera à son domicile de la rue des Cordeliers. Cette femme s'appelle Charlotte Corday. Simone Evrard voudra l'éconduire lorsque Marat, entendant du bruit dans l'antichambre, criera de sa baignoire :

— Simone, qu'est-ce que c'est ?

Ce faisant, il aura prononcé son arrêt de mort. Introduite auprès de lui, elle déclarera être venue l'entretenir des troubles à Caen et dénoncer les dix-huit députés réfugiés dans cette ville. Pendant qu'il notera leurs noms, tout à coup, elle tirera un couteau de son sein ; d'une force décuplée, elle lui plantera la lame dans la poitrine découverte.

« Je verserai, s'il le faut, jusqu'à la dernière goutte de mon sang... »

VIII

NAPOLEON

1. — L'homme privé

Le reporter intemporel qui souhaite rencontrer Napoléon n'a vraiment que l'embarras du choix. Parcourez la France, parcourez l'Europe : dans chaque ville importante, dans quelques centaines de bourgades, on vous présentera la demeure qui a abrité l'empereur des Français. La grande ombre est partout, omniprésente, aussi bien dans les palais impériaux ou royaux que dans les masures qui l'ont accueilli. Il est passionnant de le suivre à la trace, de chercher et de retrouver son souvenir. Mais justement, la gêne naît de l'embarras du choix. Alors, où aller ?

Irai-je le chercher à Fontainebleau ? J'y trouverai aussi François Ier. A Compiègne ? Là, c'est Napoléon III qui domine. Les Tuileries et Saint-Cloud ont disparu. Reste le lieu pour moi privilégié : Malmaison.

Malmaison, c'est sa jeunesse, l'époque où, sous le Consulat, il changeait la France. Le temps où tout semblait possible, où le rêve devenait réalité. Les grands éclats de rire de ces hommes de trente ans. Et le travail. Et les parties de barre. Et l'amour. Malmaison, pour Napoléon, c'est Joséphine et le Code civil. Tout cela mêlé, inextricablement et pour jamais.

Le parc de Malmaison, c'est l'Ile-de-France dans sa plénitude et son harmonie. Errer dans les allées, s'arrêter pour voir glisser sur l'eau le cygne qui semble être là de toute éternité. Voir la demeure étaler ses deux ailes sur un rideau d'arbres. Ce qui frappe, c'est qu'elle est à l'échelle humaine. Versailles écrase. Malmaison n'est pas un palais, c'est une demeure accueillante. Ici, tout est intimité : la salle à manger, les salons, le bureau de l'Empereur. Au premier étage, voici la chambre de Joséphine, rotonde tendue de rouge. Moi, c'est dans cette pièce que j'évoque le plus volontiers Napoléon. Quand il est revenu, vaincu, de Waterloo, c'est ici qu'il est monté pour se recueillir. Joséphine était morte l'année précédente, sans qu'il l'eût revue. Depuis, il avait traversé la fabuleuse aventure du retour de l'île d'Elbe, de nouveau affronté les rois, tout perdu en Belgique. Il ne pouvait méconnaître que son destin était achevé. Il était resté de longues heures dans cette chambre et devant ce lit. Quelles pensées tumultueuses l'avaient alors assailli ? Des regrets ? Des remords ? De la nostalgie ?

Quand il est malheureux, un homme se livre plus volontiers. En 1815, c'est un homme malheureux que j'imagine, devant moi, dans cette chambre. Je le regarde. Qu'il a changé depuis le Consulat ! Alors, il disait à son secrétaire :

— Vous voyez, Bourrienne, comme je suis mince. Eh bien, on ne m'ôtera pas de l'idée qu'à quarante ans je deviendrai gros mangeur et je prendrai de l'embonpoint.

Quoiqu'il ait toujours été très sobre, qu'il ait sans cesse trouvé la chère trop abondante, que, le plus souvent, il ait avalé seulement quelques bouchées, la prédiction s'est accomplie. Le ventre s'arrondit sous le gilet, dans lequel, sans y penser, il glisse sa main. Souvent, au creux de l'estomac, une douleur sourde le saisit. Non seulement il a craint de grossir, mais il a vu avec dépit tomber ses cheveux. Sur les traits empâtés, je lis cet air de gravité sereine qui a déconcerté jusqu'à ses adversaires.

Sur lui, on a tout dit, le vrai comme le faux. Moi, c'est la vérité que je cherche. Et d'abord sur l'homme privé. Impossible de l'expliquer sans évoquer la Corse. Latin, méditerranéen, il l'est par toutes les fibres de son

Cet air de gravité sereine qui a déconcerté jusqu'à ses adversaires... Portrait par David (Collection Samuel Kress. New York). Photo Bulloz.

A Malmaison, la chambre de Joséphine...

être. Son attachement à l'île natale, il l'a prouvé tout au long de sa vie et d'abord en recouvrant la famille Bonaparte de sa gloire. Le pouvoir qu'il avait conquis, il a voulu le partager avec tous les siens. Cela, c'est la notion spécifiquement corse du clan. Mais au fait, d'où vient-elle cette famille ? Je lui pose la question. La réponse surgit aussitôt, vive, forte. La rapidité de sa pensée se retrouve dans toutes ses paroles :

— On a mis dans nos journaux une généalogie aussi

ridicule que plate de la maison Bonaparte. Ces recherches sont bien puériles, et à tous ceux qui demanderaient de quel temps date la maison Bonaparte, la réponse est bien facile : elle date du 18-Brumaire.

Je pense à son père, mort quand Napoléon était tout enfant. L'homme était brillant, plein de faconde, habile dans les intrigues. Il s'était un peu tôt rallié aux Français. Et puis il était allé mourir à Montpellier, d'un cancer à l'estomac. Déjà.

— Que pensez-vous de votre père ?

— Si mon père eût vécu, il eût probablement arrêté ma carrière. Il eût été député à l'Assemblée constituante, eût pris parti pour les intrigants, les Lameth, les Noailles, m'eût nécessairement lancé dans les affaires trop tôt, trop jeune, et je n'eusse pu faire la fortune que j'ai faite.

Quand Bonaparte était arrivé au pouvoir, la municipalité de Montpellier avait voulu élever à Charles Bonaparte un monument avec cette inscription : « Hors du tombeau, ton fils Napoléon t'élève à l'immortalité. »

Bonaparte avait haussé les épaules :

— Ne troublons point le repos des morts, avait-il dit, laissons leurs cendres tranquilles. J'ai perdu aussi mon grand-père, mon arrière-grand-père. Pourquoi ne ferait-on rien pour eux ? Cela mène loin...

Je pense aussi au jour du sacre, quand Pie VII avait tracé les onctions saintes sur le front du héros, dans le déchaînement du triomphe et de la gloire. Alors, Napoléon avait murmuré à son frère :

— Joseph, si notre père nous voyait !

Donc, sa mère seule s'est occupée de son éducation.

— Et votre mère, Sire ?

— C'est à ma mère que je dois ma fortune et tout ce que j'ai fait de bien.

— Sous l'Empire, on a parfois moqué la crainte de l'avenir que Madame Mère manifestait sans cesse, son inquiétude devant le possible revers de fortune.

— Madame était trop parcimonieuse, c'en était ridicule, j'ai été jusqu'à lui offrir des sommes fort considérables par mois, si elle voulait les distribuer. Elle voulait bien les recevoir, mais pourvu, disait-elle, qu'elle fût maîtresse de les garder... Du reste, cette même femme à laquelle on eût difficilement arraché un écu m'eût tout donné pour préparer mon retour de l'île d'Elbe, et après Waterloo elle m'eût remis entre les mains tout ce qu'elle possédait pour m'aider à rétablir mes affaires...

— Lorsqu'on relit votre histoire, Sire, on est forcé de conclure que vous avez voulu mobiliser votre famille au service de la cause impériale.

— Tous les miens devaient suivre mes ordres et tout devait aboutir à l'intérêt de la France.

— En donnant des couronnes à vos frères, quelle était votre pensée profonde ?

— En les couronnant, je ne les considérais dans ma pensée que comme des vice-rois, des agents de ma politique, que je rappellerais dans les rangs français suivant les exigences des arrangements définitifs de la paix générale ou de la réorganisation du continent européen.

— Mais votre famille vous a-t-elle réellement aidé ?

— Je n'ai pas trouvé de coopération dans ma famille. Si je n'avais pas voulu l'utiliser, j'aurais réussi plus aisément.

— Est-ce donc que vous pensez que vos frères vous ont en définitive mal servi ?

— Il est sûr que j'ai été peu secondé des miens, et qu'ils ont fait bien du mal à moi et à la grande cause. On a souvent vanté la force de mon caractère, je n'ai été qu'une poule mouillée, surtout pour les miens, et ils le savaient bien... J'ai obscurci [...] ma carrière par le fait d'avoir placé mes parents sur des trônes... Je vois aujourd'hui que le principe fondamental des anciennes monarchies, de tenir les princes de maison régnante dans une grande et perpétuelle dépendance du trône, est sage et nécessaire. Mes parents m'ont fait beaucoup plus de mal que je ne leur ai fait de bien.

Nul homme, peut-être, n'a davantage réfléchi, une fois sa carrière accomplie, sur les raisons de ses succès et de ses échecs. Ce qui frappe, toujours, c'est son extrême lucidité. Il n'est pas de ceux que la vérité la plus cruelle peut choquer. Autant il avait fondé d'espoirs sur sa famille, autant, une fois l'histoire achevée, il la vilipende. C'est que la déception est à la mesure des espoirs qu'il avait conçus. Là, dans cette chambre de Joséphine, il fait quelques pas, légèrement penché en avant. Quand il marche, il se dandine légèrement. Les opposants disaient que cette démarche était forcée, que Bonaparte voulait imiter les Bourbons, lesquels se dandinaient de père en fils. En fait, cette façon de marcher provenait d'une timidité fort naturelle, née, dit Girardin, « de l'embarras involontaire et forcé qu'éprouve celui qui se trouve être, par sa position, le point de mire de tous les observateurs ». Evoquant encore les déceptions que lui a causées sa famille, il explique avec une certaine tristesse :

— Ils étaient plusieurs que j'avais faits trop grands, je les avais élevés au-dessus de leur esprit.

Décidément, cet homme-là connaît l'art des formules. En parlant, en écrivant, sans cesse elles naissent. Aucune ne sent l'effort. Presque toutes, elles sont pertinentes, fortes, originales. Il est bien vrai que Napoléon a élevé ses frères « au-dessus de leur esprit ». N'importe, pour le bien connaître, lui, il faut tâcher d'en savoir davantage sur cette famille peu banale.

— Que pensez-vous du prince Joseph ?

— Joseph ne m'a guère aidé, mais c'est un fort bon homme ; sa femme, la reine Julie, est la meilleure créature qui ait jamais existé... Je crois que si j'avais sacrifié Joseph, j'aurais réussi. Joseph ne s'occupait de rien, depuis qu'il se croyait un grand militaire. Il me reconnaissait bien quelques supériorités, mais voilà tout. Il se croyait supérieur à Suchet, Masséna, Lannes. Le prince Joseph était le plus mauvais chef de gouvernement possible... Il travaillait une fois par mois et ne voulait pas, le reste du temps, entendre parler d'affaires.

— Vous en avez pourtant fait un roi d'Espagne.

— L'affaire d'Espagne n'était pas faisable avec Joseph. Le connaissant, je devais le savoir. Je ne devais jamais l'y placer.

Tout à coup, il s'empourpre. Ses yeux étincellent. Le ton s'emporte. Violemment, il lance :

— Joseph a la manie de se croire un grand général... Il n'est qu'un c...

C'est ce qui s'appelle n'avoir pas peur des mots. Au vrai, de quoi a-t-il eu peur ? Il a affronté la vie comme on s'empare d'une redoute.

— Vous avez rompu avec votre deuxième frère, le prince Lucien, quand il a refusé de faire annuler son second mariage avec Mme Jouberthon.

— Mon frère n'a pas voulu renoncer à sa petite racaille... Frère dénaturé, Lucien ne parlait que le langage du sentiment et de la passion, moi celui de la politique et de l'intérêt de mon peuple. Nous ne pouvions qu'être opposés.

— Vous ne lui avez jamais octroyé de couronne...

— Il n'a tenu qu'à lui d'être roi comme ses frères. Son second mariage et une fausse direction de caractère le privèrent sans doute d'une couronne, mais il ennoblit son opposition et ses différends en venant, au retour de l'île d'Elbe, se jeter dans les bras de son frère.

— Et Louis, Sire ?

— Courant après une réputation de sensibilité et de bienfaisance, incapable par lui-même de grandes vues, susceptible tout au plus de détails locaux, Louis ne s'est montré qu'un roi-préfet. Dès son arrivée en Hollande, et n'imaginant rien de beau comme de faire dire qu'il n'était plus qu'un bon Hollandais, il s'y est livré tout à fait au parti anglais, a favorisé la contrebande, et s'est mis en rapport avec nos ennemis. Il a fallu le surveiller aussitôt et menacer même de le combattre ; réfugiant alors son manque de caractère dans un entêtement obstiné et prenant un esclandre pour de la gloire, il s'est enfui du trône en déclamant contre moi, contre mon insatiable ambition, mon intolérable tyrannie, etc...

Voilà encore un jugement d'une dureté extrême. Je

songe à leur jeunesse à tous deux, à l'époque où le lieutenant Bonaparte faisait vivre son jeune frère sur sa solde et surveillait ses études avec l'attention d'un père. Alors, Louis était, de ses frères, le plus cher à son cœur. Et maintenant, il est contraint d'avouer sa déception, sa rancune. Il rêve, un instant. Puis :

— Peut-être trouverait-on une atténuation au travers d'esprit de Louis, dans le cruel état de sa santé...

Napoléon n'est pas homme à chercher des excuses à ceux dont il estime qu'ils l'ont desservi. Ici, peut-être, c'est le cœur qui parle. Louis me fait penser à son épouse, la charmante Hortense. L'histoire de ce mariage, de ce ménage, est navrante. Comment expliquer que cette union ait été si malheureuse ?

— Louis était un enfant gâté par la lecture de Jean-Jacques. Il n'avait pu être bien avec sa femme que très peu de mois. Beaucoup d'exigence de sa part, beaucoup de légèreté de la part d'Hortense : voilà les torts réciproques. Toutefois, ils s'aimaient en s'épousant. Ils s'étaient voulus l'un et l'autre. Ce mariage, du reste, était le résultat des intrigues de Joséphine qui y trouvait son compte.

— On a fait courir des bruits ridicules sur des rapports entre l'Empereur et Hortense. Louis y a-t-il cru ?

— Louis savait bien apprécier la nature de ces bruits, mais son amour-propre, sa bizarrerie n'en étaient pas moins choqués, et il les mettait souvent en avant comme prétexte.

— Ne peut-on pas penser néanmoins qu'Hortense a eu quelque responsabilité dans l'échec conjugal ?

— Hortense, si bonne, si généreuse, si dévouée, n'est pas sans avoir eu quelques torts avec son mari... Quelque bizarre, quelque insupportable que fût Louis, il l'aimait ; et, en pareil cas, avec d'aussi grands intérêts, toute femme doit toujours être maîtresse de se vaincre, avoir l'adresse d'aimer à son tour. Si elle avait su se contraindre, elle se serait épargné le chagrin de ses derniers procès ; elle eût eu une vie plus heureuse : elle eût suivi son mari en Hollande. Louis n'eût point fui d'Amsterdam, je ne me serais pas vu contraint de réunir son royaume.

Après Joseph, Lucien, Louis, il faut bien parler de Jérôme, le plus jeune. Lors de l'avènement de Napoléon, il était encore enfant. De toute la famille, il est le seul à avoir reçu une éducation de prince.

— Comment Votre Majesté juge-t-elle Jérôme ?

— Jérôme n'avait pas la moindre idée de la manière dont on fait la guerre... Lui ayant écrit que, s'il se réunissait avec Davout, celui-ci aurait le commandement, il fut fort choqué, fit des observations.

— Vous avez fait pourtant de lui un roi, comme les autres...

— J'ai eu grand tort de le nommer roi de Westphalie. J'aurais dû placer là quelque petit prince allemand... Jérôme était un prodigue dont les débordements avaient été criants. Son excuse peut-être pouvait se trouver dans son âge et dans ceux dont il s'était entouré. Au retour de l'île d'Elbe, il semblait d'ailleurs avoir beaucoup gagné et donnait de grandes espérances.

— Parlons de vos sœurs. Que faut-il penser d'Elisa ?

— C'était une maîtresse femme. Elle avait de l'esprit, une activité prodigieuse et connaissait les affaires de son cabinet et de ses Etats aussi bien qu'eût pu le faire le plus habile diplomate. Elle correspondait directement avec ses ministres, leur résistant souvent et quelquefois me forçait à me mêler aux discussions.

— Et Pauline, Sire ?

— Les artistes s'accordaient à en faire une véritable Vénus de Médicis. Pauline était trop prodigue ; elle avait trop d'abandon : elle devait être immensément riche pour tout ce que je lui ai donné, mais elle donnait tout à son tour.

— Et votre sœur Caroline ?

— La reine de Naples s'était beaucoup formée dans les événements. Il y avait chez elle beaucoup de caractère et une ambition désordonnée. Avec Mme Murat, il fallait que je me mette toujours en bataille rangée...

Il vient de prononcer le nom de Murat. Sujet délicat entre tous. Justement, il faut oser l'aborder. Je lance le nom de ce cavalier superbe. Et la réponse, aussitôt, jaillit :

— Murat, qui sur un cheval de bataille était un César, était, hors de là, presque une femme. Murat, qui était le plus brave des hommes devant l'ennemi, était le plus lâche s'il ne sentait personne derrière lui... Il était sans valeur loin de moi... Murat n'était pas fait pour le rang auquel je l'avais élevé. Le malheur fut de lui avoir fait épouser ma sœur. Je ne le voulais pas mais ma sœur le voulait. Il devait être maréchal de France, et Bernadotte aussi, rien de plus.

— Il est vrai que Murat vous devait tout.

— C'est moi qui l'ai fait roi de Naples, c'est à sa femme qu'il doit son royaume. S'il n'avait pas été mon beau-frère, je n'aurais jamais pensé à lui. Je savais bien qu'il était mauvaise tête, mais je croyais qu'il m'aimait... Murat, faire tirer des coups de canon sur les Français, c'est abominable, c'est odieux ! Le voilà, le Bernadotte du Midi ! Murat avait un très grand courage et fort peu d'esprit. La trop grande différence entre ces deux qualités l'explique tout entier. Deux fois en proie aux plus étranges vertiges, le roi de Naples fut deux fois la cause de nos malheurs : en 1814, en se déclarant contre la France, et en 1815, en se déclarant contre l'Autriche.

En vérité, le bilan apparaît accablant. Que reste-t-il de cette famille sur quoi il avait échafaudé tant d'espoirs ? Son beau-fils peut-être, Eugène de Beauharnais. Il confirme :

— En 1814, lors des désordres de la France, le prince Eugène fut l'objet de beaucoup de séduction et d'un grand nombre de propositions fort brillantes... En 1815, des hommes importants dans la diplomatie européenne le sondèrent pour savoir si, dans le cas où Napoléon serait contraint d'abdiquer de nouveau, et le choix se tournant vers lui, il accepterait. Dans ces circonstances, comme dans tant d'autres, ce prince fut inébranlable

Avec les enfants de Murat sur la terrasse de Saint-Cloud. Peinture par Ducis (Château de Versailles). Photothèque Plon-Perrin.

dans une ligne de devoir et d'honneur qui le rend immortel.

D'Eugène de Beauharnais, comment ne pas passer à la mère de celui-ci, Joséphine ? Je sens que je me hasarde en terrain bien mouvant. Mais puis-je méconnaître qu'un homme se révèle dans ses amours ? Dans ce sens, il n'y a rien de plus révélateur que les lettres de Bonaparte à Joséphine. En Italie, il allait de victoire en victoire. L'Europe l'admirait comme un héros. Et lui n'avait dans l'esprit que sa passion pour une femme dont il était séparé. Le soir, au bivouac, c'est à Joséphine qu'il écrivait d'admirables lettres brûlantes de passion, fulgurantes de génie. Peut-être les plus belles lettres d'amour d'un homme épris à une femme. En tout cas, d'incontestables chefs-d'œuvre littéraires. Aujourd'hui, que pense-t-il de Joséphine ?

— C'est la personne que j'ai le plus aimée, quand j'étais plus jeune. Elle était plus coquette, peut-être un peu galante et dans l'amour faisait un peu de zigzag ; elle ne disait jamais la vérité. Elle était pleine de grâce, au lit comme ailleurs, ne quittait jamais son mari et voulait coucher avec lui, parce qu'elle en connaissait l'importance et que c'est là qu'on exerce son influence. Joséphine avait à l'excès le goût du luxe, le désordre, l'abandon de la dépense, naturels aux créoles. Il était impossible de jamais fixer ses comptes ; elle devait toujours ; aussi, c'étaient constamment de grandes querelles quand le moment de payer les dettes arrivait. Une autre nuance caractéristique de Joséphine était sa constante dénégation. Dans quelque moment que ce fût, quelque question que je lui fisse, son premier mouvement était la négative, sa première parole *non* ; et ce *non* n'était pas précisément un mensonge, c'était une précaution, une simple défensive...

Il se tait, un instant. Sûrement, l'image de la créole danse devant ses yeux. Et puis :

— Je l'ai réellement aimée, mais je ne l'estimais pas. Elle était trop menteuse. Mais elle avait un je ne sais quoi qui plaisait, c'était une vraie femme, elle avait le plus joli petit c... qui fût possible.

— Vous lui avez pourtant donné souvent des motifs de jalousie.

— L'impératrice était jalouse, mais sa jalousie venait de la politique et non de l'amour. Elle craignait le divorce, ce qui la rendait très tourmentante.

— Justement, avez-vous eu beaucoup de difficulté à lui faire accepter le divorce ?

— Joséphine, quand je lui ai annoncé que je voulais divorcer, a employé toutes les manœuvres de larmes possibles. Si cinquante mille hommes devaient périr pour l'Etat, j'en pleurerais, mais la raison d'Etat doit passer avant tout. Malgré les larmes de Joséphine, je lui dis : « Voulez-vous de gré ou de force ? Je suis résolu. » Joséphine, le lendemain, me fit dire qu'elle y consentait, mais, en nous mettant à table, elle poussa un cri et s'évanouit.

Nouvelle difficulté : passer de Joséphine à Marie-Louise. Mais il l'a bien traversée, cette difficulté !

— Sire, pouvons-nous comparer l'impératrice Marie-Louise à l'impératrice Joséphine ?

Joséphine, la plus aimée. Portrait par Prud'hon.
(Musée du Louvre.)

— L'impératrice Marie-Louise, au contraire, était la vertu même, ne mentait jamais, avait beaucoup d'ordre et demandait de l'argent quand elle en voulait. Ce qui m'était agréable. Elle avait la manie de n'avoir jamais de feu chez elle, de sorte que moi qui me levais toutes les nuits j'en étais incommodé. Peut-être ce motif m'a-t-il empêché plus de vingt fois de descendre chez l'impératrice. Cette union fut heureuse. Nous nous convenions beaucoup l'un l'autre. Elle avait une excellente éducation. Sous le rapport des romans, elle n'en voulait lire aucun... Elle disait : « Avec mon piano, le dessin, je passe bien mon temps. Je caquette avec la duchesse de Montebello. Qu'ai-je besoin de roman ? » Ce n'est qu'au bout de deux ans qu'elle me parla avec quelque confiance. Elle m'avoua qu'en se mariant elle s'était dévouée, qu'accoutumée depuis son enfance à entendre parler de moi, elle se considérait comme une victime. Elle fut très étonnée de me trouver si différent de ce qu'elle avait imaginé... Simple, bon, complaisant avec elle.

Marie-Louise et le roi de Rome : « Sire, l'avenir est à Dieu ! »
Peinture par Jean-François Franque (Château de Versailles).

Voudrait-il faire croire que son mariage avec Marie-Louise a été plus heureux que le précédent ? Sans doute — mais nous avons du mal à l'admettre. Chaque jour, après le déjeuner, Napoléon descendait saluer l'impératrice dont l'appartement, aux Tuileries, était au rez-de-chaussée. Quand cette impératrice s'appelait Joséphine, Napoléon s'asseyait auprès d'elle sur un canapé. S'engageait alors une de ces longues conversations d'intimité — à bâtons rompus — où le présent se mêlait au passé, inextricablement. Comment aurait-il pu oublier le général Vendémiaire si fortement tombé amoureux de la belle citoyenne de Beauharnais ? Quand l'épouse de l'Empereur se nommait Marie-Louise, tout était différent. Il entrait, affectant la gaieté, l'appelait « ma bonne Louise », regardait ses broderies. Elle prononçait quelques paroles timides et se taisait. Une dame d'honneur se mettait au clavecin. L'Empereur s'asseyait, écoutait, fermait les yeux... et s'endormait. Un sommeil de cinq minutes dont il sortait comme à volonté. Un baiser à la « bonne Louise » et il remontait à pas pressés vers son cabinet.

Le travail : là était sa vie, réellement. Ici, à Malmaison, dans le cabinet si joliment décoré, avec ses colonnes d'acajou et ses deux cheminées dissimulées par des miroirs, on peut imaginer tout ce travail. A peine entré, l'Empereur dictait. Presque jamais assis, il allait de long en large. Souvent, il s'arrêtait, pensif, un court instant, devant la cheminée. La plume du secrétaire grinçait sur le papier, sans relâche. La dictée du maître était un monologue. Les mots se pressaient dans sa bouche. Il en écorchait certains, se trompait dans les noms propres, disait Smolensk pour Salamanque, l'Ebre pour l'Elbe. Jamais il ne se reprenait. Il fallait au secrétaire saisir cette pensée brute, la jeter brûlante sur le papier, ménager les blancs qui seraient remplis plus tard, rectifier les erreurs, les fautes de grammaire. Si puissante apparaît la personnalité de cet homme que quel que soit le scribe qui a recueilli sa pensée — serait-ce un valet de chambre, cela est arrivé — on le reconnaît comme on reconnaît le style, ce style inégalable qu'admirait Stendhal.

Tous les sujets défilaient dans une revue prodigieuse : intérieur, finances, beaux-arts, armée. L'Empire réunissait cent millions de sujets. Le pouvoir impérial s'étendait de Hambourg à Naples, de Brest à Varsovie. Tout aboutissait là, dans son cabinet de travail, où que soit celui-ci : un préfet à nommer à Amsterdam, un colonel à promouvoir à Mayence, un théâtre à former à Milan. Un exercice serait à conseiller à nos contemporains : ouvrir un tome de la *Correspondance de Napoléon*. Toujours on demeure stupéfait devant le nombre des lettres écrites en un seul jour, la diversité des sujets traités, l'étendue des idées remuées. Exemple de ce que Pascal appelait un « esprit vaste ». Bonne occasion de s'étonner :

— La puissance de travail de Votre Majesté a toujours été immense.

— Je travaille beaucoup, je médite beaucoup. Si je parais toujours prêt à répondre à tout, c'est qu'avant de rien entreprendre j'ai longuement médité. Ce n'est pas un génie qui me révèle tout à coup ce que j'ai à dire ou à faire dans une circonstance inattendue pour les autres, c'est ma réflexion, c'est ma méditation. Le travail est mon élément, je suis né et construit pour le travail. J'ai connu les limites de mes jambes, j'ai connu les limites de mes yeux, je n'ai jamais pu connaître celles de mon travail.

— Et si l'on vous interrogeait, Sire, sur votre caractère ?

— Je suis d'un caractère bien singulier sans doute, mais l'on ne serait point extraordinaire si l'on n'était d'une trempe à part : je suis une parcelle de rocher lancée dans l'espace...

— Votre Majesté ne peut méconnaître qu'on l'a accusée de manquer de cœur ?

— Le cœur d'un roi doit être dans sa tête.

— Alors, Votre Majesté a dû s'appliquer à cacher sa sensibilité...

— Ne croyez pas que je n'aie pas le cœur sensible comme les autres hommes [...], mais dès ma première jeunesse je me suis appliqué à rendre muette cette corde qui, chez moi, ne rend plus aucun son.

Ce qui fascine, chez lui, c'est l'ascension prodigieuse. Lui-même en a joué, parlant devant un parterre de rois et disant négligemment : « Du temps que j'étais jeune lieutenant d'artillerie... » Assurément, pour conduire une telle carrière, il faut imaginer une ambition redoutable.

— Pouvons-nous penser, Sire, que l'ambition a toujours guidé votre vie ?

— Je n'ai pas d'ambition, ou, si j'en ai, elle m'est si naturelle [...] qu'elle est comme le sang qui coule dans mes veines, comme l'air que je respire.

On ne saurait pénétrer le cœur d'un homme, si on reste ignorant de ce qu'il pense du grand problème : celui de Dieu, celui de la religion. Toute son enfance a été baignée de la foi méditerranéenne. A Brienne, la fréquentation des sacrements était d'obligation. Plus tard, il a signé le Concordat, rendant la France à la religion catholique. Mais quelle est sa pensée profonde ? Je l'interroge.

— Tout proclame l'existence d'un Dieu, répond-il, c'est indubitable ; mais toutes nos religions sont évidemment les enfants des hommes. Pourquoi y en avait-il tant ? Pourquoi la nôtre n'avait-elle pas toujours existé ? Pourquoi était-elle exclusive ? Que devenaient les hommes vertueux qui nous avaient devancés ? Pourquoi ces religions se décriaient-elles ? Pourquoi cela avait-il été de tous les temps, de tous les lieux ? C'est que les hommes sont toujours les hommes, c'est que les prêtres ont toujours glissé partout la fraude et le mensonge.

— Vous ne croyez donc pas aux religions ?

— Je ne crois pas aux religions, mais à l'existence de Dieu !... Qu'est-ce qui a fait tout cela ? L'honnête homme ne doute jamais de l'existence de Dieu, car si la raison ne suffit pas pour le comprendre, l'existence de l'âme l'adopte. L'homme lancé dans la vie se demande : « D'où viens-je ? Qui suis-je ? Où vais-je ? » Ce sont autant de questions mystérieuses qui nous poussent vers la religion... J'ai eu besoin de croire, j'ai cru, mais ma croyance s'est trouvée heurtée, incertaine, dès que j'ai su, dès que j'ai raisonné ; et cela m'est arrivé d'aussi bonne heure qu'à treize ans.

— Vous venez de parler de l'âme. C'est donc que vous croyez à son immortalité ?

— Qu'est-ce que l'électricité ? Le galvanisme ? Le magnétisme ? C'est là qu'est le grand secret de la nature. Le galvanisme travaille en silence. Je crois, moi, que l'homme est le produit de ces fluides et de l'atmosphère, que la cervelle pompe ces fluides et donne la vie, que l'âme est composée de ces fluides, et qu'après la mort ils retournent dans l'éther, d'où ils sont pompés pour d'autres cervelles.

— On a dit que vous aviez hésité entre la religion catholique et la religion protestante, avant de signer le Concordat. Vous venez de dire du mal de toutes les religions. Mais que pensez-vous de la religion catholique ?

— J'aime la religion catholique parce qu'elle parle à mon âme, parce que, quand je prie, elle met en action tout mon être ; tandis que la religion protestante ne parle qu'à ma raison. Sans doute, les protestants ont pour eux le raisonnement lorsqu'ils disent que la communion n'est que la représentation ; mais pourquoi comprimer l'élan de ma pensée, qui me porte à m'élever jusqu'à Dieu et à croire la réalité ?

— Vous venez de reconnaître que vous avez prié quelquefois.

— Je ne me souviens pas de ce que j'étais avant de naître ; et que deviendra mon âme après ma mort ? Quant à mon corps, il deviendra navet ou carotte. De quelque opinion qu'on soit, personne ne sait où il va en quittant la vie. C'est là le grand, le dernier compte ; aussi personne ne peut répondre de son dernier sentiment, ni de la force de sa tête. Qui peut dire que je ne mourrai pas dans les bras d'un confesseur, et qu'il ne me fera pas faire amende honorable pour le mal que je n'aurai pas fait ? Dire d'où je viens, ce que je suis, où je vais, est au-dessus de mes idées, et pourtant tout cela est. Je suis la montre qui existe et qui ne se connaît pas.

— Soyez franc, la religion vous est surtout apparue comme une nécessité politique ?

— Ma politique était de gouverner les hommes comme le grand nombre voulait l'être... C'est en me faisant catholique que j'ai fini la guerre de Vendée, en me faisant musulman que je me suis établi en Egypte, en me faisant ultramontain que j'ai gagné les esprits en Italie. Si je gouvernais un peuple de juifs, je rétablirais le temple de Salomon.

— Dirons-nous que, pour vous, la religion est une nécessité sociale ?

— Comment avoir de l'ordre dans un Etat sans religion ? La société ne peut exister sans l'inégalité des fortunes et l'inégalité ne peut exister sans la religion. Quand un homme meurt de faim, il lui est impossible d'accéder à cette différence s'il n'y a pas là une autorité qui lui dise : « Dieu le veut aussi, il faut qu'il y ait des pauvres et des riches dans le monde ; mais ensuite, et pendant l'éternité, le partage se fera autrement. » Je ne vois pas dans la religion le mystère de l'Incarnation, mais le mystère de l'ordre social : elle rattache au ciel une idée d'égalité qui empêche que le riche ne soit massacré par le pauvre.

Cette fois, voilà bien du cynisme. En somme, la théorie de la religion opium du peuple a été pour la première fois formulée par Napoléon. Qu'en eût dit un certain Karl Marx ? Mais, d'ailleurs, pourquoi Karl Marx n'aurait-il pas connu ces paroles de Napoléon ?

— Dans votre esprit, la foi semble donc indispensable au peuple ?

— Si vous ôtez la foi au peuple, vous n'avez que des voleurs de grand chemin... Une société sans religion est comme un vaisseau sans boussole.

Ce qu'il a aimé avant toute chose, c'est le talent.

Dans la société qu'il a édifiée, tout doit s'incliner devant ce seul critère. Et il répète :

— Je ne connais d'autres titres que ceux qui sont personnels ; malheur à ceux qui n'ont point de ceux-là ! Les hommes qui m'entouraient avaient acquis les leurs au champ d'honneur ; ils ont donné des preuves de leur intelligence et de leur talent. C'est dans l'esprit que se trouve la vraie noblesse ; hors de là, elle n'est nulle part.

Au long de tout son règne, il a mis comme une sorte de passion à découvrir partout les talents et à se les attacher. N'a-t-il pas dit à Caulaincourt : « Quand j'ai besoin de quelqu'un je n'y regarde pas de si près, je le baiserais au cul. » Impossible de lui résister, quand il avait décidé de convaincre, de plaire. A deux mille kilomètres de Paris, tout pliait devant lui. Même ses défauts le servaient. En société, par exemple, sa conversation était parfois bizarre. Il prononçait un mot pour un autre, accumulait les erreurs. Avec cela, il enchantait. Témoin cette conversation avec Ameilhon, membre de l'Institut :

— Ah ! vous êtes M. Ancillon ?

— Oui, Sire, Ameilhon.

— Ah oui ! Ameilhon. Vous avez continué l'histoire romaine de Lebon ?

— Oui, Sire, de Lebeau...

— Oui, oui, de Lebeau... jusqu'à la prise de Constantinople par les Arabes ?

— Oui, Sire, par les Turcs.

— Sans doute, par les Turcs... en 1449 ?

— Oui, Sire, en 1453.

— En 1453, c'est bien cela.

Ce qui n'empêcha pas Ameilhon, extasié, de répéter : « C'est incroyable, il sait tout, il se souvient de tout, on ne peut rien lui apprendre ! »

Cette fascination s'est aussi exercée à l'égard des femmes. Nous l'avons déjà questionné sur ses deux épouses. Mais il y a eu bien d'autres femmes dans sa vie. Surtout, il sera bien intéressant de le questionner sur les femmes en général. Ses conceptions à leur égard se sont traduites par les articles du Code Napoléon qui ont régi pendant un siècle et demi les rapports entre Français et Françaises. Ici encore, on retrouve l'origine méditerranéenne. Ses idées sur le rôle de la femme lui viennent de Corse. Là-bas, la femme, on la respecte en tant que mère. On la soumet en tant qu'épouse. Rarement a-t-on vu, dans l'Histoire, les conceptions d'un seul individu comporter des conséquences aussi graves, aussi durables. Ce qu'il pense de la femme ?

— La femme est notre propriété : nous ne sommes pas la sienne ; car elle nous donne des enfants et l'homme ne lui en donne pas. Elle est donc sa propriété comme celle de l'arbre fruitier est celle du jardinier.

Puisque la femme est l'arbre fruitier d'un jardinier qui s'appelle l'homme, l'article 213 du Code Napoléon a ordonné avec une grandiose simplicité : « Le mari doit protection à sa femme, la femme obéissance à son mari. » En deux lignes, tout est dit.

— Sire, vous avez établi le règne de l'égalité entre les hommes. Pourquoi n'avez-vous pas établi l'égalité entre les hommes et les femmes ?

— La femme est donnée à l'homme pour qu'elle fasse des enfants. En France, les femmes sont trop considérées ; elles ne doivent pas être regardées comme les égales des hommes. On doit apprendre à la femme qu'en sortant de la tutelle de sa famille, elle passe sous celle de son mari.

— Quelles qualités appréciez-vous donc chez les femmes ?

— La chasteté est pour les femmes ce que la bravoure est pour les hommes : je méprise un lâche et une femme sans pudeur. Une belle femme plaît aux yeux, une bonne femme plaît au cœur, l'une est un bijou, l'autre un trésor.

— Et les femmes qui s'intéressent à la politique ?

— Je n'aime pas les femmes qui se mêlent d'affaires sérieuses, parce qu'alors elles intriguent presque toujours... Les Etats sont perdus lorsque les femmes gouvernent les affaires publiques.

— Je trouve bien sévère votre opinion sur les femmes.

— Pour une qui nous inspire quelque chose de bien, il en est cent qui nous font faire des sottises.

— Vous les jugez presque toutes sans cervelle ?

— Les femmes seules pleurent et se lamentent : les hommes prennent un parti... Ah ! les larmes ! Les femmes n'ont que cette ressource... Les femmes ont deux choses qui leur vont bien : le rouge et les larmes.

— Pourtant de grandes choses sont nées de la conversation féminine.

— Il vaut mieux que les femmes travaillent de l'aiguille que de la langue. Il faut que les femmes tricotent.

— Comment un homme doit-il se comporter selon vous à l'égard des femmes ?

— On ne doit jamais s'emporter contre les femmes. C'est en silence qu'on doit les entendre déraisonner.

— Vous jugez donc que les usages sont trop favorables au sexe féminin ?

— Nous n'y entendons rien, nous autres peuples d'Occident ; nous avons tout gâché en traitant les femmes trop bien. Nous les avons portées, à grand tort, presque à l'égal de nous. Les peuples d'Orient ont bien plus d'esprit et de justesse, ils les ont déclarées la véritable propriété de l'homme...

— Dans cette perspective, quelle doit être la base d'éducation des filles ?

— La religion est une importante affaire dans une institution de demoiselles. Elle est, quoi qu'on en puisse dire, le plus sûr garant pour les mères et les maris. Elevez-nous des croyantes, et non pas des raisonneuses. La faiblesse du cerveau des femmes, la mobilité de leurs idées, leur destination dans l'ordre social, la nécessité d'une constante et perpétuelle résignation et d'une sorte de charité indulgente et facile, tout cela ne peut s'obtenir que par la religion.

— Faudrait-il une nouvelle loi sur le mariage ?

— On ne devrait pas permettre le mariage à des individus qui ne se connaissent pas depuis six mois.

— A partir de quel âge devrait-on envisager le mariage des jeunes gens ?

— Il est à désirer que les hommes ne puissent se marier avant vingt ans, ni les filles avant dix-huit. Sans cela, nous n'aurons pas une bonne race.

— Que pensez-vous de l'adultère ?

— L'adultère n'est pas un phénomène, c'est une affaire de canapé. Il est très commun... Il y a plus de femmes qui outragent leurs maris que de maris qui outragent leurs femmes. Il faut un frein aux femmes qui sont adultères pour des clinquants, des vers, Apollon, les muses, etc.

— Comment jugez-vous le divorce ?

— Il serait fâcheux que le divorce passât dans nos habitudes.

— Quelle définition pouvez-vous donner de l'amour ?

— L'amour est l'occupation de l'homme oisif, la distraction du guerrier, l'écueil du souverain. L'amour est une sottise faite à deux... Je crois en définitive que l'amour fait plus de mal que de bien et que ce serait un bienfait d'une divinité protectrice que de nous en défaire et d'en délivrer les hommes. En amour, la seule victoire, c'est la fuite.

— Vous ne croyez pas à un amour durable ?

— L'amour n'existe pas réellement. C'est un sentiment factice né de la société. Je suis peut-être propre à en juger : je suis très raisonnable, cependant j'ai les nerfs trop sensibles. J'ai pu passer huit jours, quinze jours sans dormir à cause d'une femme, mais ce n'est pas de l'amour. On a beau dire, l'amour ne résiste pas à l'absence.

Quelle que soit la question qui lui est posée, il y répond directement, sans détour, avec une limpidité incomparable. Ces propos parfois à l'emporte-pièce peuvent nous irriter mais jamais laisser indifférents. De la chambre de Joséphine, le jour s'est insensiblement enfui. Il est là, toujours debout, allant de long en large, s'arrêtant brusquement, puis repartant. J'aime que dans ce lieu il ait évoqué les huit jours, les quinze jours où il n'a pas dormi à cause d'une femme. Cela ne lui est arrivé qu'une fois : pour Joséphine. Mais cela lui est arrivé.

Dans la pénombre qui grandit, on l'écouterait parler des heures, des jours et quand bien même on ne partagerait point ses vues. C'est ce qu'ont fait, plus tard, ses compagnons d'exil. Prisonnier, il a soliloqué sur tout. Il n'est pas de sujet qu'il n'ait abordé, et toujours avec une intelligence, une imagination que l'on peut bien dire créatrice.

Au vrai, le plus grand don qu'il ait reçu en partage, c'est l'imagination. Qu'en pensez-vous, Sire ?

— L'imagination gouverne le monde. Le vice de nos institutions modernes est de n'avoir rien qui parle à l'imagination. On ne peut gouverner l'homme que par elle ; sans l'imagination, c'est une brute.

Avant de le quitter, avant d'abandonner à elle-même la grande ombre, une ultime question :

— Sire, quelle est la passion qui a le plus compté pour vous ?

— Je n'ai qu'une passion, qu'une maîtresse, c'est la France.

IX

NAPOLEON

2. — L'homme public

Donc, retrouver Napoléon. L'homme privé s'est expliqué. Celui qui nous attend, c'est l'homme public.

De nouveau, me voici devant lui, l'observant. Parce qu'on l'appelle toujours le « Petit Caporal », je m'attendais à le trouver de taille exiguë : il mesure très exactement 1,68 m. Ce sont ses jambes qui sont courtes. Mais le buste est long. Pourquoi « Petit Caporal » ? Quand ses soldats l'ont baptisé ainsi, il était jeune et d'apparence chétive. Sans doute aussi l'a-t-on jugé par comparaison avec ses généraux, presque tous de belle taille.

Par rapport au corps, la tête m'apparaît assez forte, le teint d'un blanc mat. Cependant qu'il considère le parc de Malmaison, je l'aperçois de profil. Au demeurant un profil de médaille, propre à inspirer les sculpteurs, lesquels ne s'en sont pas privés. Le plus étonnant, c'est que ce profil nous évoque immédiatement autre chose, une autre lignée. Il est classique, ce profil ; surtout, il est latin. Louis Madelin l'a vu, admirablement : « Consul à la figure creusée, ou Empereur à la face grasse, c'est la physionomie de cent des illustres Romains dont les statues et les bustes remplissent les musées. » Un Romain, oui — et lui-même s'est toujours réclamé de cette origine :

◀ *En costume de roi d'Italie. Peinture par Appiani* (Trésor de Vienne).

— Je suis un empereur romain, de la meilleure race des Césars, celle qui fonde.

Cet empereur-là, ce politique, ce stratège, ce philosophe de l'action nous éclairera-t-il sur ce qu'il a fait et ce qu'il a voulu ? Commenter les grandes options de son existence, savoir de lui les raisons qu'il en donne, les comprendre avec lui : est-ce possible ? Essayons.

— Sire, j'aimerais demander à Votre Majesté l'explication de ses choix les plus importants. Ai-je tort de vouloir interroger l'Empereur ?

Il secoue la tête, vivement :

— *Pourquoi* et *comment* sont des questions si utiles qu'on ne saurait trop se les faire.

Me voilà donc encouragé.

— Alors, Sire, où faut-il chercher le véritable début de votre fabuleuse carrière ?

— La prise de Toulon fut un grand événement : il a changé le cours des affaires.

— Celles de l'Etat, certes. Mais les vôtres ?

— Dugommier écrivit au Comité de salut public ces propres mots : « Récompensez et avancez ce jeune homme, car si on était ingrat envers lui, il s'avancerait tout seul... »

Bien lucide, ce Dugommier ! Et je ne puis m'empêcher de penser à cette lettre de Lucien Bonaparte à son frère Joseph datée d'Acciani, canton de Bocognano, Corse : « J'ai toujours démêlé dans Napoléon une ambition pas tout à fait égoïste, mais qui surpasse en lui son amour pour le bien public ; je crois bien que dans un Etat libre c'est un homme dangereux... Il me semble bien penché à être tyran, et je crois qu'il le serait bien qu'il fût roi et que son nom serait pour la postérité un nom d'horreur. » Cette lettre, étonnante, est datée du 24 juin 1792.

— Après Toulon, vous étiez un soldat heureux. Quand vous vint l'ambition de conduire les hommes ?

— Ce n'est que le soir de Lodi que je me suis cru un homme supérieur et que m'est venue l'ambition d'exécuter les grandes choses qui jusque-là occupaient ma pensée comme un rêve fantastique.

— A Campoformio, pour la première fois, vous avez tenu entre les mains le sort de l'Europe.

— Dès lors, j'ai prévu ce que je pourrais devenir. Je voyais déjà le monde fuir sous moi comme si j'étais emporté dans les airs.

— Ce n'est pas en votre nom pourtant que vous étiez appelé à négocier. Vous représentiez le Directoire.

Un geste de la main. Le ton qui, de nouveau, s'élève, se précipite :

— Croyez-vous que ce soit pour faire la grandeur des avocats du Directoire, des Carnot, des Barras, que [j'ai triomphé] en Italie ? Croyez-vous que ce soit aussi pour fonder une république ? Quelle idée ! Une république de trente millions d'hommes ! Avec nos mœurs, nos vices ! Où en est la possibilité ? C'est une chimère dont les Français s'[étaient] engoués.

Voilà de la franchise. Quand on interroge les écrits ou les propos de Napoléon, cette franchise-là s'étale partout, avec une sorte de brutalité. Du cynisme ? Peut-être, mais surtout une évidente volonté de ne se gêner pour rien ni personne.

La seconde grande étape de la carrière de Napoléon, c'est l'Egypte. Il avait voulu y poursuivre l'Angleterre, jusque-là inaccessible dans son île. La frapper dans cette Egypte à quoi elle tenait tant, c'était prendre une revanche sur l'insolente insularité. Politiquement, telle est la raison de l'expédition. Mais il faut voir plus loin. L'Orient, pour Bonaparte, a exercé toujours une véritable fascination. Cet homme qui rêvait en action a vu l'Orient comme un terrain enfin à sa mesure. Pour en être persuadé, il suffit de lancer devant lui le seul mot Orient. Et aussitôt :

— L'Europe est une taupinière. Il n'y a jamais eu de grands empires et de grandes révolutions qu'en Orient, où vivent six cents millions d'hommes.

J'aurais mieux fait de rester en Egypte, je serais à présent empereur de tout l'Orient. (Lithographie de Raffet.)
B.N. estampes.

— Pourtant, votre expédition s'est en définitive révélée un échec.

— Si j'avais été maître de la mer, j'eusse été maître de l'Orient.

— Mais au-delà de l'Egypte, n'étaient-ce pas les Indes que vous entrevoyiez ?

— Si j'avais pris Acre, je serais allé aux Indes.

— A vous entendre, on se convainc aisément que le mirage oriental continue à vous fasciner.

— J'aurais mieux fait de rester en Egypte, je serais à présent empereur de tout l'Orient.

Au-delà des fenêtres de Malmaison, de nouveau le regard s'est porté au loin. Il rêve. Il refait le monde, comme il aurait voulu que le monde se pliât à son imagination :

— J'aurais eu autant de dromadaires qu'il m'eût fallu. Mes malades, mes munitions auraient été placés sur ces animaux. Je n'aurais eu de voitures que pour les canons. J'aurais tout rallié avant d'entrer sur les terres habitées. Je serais ainsi arrivé sur l'Indus et aurais détruit la puissance des Anglais. Il y a environ mille lieues ; j'aurais fait une grande halte sur l'Euphrate et d'autres, selon les circonstances.

— Les Anglais avaient cent soixante mille hommes dans les Indes.

— Je me serais allié tout de suite avec les Mahrattes, qui auraient donné une excellente cavalerie ; d'ailleurs les cipayes sont indiens et les Anglais redoutaient fort mon entreprise. Mais ils verront plus tard ce qui leur arrivera des Russes ! Ceux-ci n'ont pas beaucoup de chemin pour parvenir aux Indes... La Russie est la puissance qui marche le plus sûrement et à plus grands pas vers la domination universelle.

Il faut quitter les Indes — où il n'est jamais allé. Il faut revenir en Europe — comme il y est revenu. Quand il a lu en Egypte les journaux venus de France, il a pris sa décision. Il s'est embarqué sur le *Muiron* avec un seul but, renverser le Directoire. Nouvelle étape qui stupéfie : il regagne la France avec une poignée de fidèles, ayant quitté l'Egypte sans être victorieux. Et pourtant, c'est lui que la France attend. Et il va s'emparer de cette France, sans une hésitation, avec la certitude tranquille que l'Histoire est faite pour basculer entre ses bras.

— Sire, on vous a reproché souvent le 18-Brumaire. On vous le reproche encore.

— On a discuté métaphysiquement et l'on discutera plus longtemps encore si nous ne violâmes pas les lois, si nous ne fûmes pas criminels... Autant vaudrait accuser de dégât le marin qui coupe ses mâts pour ne pas sombrer. Le fait est que la patrie sans nous était perdue et que nous la sauvâmes... Celui qui sauve sa patrie ne viole aucune loi.

— Quelle était la situation de la France à la veille du coup d'Etat ?

— Le gouvernement du Directoire n'était plus possible, tous les partis le disaient hautement, et le 18-Brumaire, qu'il fût fait par moi, par un Moreau, ou par

Une chance insolente : il échappe à l'attentat de la rue Saint-Nicaise (ici), comme à tous ceux qui furent tentés contre lui (B.N. estampes).

un Joubert, ne pouvait être qu'une phase de plus et la dernière de l'ère républicaine.

Ce n'est pas mal jugé, même s'il s'agit d'un plaidoyer *pro domo.* La nature a horreur du vide. Le Directoire a tant fait qu'il est devenu le vide. Beaucoup de bons esprits le savaient et attendaient une épée. Pour eux, n'importe quel général ferait l'affaire. Leur erreur a été de choisir l'épée de Bonaparte. Ils auraient dû prévoir qu'une fois le pouvoir conquis il ne l'abandonnerait plus à aucun autre. De fait, l'époque qui commence, celle du Consulat, est sans doute la plus belle de l'histoire de Napoléon. Brûlant de réconcilier les Français, il disait : « Mon gouvernement est celui de la jeunesse et de l'esprit. » Et c'était vrai. Sous sa volonté puissante, la France se remodelait, elle redevenait orgueilleuse d'elle-même. Toute l'armature nouvelle d'un grand Etat moderne était mise en place.

— Sire, de quelle œuvre le Premier consul est-il le plus fier ?

— Ma gloire n'est pas d'avoir gagné quarante batailles... Ce que rien n'effacera, ce qui vivra éternellement, c'est mon code civil. Mon seul code, par sa simplicité, a fait plus de bien à la France que la masse de toutes les lois qui l'ont précédé. J'ai semé la liberté à pleines mains partout où j'ai implanté mon code civil.

— En même temps, vous avez voulu réconcilier les Français avec l'Eglise de Rome.

— L'époque du Concordat et les moments qui suivirent furent les plus heureux de ma vie. J'avais réconcilié la France avec le Saint-Siège et réglé les rapports avec lui d'une manière que je trouvais convenable... Le Concordat de 1801 était nécessaire à la religion, à la république, au gouvernement.

— La paix d'Amiens apporta de grands espoirs aux Français ?

— A Amiens je croyais de très bonne foi le sort de la France et le mien fixés.

— A cette même époque, vous avez créé la Légion d'honneur.

— C'est par des hochets qu'on mène les hommes...

— Très vite, les complots royalistes recommencèrent. Vous avez dû vous défendre. Cadoudal fut exécuté.

— Son exécution n'inspira point de regrets, parce que l'assassinat, pour quelque cause que ce soit, sera toujours odieux à des Français... Georges était une bête féroce, couverte de crimes ; il fallait en purger la société.

— Plus grave fut pour vous l'affaire du duc d'Enghien.

— La mort du duc d'Enghien doit être attribuée aux personnes qui dirigeaient et commandaient, de Londres, l'assassinat du Premier consul.

— Est-ce donc que vous vous sentiez en état de légitime défense ?

— Si je n'avais pas eu pour moi contre le duc d'Enghien les lois du pays, il me serait resté les droits de la loi naturelle, ceux de la légitime défense. Lui et les siens n'avaient d'autre but journalier que de m'ôter la vie... Je m'en lassai, je saisis l'occasion de leur renvoyer la terreur jusque dans Londres, et cela me réussit. A compter de ce jour, les exécutions cessèrent... Quel est l'homme de sang-froid qui oserait me condamner ? De quel côté irait-il jeter le blâme, l'odieux, le crime ? Le sang appelle le sang... Il faudrait être niais ou insensé pour croire, après tout, qu'une famille aurait l'étrange privilège d'attaquer journellement mon existence sans me donner le droit de le lui rendre... Ces gens-là voulaient mettre le désordre dans la France et tuer la Révolution dans une personne. J'ai dû la défendre et la venger. J'ai montré ce dont elle était capable. Le duc d'Enghien conspirait comme un autre.

Jusqu'au bout, il a revendiqué l'exécution du duc d'Enghien comme un acte nécessaire. Il ne s'en est jamais excusé. Il ne l'a jamais regretté. A son lit de mort, il dira encore hautement qu'il a eu raison et que, si c'était à refaire, il le referait. Il n'en est pas moins vrai que cette exécution lui a ouvert le chemin du trône. Un acte de justice ? Avant tout un acte politique. L'idée était de Talleyrand. Le personnel de la Révolution voulait qu'il fût impossible de revenir en arrière. En faisant mourir un Bourbon, Bonaparte les rejoignait.

— L'exécution du duc d'Enghien a conduit le Sénat à vous offrir la couronne.

— Il y a des orages qui servent à affermir les racines d'un gouvernement.

Et ce gouvernement fut l'Empire. Nous voici obligés de nous poser l'interrogation décisive. L'homme du Consulat était grand. Cette grandeur venait de lui-même, de son seul génie. Avait-il besoin d'un sceptre, d'une couronne ? On se souvient de Beethoven rayant le nom de Bonaparte sur sa partition le jour où il a su que le maître de la France se faisait empereur. Pour le compositeur, cette décision, loin de grandir le héros, en faisait un homme ordinaire.

Le Premier consul. Peinture par Gros. ▶

— Pourquoi, Sire, vous être fait empereur ?

— Croyez-vous que, tous ces changements, je les ai faits pour moi, que je tienne à un titre, que je n'en apprécie pas la véritable valeur ? Je ne les ai pris que pour rentrer en Europe.

Rentrer en Europe. Sous cet angle, tout à coup, la décision prend un autre sens. La forme républicaine du gouvernement consulaire isolait la nation dans une Europe monarchique. Traiter d'égal à égal était impossible. Napoléon l'avait parfaitement compris. D'où l'avènement de l'Empire ; d'où, aussi, l'onction sainte que l'Empereur a demandée au pape.

— Vous avez été traité d'usurpateur.

— Je n'ai point usurpé la couronne ! Je l'ai relevée dans le ruisseau. Le peuple l'a mise sur ma tête... Je suis monté sur un trône que j'ai recréé ; je ne suis pas entré dans l'héritage d'un autre.

— Aujourd'hui, estimez-vous que vous avez réussi à intégrer le nouveau régime à la France ?

— La postérité ne saura jamais combien il était difficile de faire une monarchie avec les éléments que j'avais entre les mains... Il fallait un bras comme le mien, un homme qui connût, comme moi, les Français, pour avoir pu opérer ce qui est déjà fait.

— Avant même la fondation de l'Empire, vous prépariez le camp de Boulogne. En 1805, seul le caprice des vents empêcha l'invasion de l'Angleterre.

— La descente en Angleterre a toujours été regardée comme possible, et la descente une fois opérée, la prise de Londres était immanquable... On a pu en rire à Paris, mais Pitt n'en riait pas dans Londres... Jamais l'oligarchie anglaise ne connut de plus grand péril. Quatre jours m'eussent suffi pour me trouver dans Londres, je n'y serais pas entré en conquérant mais en libérateur.

— Que serait-il advenu de l'Angleterre si les Français l'avaient ainsi mise à genoux ?

— Avec ma France, l'Angleterre devait naturellement finir par n'en être plus qu'un appendice. La nature l'avait faite une de nos îles aussi bien que celle d'Oléron

« *Pour rentrer en Europe* » : *le trône impérial* (Musée de *Malmaison*).

ou de la Corse... A quoi tiennent les destinées des empires ! Que nos révolutions sont petites et insignifiantes devant l'organisation de l'univers ! Si, au lieu de l'expédition d'Egypte, j'eusse fait celle d'Irlande, si de légers dérangements n'avaient mis obstacle à mon entreprise de Boulogne, que pouvait être l'Angleterre d'aujourd'hui ?

— L'Angleterre a-t-elle toujours été votre principale ennemie ?

— C'est l'Angleterre qui m'a poussé, forcé à tout ce que j'ai fait. Si elle n'avait pas rompu le traité d'Amiens, si elle avait fait la paix après Austerlitz, après Iéna, je serais resté tranquille chez moi... Si l'Angleterre avait voulu, j'aurais vécu en paix. C'est dans son intérêt seul qu'elle a continué la lutte, qu'elle a rejeté la paix... Sans les Anglais, j'aurais été empereur d'Orient. Mais partout où il y a assez d'eau pour faire flotter un navire, on est sûr de les trouver en travers.

Voilà cette fois une contradiction. Et de taille. Si on l'en croit, sans les Anglais qui l'ont forcé à faire la guerre, il serait resté chez lui. Mais, d'autre part, ce sont les mêmes Anglais qui l'ont empêché d'être empereur d'Orient. Où est la vérité ? Certes, les Anglais, fidèles à eux-mêmes, ne pouvaient tolérer une France aussi forte en Europe. Leur volonté de venir à bout de Napoléon est évidente. Mais l'ambition du même Napoléon ne l'est pas moins. Les deux raisons, les deux explications s'étayent l'une l'autre pour expliquer la suite.

— Dès 1805, vous avez porté la guerre sur le continent.

— Ce n'est pas moi qui ai été chercher l'Autriche quand, craignant pour le sort de l'Angleterre, elle m'a forcé de quitter Boulogne pour donner la bataille d'Austerlitz. Ce n'est pas moi qui ai été menacer la Prusse, quand elle m'a forcé d'aller la détrôner à Iéna...

— A Tilsitt, vous avez été très dur pour le roi de Prusse.

— J'ai hésité un moment si je ne déclarerais pas que la maison de Brandebourg avait cessé de régner. Mais j'avais si mal traité la Prusse qu'il fallait la consoler. Puis Alexandre prenait un tel intérêt au sort de cette famille que j'ai cédé à ses sollicitations. J'ai fait une grande faute...

Il vient de parler de Tilsitt. Là, sur un radeau, les deux empereurs de France et de Russie s'étaient réunis. Là, comme d'autres plus tard à Yalta, ils s'étaient partagé le monde. Extraordinaire rencontre de deux hommes que tout en apparence éloignait et qui se découvraient amis. La France et la Russie alliées, rien ne devenait impossible pour le Corse. On songe à l'ivresse

Il reçoit les clefs de Vienne (B.N. estampes).

A Tilsitt, avec Alexandre Ier de Russie et la reine de Prusse.
Peinture par Gosse. (Musée de Versailles) Photo Musées nationaux.

de grandeur, d'absolu, qui a dû traverser son âme.

— Sire, à quelle époque avez-vous connu votre plus grand bonheur ?

— Peut-être que c'est à Tilsitt.

Tilsitt, c'est l'apothéose. De là, Napoléon a cru que plus rien ne lui était interdit. Alors, par une fatalité où l'on est libre de découvrir le poids du destin, il s'est élancé dans l'erreur.

— Quelle fut votre première grande faute ?

— La plus grande faute que j'aie faite est l'expédition d'Espagne. Cette malheureuse guerre m'a perdu. Toutes les circonstances de mes désastres viennent se rattacher à ce nœud fatal. Elle a compliqué mes embarras, divisé mes forces, ouvert une aile aux soldats anglais, détruit ma moralité en Europe.

— Comment la guerre s'engagea-t-elle ?

— Les affaires d'Espagne n'ont tenu qu'à un enchaînement de circonstances que l'on n'a pas pu prévoir. Nul calcul humain n'a pu être fait sur l'excès de bêtise et de faiblesse que j'ai trouvé dans Charles IV, ni sur la coupable ambition et la duplicité de Ferdinand, qui est aussi méchant que méprisable... Pouvait-on prévoir que Murat ne ferait que des sottises et Dupont une lâcheté ?... C'est la capitulation de Baylen qui a tout perdu.

— Personne n'a tenté de vous détourner de cette affaire ?

— Talleyrand a dit, pendant mon absence, qu'il s'était mis à genoux pour empêcher l'affaire d'Espagne, et il me tourmentait depuis deux ans pour l'entreprendre ! Il me soutenait qu'il ne me faudrait que vingt mille hommes : il m'a donné vingt mémoires pour le prouver. C'est la même conduite que pour l'affaire du duc d'Enghien...

— En faisant enlever le pape du Quirinal, en 1809, Votre Majesté n'a-t-elle pas commis une autre grande erreur ?

— Je compris tout d'abord les embarras qui allaient

naître pour moi, et mon premier mouvement fut l'ordre de ramener le pape au Vatican. Mais tous les rêves du général Bonaparte, tous les projets de l'Empereur sur l'Italie recevaient de l'enlèvement du pape la possibilité d'être réalisés...

— Que serait-il advenu du pape si vous étiez revenu victorieux de Russie ?

— En 1813, sans les événements de Russie, le pape eût été évêque de Rome et de Paris et logé à l'archevêché. Le Sacré Collège, les archives eussent été placés autour de Notre-Dame et dans l'île Saint-Louis ; Rome eût été transportée dans l'ancienne Lutèce.

J'en viens maintenant à une autre étape : le mariage avec l'archiduchesse Marie-Louise. En apparence, on découvre ici une autre marche de son élévation. Lui, le fils du petit avocat corse, convoler avec la fille des Césars ! Le mariage avec l'héritière de l'une des plus fières familles régnantes d'Europe, n'était-ce pas la reconnaissance définitive de son pouvoir et de sa dynastie ? Un succès en forme de triomphe, oui, en apparence. Mais n'était-ce pas plutôt une nouvelle erreur ? Qu'en pense Napoléon ?

— Le mariage avec Marie-Louise est ma plus grosse faute. Je devais épouser une Russe. Primo, je n'eusse pas fait la guerre à la Russie. Secundo, le mariage avec une Autrichienne était contre mon système... J'ai commis là une faute impardonnable. En épousant une archiduchesse, j'ai voulu voir le présent et le passé, les préjugés gothiques et les institutions de mon siècle. Je me suis trompé. Je sens toute l'étendue de mon erreur.

— On vous a reproché d'avoir, après votre second mariage, un peu négligé les affaires.

— Il m'arrivait une femme jeune, jolie, agréable. Ne m'était-il pas permis d'en témoigner de la joie ? Ne pouvais-je donc, sans encourir le blâme, lui consacrer quelques instants ? Ne m'était-il pas permis, à moi aussi, de me livrer quelques instants au bonheur ?

— Lors de la naissance du roi de Rome, l'Empire

comprenait cent trente départements. N'était-il pas démesuré ?

— Mon fils devait être l'homme des idées nouvelles et de la cause que j'avais fait triompher partout [...], réunir l'Europe dans des liens fédératifs indissolubles.

— Ainsi, maître du grand empire, vous vouliez unir l'Europe ?

— Je voulais préparer la fusion des grands intérêts européens, ainsi que j'avais opéré celle des partis au milieu de nous. J'ambitionnais d'arbitrer un jour la grande cause des peuples et des rois.

— Est-ce donc que vous vouliez effacer les frontières ?

— Un nouvel horizon, de nouveaux travaux allaient se dérouler tout pleins du bien-être et de la prospérité de tous. Le système européen se trouvant fondé, il n'était plus question que de l'organiser... L'Europe n'eût bientôt fait qu'un même peuple et chacun, en voyageant partout, se fût trouvé toujours dans la patrie commune.

— Mais sur quelles bases, cette Europe ?

— Pourquoi mon code Napoléon n'eût-il pas servi de base à un code européen et mon Université impériale à une Université européenne ?

— Tout cela, Sire, est resté un rêve.

— Je travaillais pour arriver à un plan, j'avais demandé vingt ans, la destinée ne m'en a donné que treize.

Je me tais, impressionné. Treize ans en effet. Treize ans seulement. L'homme et son règne ont suscité des milliers d'ouvrages. De tous les Français qui ont fait notre histoire, il est assurément celui qui nous retient le plus. Celui dont l'aventure captive le plus pleinement l'esprit, qui que nous soyons, d'où que nous venions. Et tout cela n'a duré que treize ans ! Au bout de la route, ce qu'il a rencontré, c'est encore le destin.

— Que de fatalités se sont accumulées contre moi sur la fin de ma carrière ! Mon malheureux mariage, les perfidies qui en ont été la suite ; ce chancre de l'Espagne sur lequel il n'y avait pas à revenir, cette funeste guerre de Russie qui m'est arrivée par malentendu ; cette effroyable rigueur des éléments qui a dévoré toute une armée... et puis l'univers entier contre moi.

— Le début de vos désastres est venu d'une nouvelle erreur : votre retraite de Russie.

— Tout a mal tourné parce que je suis resté trop longtemps à Moscou. Si j'en étais parti quatre jours après l'avoir occupé, comme j'en ai eu l'idée après avoir vu l'incendie, la Russie était perdue. L'empereur Alexandre eût été trop heureux de recevoir la paix que je lui aurais alors généreusement offerte de Vitebsk.

— A quel moment avez-vous eu la sensation que votre étoile avait pâli ?

— Dès 1813, je voyais clairement arriver l'heure décisive. L'étoile pâlissait, je sentais les rênes m'échapper et je n'y pouvais rien. Un coup de tonnerre pouvait seul nous trouver.

— Alors, avez-vous souhaité la mort ?

— Voyez ce que c'est que la destinée. Au combat d'Arcis-sur-Aube, j'ai fait tout ce que j'ai pu pour trouver une mort glorieuse en disputant pied à pied le sol de la patrie... Les balles pleuvaient autour de moi, mes habits en étaient criblés et aucune n'a pu m'atteindre.

— Ce fut le temps où vos maréchaux vous ont abandonné.

— Je les avais gorgés de trop d'honneurs et de trop de richesses. Ils avaient bu la coupe de puissance et désormais ils ne demandaient que du repos... Ils eussent voulu être des maréchaux de Louis XV.

— Sur le chemin de l'île d'Elbe, la populace a failli vous écharper. Aujourd'hui, qu'en pensez-vous ?

— Je suis un homme qu'on tue, mais qu'on n'outrage pas.

— Dix mois plus tard, l'aigle a volé de clocher en clocher jusqu'aux tours de Notre-Dame.

— Je suis venu avec six cents hommes en France

parce que je comptais sur l'amour du peuple et sur les souvenirs des vieux soldats. Je n'ai pas été trompé dans mon attente.

— Qu'avez-vous éprouvé quand vous avez retrouvé le pouvoir ?

Il prend un temps pour me répondre. Il recueille ses pensées. Assurément, c'est un flot de souvenirs qui l'assaille. Enfin :

— Je sentais la fortune m'abandonner. Je n'avais plus en moi le sentiment du succès définitif.

— Et les Alliés ont réuni de nouveau contre vous leur armée.

— Il eût été plus sage de me laisser après l'île d'Elbe et le champ de Mai. Je n'étais plus dangereux pour l'Europe. Il y avait dix ans de paix assurés.

— Lorsque vous êtes parti pour les plaines de Belgique, aviez-vous confiance dans l'issue de la bataille ?

— J'étais trop sûr de la gagner. Quand je me suis senti cent mille hommes entre les mains, je ne doutai plus du succès.

— Et pourtant, à plusieurs reprises, au cours de la campagne, le sort a paru hésiter.

— Singulière campagne où, dans moins d'une semaine, j'ai vu trois fois s'échapper de mes mains le triomphe assuré de la France et la fixation de ses destinées. Sans la désertion d'un traître, j'anéantissais l'ennemi en suivant la campagne. Je les écrasais à Ligny si ma gauche avait fait son devoir. Je les écrasais à Waterloo si ma droite ne m'eût pas manqué.

Il s'est tu et je médite sur ce qu'il vient de dire. Singulier personnage, en vérité, pétri de tant de grandeur et parfois d'une petitesse qui touche à la mesquinerie. Pourquoi rejeter sur d'autres sa défaite de Waterloo ? Ce jour-là, il a été inférieur à lui-même, voilà tout. Le stratège génial de naguère s'est révélé médiocre. Ses ennemis ont mieux manœuvré que lui, parce qu'ils avaient appris à son contact l'art de la guerre. Comme on aimerait plutôt l'entendre dire : J'ai perdu parce que j'ai mal conduit ma bataille. Mais peut-on attendre d'un homme, fût-il hors de la mesure commune, qu'il soit toujours égal à sa gloire ? Il reste que Waterloo a tout décidé. Il en est d'accord.

— Après Waterloo, je ne pouvais plus me soutenir, mais je pouvais capituler et mettre mon fils sur le trône. La seule manière d'y réussir était de rester à la tête de mon armée. Même après l'échec de Waterloo, la position de la France eût pu être fort respectable si les Chambres m'avaient secondé. Certainement j'aurais pu traiter.

— L'un des principaux responsables de votre éviction n'est-il pas Fouché ?

— L'intrigue était aussi nécessaire à Fouché que la nourriture : il intriguait en tous temps, en tous lieux, de toutes manières et avec tous... Si j'eusse été vainqueur, il m'eût été fidèle... A mon retour de Waterloo, j'étais d'avis de faire couper le cou à Fouché... Le roi aurait pu le faire pendre.

Que reste-t-il de cette vie racontée par lui-même ? D'abord une méditation sur le destin. Et puis, finalement, comme l'a bien vu Jules Romains, une chance presque continue, insolente. Il en a usé, et sûrement abusé. Le jour où elle lui a manqué — et surtout le jour où il en a eu conscience — il était perdu. Alors, on en vient fatalement à une question :

— Rien ne vous a jamais paru impossible ?

— L'impossible est le fantôme des timides ou le refuge des poltrons.

— Vous avez toujours cru à votre destinée. Vous-même l'avez dit. Mais quelle place lui avez-vous donnée dans votre vie ?

— Toute ma vie j'ai tout sacrifié, tranquillité, intérêt, bonheur, à ma destinée.

— Reconnaissez que vous avez adoré gouverner.

— Ma maîtresse, c'est le pouvoir.

— C'est un aveu ?

— J'aime le pouvoir, moi, mais c'est en artiste que je l'aime... Je l'aime comme un musicien aime son violon.

— Vous avez toujours voulu que tout pliât devant vous, à commencer par les hommes.

— Aux yeux des fondateurs d'empire, les hommes ne sont pas des hommes mais des instruments.

— Avec un tel précepte, on peut aller loin...

— Pour gouverner, il faut être militaire : on ne gouverne qu'avec des éperons et des bottes.

— Vous savez que cela s'appelle du despotisme.

— Si l'on me reproche mon despotisme, c'est qu'on ne comprend pas qu'il était une nécessité de la grandeur française lorsque je l'établissais, au prix de cent victoires, sur les débris d'un ordre de choses que la Révolution française avait renversé, mais non pas détruit de sorte que sa résurrection fût impossible.

— Et le peuple, dans tout cela ?

— Je suis sorti des rangs du peuple, aucun des actes de ma vie n'a trahi mon origine, aucun des intérêts du peuple n'a été méconnu par mes actes comme empereur. On ne fait de grandes choses en France qu'en s'appuyant sur les masses.

— Reconnaissez qu'un pouvoir faible vous est incompréhensible.

— La faiblesse du pouvoir suprême est la plus affreuse calamité des peuples... L'on ne gouverne qu'avec et par la force.

— Vous dites qu'il faut s'appuyer sur les masses. Or les masses font l'opinion publique. Que pensez-vous de cette opinion ?

— L'opinion publique est une catin.

— Vous êtes en contradiction avec vous-même.

— Nous sommes faits pour diriger l'opinion publique et non pour la discuter.

— Est-ce pour cela que vous avez étroitement surveillé la presse ?

— La liberté illimitée des journaux rétablirait bien vite l'anarchie dans un pays où tous les éléments en sont encore existants... En France, où la nation est dotée d'une conception prompte, d'une imagination vive et susceptible d'impressions fortes, la liberté indéfinie de la presse aurait de funestes résultats.

— Ne respectez-vous donc que la force ?

— Il n'y a que deux puissances dans le monde, le sabre et l'esprit. J'entends par esprit les institutions civiles et religieuses. A la longue, le sabre est toujours battu par l'esprit.

Il me semble que l'Empereur oublie une troisième puissance : l'argent. Au fait, que pense-t-il de la richesse, de l'argent ? Questionnons-le là-dessus, ce peut être intéressant.

— Il y a en général, répond-il, une présomption défavorable à ceux qui manient l'argent. On ne peut faire un titre de la richesse. Je veux qu'il y ait des riches, car c'est l'unique moyen d'assurer l'existence des pauvres, mais je ne vois pas de titre à la considération dans la richesse, ni à une distinction politique... La richesse est en premier lieu le fruit du vol, la rapine. Qu'est-ce qui est le plus riche ? L'acquéreur de domaines nationaux, le financier ; le financier, c'est-à-dire le voleur. Comment fonder sur la richesse ainsi acquise une notabilité ?

Il est vrai que, pendant quinze ans, l'Empereur a lutté contre le pouvoir de la finance. Sous son règne, une nouvelle aristocratie — je ne parle pas de la noblesse impériale — s'est formée, celle de l'argent. Jamais Napoléon ne lui a accordé son estime.

— Un des plus grands pas que je fis faire à la société fut de faire rentrer tout le faux lustre des hommes d'argent et des finances dans la foule. Jamais je n'en voulus élever aucun aux honneurs ; de toutes les aristocraties, celle de l'argent me semblait la pire. Les hommes sont toujours les mêmes. Depuis les pharaons, les financiers se sont toujours conduits ainsi, mais à aucune époque de la monarchie on n'en a usé de même à leur égard, à aucune époque ils n'ont été attaqués avec des formes aussi légales, ni abordés avec autant d'énergie et de franchise que par moi.

Si on entend bien tout ce qu'il dit, quel mépris des hommes discerne-t-on à travers tous ses propos ! Etrange paradoxe : ce dictateur sans illusions a été aussi le plus populaire des souverains.

— Votre popularité a dépassé celle de tout autre. A quoi l'attribuez-vous ?

— Il y a deux leviers pour remuer les hommes : la crainte et l'intérêt.

— Est-ce donc que vous ignorez les scrupules ?

— Je suis tantôt renard, tantôt lion...

— Cependant, vous arrive-t-il d'écouter les avis d'autrui ?

— J'écoute tout le monde mais ma tête est mon seul conseil.

— Sur quels principes avez-vous choisi votre entourage ?

— Le plus difficile n'est pas de choisir les hommes, mais une fois qu'on les a choisis, de leur faire rendre tout ce qu'ils peuvent donner... Ne pas laisser vieillir les hommes est le grand art du gouvernement.

— Estimez-vous que la France, sous votre règne, ait été riche en hommes d'Etat ?

— Il y a en général bien peu d'hommes d'Etat. J'ai sûrement eu les ministres les plus capables d'Europe, mais on s'apercevrait cependant bientôt combien ils sont en dessous de l'opinion qu'on en a, si je n'imprimais pas plus le mouvement de ces rouages.

— En définitive, la politique, pour vous, qu'est-ce que c'est ?

— La haute politique n'est que le bon sens appliqué aux grandes choses... En politique, il ne faut jamais reculer, ne jamais revenir sur ses pas, se bien garder de convenir d'une erreur... Lorsqu'on s'est trompé, il faut persévérer, cela donne raison.

J'aimerais lui dire qu'à force de persévérer dans l'erreur on finit vaincu. Comme lui. Mais à quoi bon ? Une nouvelle question me traverse l'esprit. Après le mariage avec Marie-Louise, après la naissance du roi de Rome, il a paru davantage attaché à la dynastie qu'il avait fondée, à la dignité impériale qu'il avait endossée.

— Sire, qu'est pour vous le trône ?

— Le trône n'est rien que quatre morceaux de bois couverts d'un morceau de velours.

Là, reconnaissons-le, il reste fidèle à lui-même.

Ainsi a-t-il parlé de sa vie et du pouvoir. Mais l'un et l'autre n'eussent point existé sans son génie militaire. Les fondateurs d'empire sont des soldats heureux, on le sait depuis toujours. Aujourd'hui, que pense-t-il de la guerre ? Je l'interroge et il hausse les épaules :

— La guerre est un singulier art, je vous assure que j'ai livré soixante batailles, eh bien, je n'ai rien appris que je ne susse dès la première.

— A votre avis, qu'est-ce alors que le génie militaire ?

— La science militaire consiste à bien calculer toutes les chances d'abord, et ensuite à faire exactement, presque mathématiquement, la part du hasard. C'est sur ce point qu'il ne faut pas se tromper, et qu'une décimale de plus ou de moins peut tout changer. Or ce partage de la science et du travail ne peut se caser que dans une tête de génie.

— Dans quel état d'esprit êtes-vous quand vous préparez le plan d'une bataille ?

— Il n'y a pas un homme plus pusillanime que moi quand je fais un plan militaire... Je suis dans une agitation tout à fait pénible... Je suis comme une fille qui accouche. Et quand ma résolution est prise, tout est oublié, hors ce qui peut la faire réussir.

— Dans l'action, un bon stratège ne doit-il penser qu'au but à atteindre ?

— La première qualité d'un général en chef est d'avoir une tête froide.

— Doit-il réprimer toute sensibilité ?

— Celui qui ne voit pas d'un œil sec un champ de bataille fait tuer bien des hommes inutilement.

— Vous avez conduit à la mort des milliers de soldats.

— J'ai grandi sur les champs de bataille et j'ai appris à mépriser la vie des autres et la mienne. Un homme comme moi se fout de la vie d'un million d'hommes.

— Comment expliquez-vous alors que vous ayez été si aimé de vos soldats ?

— Mes soldats étaient fort à leur aise, très libres avec moi, j'en ai vu souvent me tutoyer.

— Que pensez-vous de la conscription ?

— La conscription est la loi la plus affreuse et la plus détestable pour les familles, mais elle fait la sûreté de l'Etat.

— Ne reconnaîtrez-vous pas que la guerre a été pour vous un principe de gouvernement ?

— La guerre a été dans mes mains l'antidote de l'anarchie.

— Avouez qu'elle vous a été chère...

— J'ai trop aimé la guerre.

A son lit de mort, le Roi-Soleil, recevant son arrière-petit-fils, disait aussi : « J'ai trop aimé la guerre... » Pour l'un comme pour l'autre, il s'agissait plus d'un bilan que d'un remords. Mais de tels types d'homme peuvent-ils éprouver des remords ?

— Quelle leçon tirez-vous de votre défaite finale ?

— Quel malheur que ma chute ! J'avais refermé l'outre des vents, les baïonnettes ennemies l'ont déchirée. Je pouvais marcher paisiblement à la régénération universelle ! Elle ne s'exécutera désormais qu'au travers des tempêtes.

En 1791, le jeune Napoléon Bonaparte définissait les hommes de génie comme « des météores destinés à brûler pour éclairer leur siècle ». Maintenant que sa carrière est achevée, comment ne pas songer à une telle définition, si frappante, où l'on peut voir une singulière prescience ? Je la lui rappelle. Il rêve, un instant. Puis :

— Les malheurs ont aussi leur héroïsme et leur gloire... L'adversité manquait à ma carrière... Si je fusse mort sur le trône, je serais demeuré un problème pour bien des gens. Aujourd'hui, grâce au malheur, on pourra me juger à nu...

— Il est vrai que l'on parlera de vous, que l'on discutera sur vous, éternellement.

— Mieux vaudrait ne pas avoir vécu que de ne pas laisser de trace de son existence.

— Alors, quelle trace, selon vous, demeurera de votre œuvre ?

— J'ai refermé le gouffre anarchique et débrouillé le chaos. J'ai dessouillé la Révolution, ennobli les peuples et raffermi les rois. J'ai excité toutes les émulations, récompensé tous les mérites et reculé les limites de la gloire. Tout cela est bien quelque chose.

Un silence. On dirait qu'il cherche une formule pour résumer mieux encore son existence. Et puis :

— Quel roman, pourtant, que ma vie !

— Que pensez-vous que les siècles à venir diront de vous ?

— On aura beau retrancher, supprimer, mutiler, il sera difficile de me faire disparaître tout à fait. Un historien sera bien obligé d'aborder l'Empire et, s'il a du cœur, il faudra bien qu'il me restitue quelque chose, et sa tâche sera aisée, car les faits parlent, ils brillent comme le soleil...

Un silence, encore. C'est beaucoup demander à un homme, non seulement de se juger lui-même, mais d'imaginer comment les autres le jugeront. C'est vouloir que se réveille tout un monde d'impressions, de souvenirs. Il sort de sa songerie et il me dit ceci, qui, tout à coup, me le rend très proche, très accessible, en un mot plus humain :

— L'avenir apprendra s'il n'eût pas mieux valu pour le repos de la terre que ni Rousseau ni moi n'eussions vécu...

X

CHATEAUBRIAND

Au n° 112 de la rue du Bac, un rez-de-chaussée qui donne sur le jardin des Missions étrangères. Une simplicité proche de l'austérité. Ici pourtant demeure un homme qui côtoya tous les grands de son temps, qui habita les palais des ministères et les hôtels des ambassades. Adieu, les salons et les plafonds dorés. Ici, quelques pièces presque exiguës. J'entre dans une petite chambre, la sienne. J'y vois un lit de fer, une table encombrée de papiers et de livres. Plus loin, près du feu, une autre table, petite celle-là, flanquée d'une chaise de paille. Voici encore une caisse de bois blanc à serrure cassée. Au mur, une effigie de la Vierge, d'après Mignard, du buis béni, un crucifix. La chambre d'un ermite ? Non. Celle de M. de Chateaubriand. Celle de l'homme qui m'attend, debout dans sa courte redingote bleue de roi, avec des guêtres, une fleur à la boutonnière : cela, c'est sa tenue de sortie. Quand il est seul dans cette chambre, pour travailler, il se contente de pantoufles et d'une vieille redingote usagée.

Ainsi, c'est là peut-être le plus admirable prosateur de tous les temps, l'homme qui a pétri le style français comme d'autres la glaise. Il a vieilli depuis le portrait de Girodet. En ce temps-là, la tête déjà s'enfonçait dans les épaules, mais elle s'environnait d'une broussaille de cheveux sombres, le regard se portait au loin, vers des éternités. Il glissait sa main droite dans son habit, comme, à la même époque, ce Napoléon qu'il sut

◀ *Napoléon en visitant le Salon regarda ce portrait et dit : « Il a l'air d'un conspirateur qui descend par la cheminée. » (Portrait par Girodet. Musée de Saint-Malo.)* Photo Bibl. nat.

haïr et admirer avec la même passion. Quand l'Empereur avait vu ce portrait, d'ailleurs, il avait dit : « Il a l'air d'un conspirateur qui descend par la cheminée. » Celui qui est devant moi n'a plus l'air d'un conspirateur. Davantage, la tête s'incline vers l'avant. Les cheveux sont devenus blancs et rares, le front est dénudé. La bouche s'accuse, comme un trait d'amertume. Le regard flamboyant est plus fixe — mais combien il est resté vif ! Le Chateaubriand que j'ai devant moi, c'est celui qui dans ses *Mémoires* écrivait : « Si je pouvais néanmoins cesser d'être harcelé par mes songes ! » Mais dans ces songes-là s'incarne toute sa vie. Elle n'existe que par eux. Et c'est à travers ces songes que, toujours, il a cherché à se rencontrer lui-même.

Nul doute, pour répondre à mes questions, c'est encore vers ses songes qu'il va se tourner.

— Monsieur le vicomte de Chateaubriand, vous êtes donc occupé à écrire vos *Mémoires* ?

— J'ai entrepris les *Mémoires* de ma vie. Cette vie a été fort agitée. J'ai traversé plusieurs fois les mers, j'ai vécu dans la hutte des sauvages et dans le palais des rois, dans les camps et dans les cités. Voyageur aux champs de la Grèce, pèlerin à Jérusalem, je me suis assis sur toutes sortes de ruines. J'ai vu passer le royaume de Louis XVI et l'empire de Bonaparte, j'ai partagé l'exil des Bourbons, j'ai annoncé leur retour.

— Quel est votre but en écrivant ces souvenirs ?

— J'écris principalement pour rendre compte de moimême à moi-même... Je veux, avant de mourir, expliquer mon inexplicable cœur.

— Ne croyez-vous pas que certaines époques conviennent mieux que d'autres à certains hommes ? Ne croyez-vous pas qu'à M. de Chateaubriand il fallait des temps agités ?

— Je me suis rencontré entre deux siècles au confluent de deux fleuves, j'ai plongé dans leurs eaux troublées, m'éloignant à regret du vieux rivage où je suis né, nageant avec espérance vers une rive inconnue.

Au fond, cela résume tout. En Chateaubriand, le

passé et l'avenir n'ont cessé de se heurter, cherchant qui l'emporterait. Le passé, c'est sa race, sa parenté, son ordre, sa classe. L'avenir, c'est ce monde en gestation qu'il a vu exploser.

— D'où venez-vous, monsieur de Chateaubriand ?

— Je suis né gentilhomme. Selon moi, j'ai profité du hasard de mon berceau, j'ai gardé cet amour plus ferme de la liberté qui appartient principalement à l'aristocratie dont la dernière heure est sonnée.

— On montre à Saint-Malo la maison de la rue aux Juifs, aujourd'hui transformée en auberge, où vous êtes né. Au-delà des fenêtres de la chambre où votre mère accoucha, on ne voit que la mer, à perte de vue, qui se brise sur des récifs.

— J'étais presque mort quand je vins au jour. Le mugissement des vagues, soulevées par une bourrasque annonçant l'équinoxe d'automne, empêchait d'entendre mes cris. Il n'y a pas de jour où, rêvant à ce que j'ai été, je ne revoie en pensée le rocher où je suis né, la chambre où ma mère m'infligea la vie, la tempête dont le bruit berça mon premier sommeil.

— Vous avez traversé toutes les gloires. Et pourtant, il semble que la vie vous soit à charge ?

— Je suis las de la vie. Je l'étais dès ma jeunesse : c'est un travers d'esprit ou de cœur dont je n'ai jamais pu me corriger. Je m'y suis accoutumé et, toujours rongé d'un ennui secret, je m'avançai vers le terme qui m'a toujours semblé si loin qu'on ne peut l'atteindre.

— Mais la gloire, cependant ?

— L'ennui m'a toujours suivi ; ce qui intéresse les autres hommes ne me touche point. Pasteur ou roi, qu'aurais-je fait de mon sceptre ou de ma houlette ? Je me serais également fatigué de la gloire et du jeûne, du travail et du loisir, de la prospérité et de l'infortune... En Europe, en Amérique, la société et la nature m'ont lassé... Je remorque avec peine mon ennui avec mes jours, et je vais partout bâillant ma vie.

Oublierai-je que Chateaubriand fut le père du romantisme ? Les sentiments qu'il exprime m'apparaissent si profondément romantiques que je me demande jusqu'à quel point ils ne découlent pas d'une attitude composée une fois pour toutes. Il faut se méfier des hommes de lettres. Fussent-ils Chateaubriand.

— Au fond de vous-même, ne trouvez-vous pas à votre mélancolie une certaine douceur ?

— Mon chagrin même, par sa nature extraordinaire, portait avec lui quelque remède : on jouit de ce qui n'est pas commun, même quand cette chose est un malheur.

— Je sais bien ce qui vous sort de ce spleen : c'est le travail.

— Rien ne fait mieux sentir le calme de la solitude et ne calme mieux la tête et le cœur que le travail.

— Et l'ambition ?

— L'ambition chez moi est chose étrangère. Certainement, je me suis cru tout aussi capable que les gens que j'ai vus à la besogne de conduire les affaires de la France, mais après tout, mon goût n'était pas là.

— Quelles qualités vous reconnaissez-vous ?

— Mon caractère est la constance, je ne m'effraie ni ne me trouble de rien. L'habitude des affaires m'a appris que beaucoup de choses qu'on avait crues perdues ne vont pas si mal qu'on l'avait cru d'abord.

Je ne puis m'empêcher de penser au château de Combourg où il a vécu dès qu'il a eu huit ans. On dirait que cette grandiose masse de pierre, ces murailles, ces tours sont déjà un écrin pour la prose sublime. Comment oublier le petit garçon qui guette, le soir, la longue démarche silencieuse de son père dans la grande salle sonore ? Un père qui ne dit rien et qui va et qui vient, perdu dans ses pensées. Et un petit garçon, proche de la terreur, qui se tait, lui aussi.

Je songe au jeune homme de dix-neuf ans qui, sous-lieutenant au régiment de Navarre, rejoint son régiment à Cambrai. Romantique, cet adolescent-là ? Un jeune homme « pâle et fiévreux » ? Ce n'est pas si sûr.

Cadre pour une enfance romantique : le château de Combourg. (Dessin de Régnier.) B.N. estampes. Photo Bibl. nat.

A dix-neuf ans, il est officier. (Portrait anonyme. Musée de Saint-Malo). Photo Bibl. nat.

Il y a des lettres de lui qui le montrent plein de gaieté, très à l'aise avec ses camarades, mêlé aux plus joyeuses folies de garnison. Toujours les hommes de lettres... Donc, de 1786 à 1791, il est à l'armée, mais à la mode du temps. C'est-à-dire qu'il prend des congés de trois ou six mois. Son frère aîné est devenu le petit gendre de Malesherbes. Grâce à lui, il pénètre une société qu'il ignorait encore. Il découvre les salons littéraires, les cercles parlementaires, il est présenté à la cour, il chasse avec le roi. Puis il court s'enfermer dans sa chambre, couche sur le papier les bases d'une large épopée sur « l'homme et la nature ». Sa sœur Lucile, à Combourg, l'y a encouragé. Au château de son père, il rêvait sur la nature et sur l'homme, s'en ouvrait à sa sœur. « Tu devrais peindre tout cela. » Maladroitement, il avait essayé, en vers, mais il n'était pas fait pour les vers.

— Vous êtes parti pour l'Amérique au début de la Révolution ?

— Quand je quittai la France au commencement de 1791, la Révolution marchait à grands pas : les principes sur lesquels elle se fondait étaient les miens, mais je détestais les violences qui l'avaient déjà déshonorée.

— Quel était votre état d'esprit quand vous vous êtes embarqué ?

— Je m'éloignais incertain des destinées de mon pays et des miennes ; qui périrait de la France ou de moi ? Reverrais-je jamais cette France et ma famille ?... Je n'emportais que ma jeunesse et mes illusions ; je désertais un monde dont j'avais foulé la poussière et compté les étoiles, pour un monde de qui la terre et le ciel m'étaient inconnus.

On n'a pas fini d'épiloguer sur ce voyage d'Amérique qu'il a raconté avec tant de détails... et d'adaptation de la réalité. Il n'a pas vu tous les paysages qu'il a dépeints, loin de là. Certains se demandent même s'il a rencontré Washington. En fait, il n'est resté en Amérique que cinq mois et il a deviné autant qu'il a vu. Faut-il lui en vouloir d'être un grand écrivain et de reconstruire un monde ? Un jour, dans une maison américaine, il trouve un journal anglais avec ce titre : *Flight of the king.* Il s'agit de la fuite du roi Louis XVI à Varennes. Le journal racontait que beaucoup de jeunes nobles français s'en allaient servir dans l'armée de l'émigration. Aussitôt, Chateaubriand est rentré.

— Qu'avez-vous pensé de la France à votre retour d'Amérique ?

— Les révolutions, comme les fleuves, grossissent dans leur cours ; je trouvai celle que j'avais laissée en France énormément élargie et débordant ses rivages ; je l'avais quittée avec Mirabeau sous la Constituante, je la retrouvai avec Danton sous la Législative.

— Votre famille et vous-même avez terriblement souffert de la Révolution.

— Couvert du sang de mon frère unique, de ma belle-sœur, de celui de l'illustre vieillard leur père ; ayant vu ma mère et une autre sœur pleine de talent mourir des suites du traitement qu'elles avaient éprouvé dans les cachots, j'ai erré sur les terres étrangères.

— Pourtant, vous vous efforcez d'être juste quand vous parlez de la Révolution.

— Pourquoi ne pas le dire avec franchise ? Certes, nous avons beaucoup perdu par la Révolution, mais aussi n'avons-nous rien gagné ? N'est-ce rien que vingt années de victoires ? N'est-ce rien que tant d'actions héroïques, tant de dévouements généreux ?

— C'est à votre retour d'Amérique que vous vous êtes marié.

— Il s'agissait de me trouver de l'argent pour rejoindre les princes. Mon voyage d'Amérique avait fait brèche à ma fortune, mes propriétés étaient presque anéanties dans mon partage de cadet par la supression des droits féodaux... Ce concours de circonstances décida de l'acte le plus grave de ma vie : on me maria malgré mon aversion pour le mariage, afin de me procurer le moyen de m'aller faire tuer au soutien d'une cause que je n'aimais pas.

— Il faut reconnaître que Mme de Chateaubriand fut toujours pour vous une compagne parfaite.

— Mme de Chateaubriand est meilleure que moi, bien que d'un commerce moins facile. Ai-je été irréprochable envers elle ? Ai-je reporté à ma compagne tous les sentiments qu'elle méritait et qui lui devaient appartenir ? S'en est-elle jamais plainte ? Quel bonheur a-t-elle goûté pour le salaire d'une affection qui ne s'est jamais démentie ?... Quand l'un et l'autre nous paraîtrons devant Dieu, c'est moi qui serai condamné.

Je l'écoute me parler de sa femme avec une humilité bien évidemment fausse. Chateaubriand fut un homme couvert de femmes. De l'admiration à son égard, elles passèrent presque toutes à l'amour. Il ne résista guère. Pourquoi eût-il résisté ? Il était doté d'un cœur innombrable. Il ne trompait pas seulement sa femme, mais ses maîtresses les unes avec les autres. Convenons qu'il n'était pas facile d'être Mme de Chateaubriand.

— Après votre mariage, vous êtes allé rejoindre sur le Rhin l'armée des princes ?

— Je n'approuvais point l'émigration en principe mais je crus qu'il était de mon honneur d'en partager l'imprudence, puisque cette imprudence avait des dangers. Je pensais que, portant l'uniforme français, je ne devais pas me promener dans les forêts du Nouveau Monde quand mes camarades allaient se battre.

Le voilà donc émigré. Il sera incorporé dans une des compagnies bretonnes de l'armée des princes, blessé au siège de Thionville. Il tombera malade — la dysenterie — sera mis en congé, retraitera seul, presque agonisant, à travers le Luxembourg et la Belgique. Il parviendra à Londres dans une misère extrême. Il donnera des leçons, fera des traductions, deviendra professeur de français, s'éprendra d'une élève, Charlotte Ives, se souviendra à l'extrême limite qu'il est marié. Il publie un essai historique sur les révolutions. Sa première œuvre éditée. Mais la Terreur est finie. Depuis peu, un certain Bonaparte est au pouvoir. Chateaubriand rentre.

— A votre retour d'émigration, vous avez publié des articles dans le *Mercure de France.*

— Lorsque je rentrai en France, en 1800, après une émigration pénible, mon ami M. de Fontanes rédigeait le *Mercure de France.* Il m'invita à écrire avec lui dans ce journal pour le rétablissement des doctrines religieuses et monarchiques. J'acceptai cette invitation.

— Ne couriez-vous pas quelques risques en écrivant ce que vous pensiez ?

— Mon premier article sur le *Voyage en Espagne* de M. de Laborde faillit me coûter cher : Buonaparte menaça de me faire sabrer sur les marches de son palais.

— A quel ouvrage travailliez-vous alors ?

— Je travaillais avec l'ardeur d'un fils qui bâtit un mausolée à sa mère... Une espèce de fièvre me dévora pendant tout le temps de ma composition ; on ne saura jamais ce que c'est de porter à la fois dans son cerveau, dans son sang, dans son âme, *Atala* et *René,* et de mêler à l'enfantement douloureux de ces brûlants jumeaux le travail de conception des autres parties du *Génie du christianisme.*

— *Atala* a paru en 1801.

— C'est de la publication d'*Atala* que date le bruit que j'ai fait dans le monde : je cessai de vivre de moi-même et ma carrière publique commença. Après tant de succès militaires, mon succès littéraire paraissait un prodige ; on en était affamé. L'étrangeté de l'ouvrage ajoutait à la surprise de la foule.

— Vous avez de ce jour connu un grand succès.

— Je devins à la mode. La tête me tournait : j'ignorais les jouissances de l'amour-propre et j'en fus enivré. J'aimais la gloire comme une femme son premier amour. Cependant, poltron que j'étais, mon effroi égalait ma passion : conscrit, j'allais mal au feu. Ma sauvagerie naturelle, le doute que j'ai toujours eu de mon talent me rendaient humble au milieu de mes triomphes. Je me dérobai à mon éclat ; je me promenais à l'écart, cherchant à éteindre l'auréole dont ma tête était couronnée.

— Après *Atala,* le *Génie du christianisme* souleva l'émotion des foules.

— Ce fut au milieu des débris de nos temples que je publiai le *Génie du christianisme.* Les fidèles se crurent sauvés : on avait alors un besoin de foi, une avidité de consolations religieuses, qui venaient de la privation de ces consolations depuis tant d'années.

— Vous étiez donc revenu à la foi de votre enfance ?

— La mort de ma mère fixa mes opinions religieuses... Je suis devenu chrétien ; je n'ai pas cédé, j'en conviens, à de grandes lumières surnaturelles ; ma conviction est sortie du cœur ; j'ai pleuré et j'ai cru.

— *René* faisait également partie du *Génie du christianisme.*

— Si *René* n'existait pas, je ne l'écrirais plus ; s'il était possible de le détruire, je le détruirais : il a infesté l'esprit d'une partie de la jeunesse, effet que je n'avais pu prévoir, car j'avais au contraire voulu le corriger.

René, en effet, c'est peut-être la naissance du romantisme. Pourquoi s'en défendre ? Sans doute le romantisme était-il nécessaire. Sans doute venait-il à son heure. Après le néo-classicisme du XVIIIe siècle, il fallait aux Français autre chose. Chateaubriand fut le premier à l'avoir senti. C'était le temps où son ami Fontanes lui avait présenté le philosophe Joubert, le temps où Joubert l'avait conduit à Pauline de Beaumont. Elle était née Montmorin, fille du ministre de Louis XVI. Toute sa famille avait été massacrée sous la Terreur. On l'avait mariée à une sorte de butor de qui elle avait divorcé. Jolie ? Peut-être pas, mais le charme incarné. Elle était petite, presque chétive. Dans un visage très pâle, des yeux en amande. Une tête toute bouclée. Une bouche un peu grande qui savait admirablement sourire. C'est au début de 1801 que Joubert lui avait présenté Chateaubriand. Comment résister à cette célébrité ? d'autant qu'il était loin d'être laid ! Et puis il y avait le génie. Bientôt elle l'aime à la folie. Ils se souviendront toujours de cet été-là, passé dans la propriété de Pauline à Savigny. L'automne venu, elle l'aime de plus en plus, mais lui la trompe avec Mme de Custine. Pauline souffre. Combien de femmes souffriront par Chateaubriand ? Lui, pendant ce temps, songe à sa carrière. Pourquoi pas la diplomatie ? Bonaparte, frappé par le *Génie du christianisme,* le nomme secrétaire de légation à Rome. Avant de partir pour l'Italie, il pense tout à coup à sa femme, oubliée à Fougères. Il va passer quelques jours auprès d'elle mais s'enfuit très vite, la trouvant décidément laide et aigre. C'est Pauline de Beaumont qu'il appelle à Rome. Elle est malade, elle souffre de la poitrine, un tel voyage est plein de périls. Mais comment résisterait-elle ?

— A Rome, Mme de Beaumont est morte dans vos bras...

— Mme de Beaumont ouvre la marche funèbre de ces femmes qui ont passé devant moi. Mes souvenirs les plus éloignés reposent sur des cendres et ils ont continué de tomber de cercueil en cercueil.

Il est sincère. Il a pleuré Pauline, elle qui, joliment, se désignait comme *l'hirondelle de Chateaubriand.* C'est pourtant à la même époque à peu près qu'il a rencontré pour la première fois Mme Récamier. Il l'a vue chez Mme de Staël.

— Vous en souvenez-vous, monsieur de Chateaubriand ?

— J'étais un matin chez Mme de Staël ; elle m'avait reçu à sa toilette... Entra tout à coup Mme Récamier, vêtue d'une robe blanche ; elle s'assit au milieu d'un sofa de soie bleue ; Mme de Staël restée debout continua sa conversation fort animée et parlait avec éloquence. Je répondais à peine, les yeux attachés sur Mme Récamier. Je me demandais si je voyais un portrait de la candeur ou de la volupté.

Il s'en faudra pourtant de treize ans qu'il ne la retrouve. Et se nouera l'une des plus célèbres liaisons de l'Histoire. Mais il faut revenir à Rome où le jeune secrétaire s'entend mal avec le cardinal Fesch, alors ambassadeur de France. Malheureusement, Fesch était aussi l'oncle de Napoléon.

— Vos rapports avec Napoléon sont, je crois, vite devenus orageux.

— Plusieurs fois, Buonaparte me menaça de sa colère et de sa puissance, et cependant il était entraîné par un secret penchant vers moi, comme je ressentais une involontaire admiration de ce qu'il y avait de grand en lui. J'aurais tout été dans son gouvernement si je l'avais voulu, mais il m'a toujours manqué pour réussir une passion et un vice : l'ambition et l'hypocrisie.

— Vous alliez partir comme ministre dans le Valais lorsque vous avez entendu crier dans la rue la nouvelle de l'exécution du duc d'Enghien.

— Ce cri tomba sur moi comme la foudre ; il changea ma vie, de même qu'il changea celle de Napoléon. Je rentrai chez moi, je dis à Mme de Chateaubriand : « Le duc d'Enghien vient d'être fusillé. » Je m'assis devant une table et je me mis à écrire ma démission.

Mme de Chateaubriand ? Elle est donc près de lui ? Oui. Au moment de mourir, Pauline a supplié son *enchanteur* — ainsi l'appelait-elle — de rentrer dans le devoir. Chateaubriand a promis. En février 1804, il a demandé à sa femme de le rejoindre. Ils ne se quitteront plus, lui, supportant son caractère, elle, tolérant — quelquefois assez mal — ses fantaisies amoureuses. Ainsi est-elle là quand meurt le duc d'Enghien et lorsque Chateaubriand démissionne.

— Ne pouviez-vous tout redouter de la colère du Premier consul ?

— Pendant plusieurs jours, mes amis restèrent dans la crainte de me voir enlever par la police.

— Et la réaction de Napoléon ?

— Longtemps après, en causant avec M. de Fontanes, il lui avoua que ma démission était une des choses qui l'avaient le plus frappé.

— A partir de cette date, il vous a considéré comme un adversaire.

— Buonaparte, qui s'était brouillé avec la cour de Rome, ne favorisait plus les idées religieuses. Le *Génie*

A Rome, avec Pauline de Beaumont dans les ruines du Colisée.
(*Aquarelle anonyme.* Musée des arts décoratifs, Bordeaux)
Photo Bibl. nat.

La retraite et l'attente : la Vallée-aux-Loups. (*Dessin de Constant Bourgeois.* B.N. estampes.) Photo Bibl. nat.

du christianisme avait fait trop de bruit et commençait à l'importuner.

En 1806, c'est son fameux voyage en Orient. Ce qu'il y va chercher, ce sont des images, les couleurs d'une palette si riche déjà mais qu'il veut enrichir. Il y a peut-être d'autres raisons au voyage. Il avait abandonné Delphine de Custine pour Nathalie de Noailles. Sa passion pour elle tenait du « délire » et de la « folie ». La belle Nathalie lui avait fixé rendez-vous à Grenade mais lui avait demandé — c'est Maurice Levaillant qui a conté cela — d'accomplir le périple de Grèce et des Lieux saints comme une sorte d'épreuve chevaleresque. Le revoilà à Paris. Il achète la Vallée-aux-Loups, à Châtenay, une « chaumière », une « sauvage propriété » dont il va faire une demeure charmante avec un parc planté par lui-même. Là, il se retire avec Mme de Chateaubriand qui, ébahie, le trouve presque tout entier à elle. Mais ses mésaventures politiques ont recommencé.

— Après votre retour de Jérusalem, vous avez publié dans le *Mercure* un article retentissant dans lequel, à propos de l'Empire romain, vous attaquiez le despotisme.

— Les prospérités de Buonaparte, loin de me soumettre, m'avaient révolté ; j'avais pris une énergie nouvelle dans mes sentiments et dans les tempêtes... Si Napoléon en avait fini avec les rois, il n'en avait pas fini avec moi. Mon article tombant au milieu de ses prospérités et de ses merveilles remua la France... Il faut avoir vécu à cette époque pour se faire une idée de l'effet produit par une voix retentissant seule dans le silence du monde.

Sans doute. A la suite de l'article, le *Mercure* est supprimé et Chateaubriand exilé au moins à deux lieues de Paris. Alors commence l'exil à la Vallée-aux-Loups, une des périodes peut-être les plus heureuses de sa vie. Il a toujours parlé avec nostalgie de la Vallée-aux-Loups. C'est là qu'il écrit l'*Itinéraire de Paris à Jérusalem,* nouveau mélange de réalité et d'imagination, et *les Martyrs*.

— *Les Martyrs* ne furent pas appréciés de Napoléon.

— *Les Martyrs* me valurent un redoublement de persécution : les allusions frappantes dans le portrait de Galerius et dans la peinture de la cour de Dioclétien ne pouvaient échapper à la police impériale.

En 1811, il remplace Marie-Joseph Chénier à l'Académie française. Chénier avait été fort avant dans la Révolution. Dans son éloge, Chateaubriand veut placer des paroles de regret sur la mort de Louis XVI. L'Académie se scandalise. On porte le discours à Napoléon.

— On vous l'a rendu, ce discours ?

— J'allai à Saint-Cloud. M. Daru me rendit le manuscrit, çà et là déchiré, marqué *ab irato* de parenthèses et de traces au crayon par Bonaparte : l'ongle du lion était enfoncé partout et j'avais une espèce de plaisir d'irritation à croire le sentir dans mon flanc.

— Comment s'est terminée l'affaire ?

— Tout ne fut pas fini quand on m'eut rendu mon discours : on voulait me contraindre à en faire un second. Je déclarai que je m'en tenais à ce premier, que je n'en ferais pas d'autre. La commission me déclara alors que je ne serais pas reçu à l'Académie.

En 1809, c'est la duchesse de Duras qui surgit dans son existence. Il l'appelle « chère sœur » mais elle est bien plus que cela : une égérie. Et elle le sera jusqu'à sa mort, en 1829.

— Que pouvez-vous nous dire de la duchesse de Duras ?

— La chaleur de l'âme, la noblesse de caractère, l'élévation de l'esprit, la générosité du sentiment en faisaient une femme supérieure.

C'est la duchesse de Duras qui lui conseille d'entreprendre ses *Mémoires*. Et puis c'est le coup de tonnerre de 1814. Son vieil ennemi est chassé du pouvoir. Pour Chateaubriand, tout change. Il a dit qu'en 1814 sa carrière littéraire s'était achevée et que sa carrière politique avait commencé. Ce n'est pas tout à fait vrai. La rédaction des *Mémoires d'outre-tombe* reste peut-être l'épisode le plus important d'une carrière littéraire à venir. Mais il est vrai que tout à coup il aborde un monde nouveau.

— En 1814, vous avez accueilli avec joie le retour à la légitimité.

— Enfin, le roi fut rendu à son peuple : je parus jouir d'abord de la faveur que l'on croit, mal à propos, devoir suivre des services qui souvent ne méritent pas la peine qu'on y pense ; mais enfin, en proclamant le retour de la légitimité, j'avais contribué à entraîner l'opinion publique, par conséquent j'avais choqué des passions et blessé des intérêts, je devais donc avoir des ennemis.

— Pendant les dernières années de l'Empire, vous aviez écrit en cachette un pamphlet célèbre. N'a-t-il pas paru dès la chute de Napoléon ?

— Ce fut dans ces jours critiques que je lançai ma

brochure *De Buonaparte et des Bourbons* pour faire pencher la balance ; on sait quel fut son effet. Je me jetai à corps perdu dans la mêlée pour servir de bouclier à la liberté renaissante contre la tyrannie encore debout et dont le désespoir triplait les forces.

— Ne la trouvez-vous pas aujourd'hui bien sévère pour Napoléon, cette brochure ?

— Le moment était décisif, force était donc de s'occuper seulement de l'homme à craindre sans rechercher ce qu'il avait d'éminent.

— Vous n'envisagiez à l'époque aucune autre solution que le retour de Louis XVIII ?

— Les Bourbons seuls convenaient à notre situation malheureuse, étaient les seuls médecins qui pussent fermer nos blessures.

— Que pensez-vous aujourd'hui de Napoléon ?

— Le 15 mai 1821, au milieu des vents, de la pluie et du fracas des flots, Bonaparte rendit à Dieu le plus puissant souffle de vie qui jamais anima l'argile humaine... Le temps a marché, Napoléon a disparu : le soldat devant lequel tant de rois fléchirent le genou, le conquérant qui fit tant de bruit occupe à peine, dans un silence sans fin, quelques pieds de terre sur un roc au milieu de l'Océan.

Ainsi a abouti cet étrange sentiment, ce qu'il analysait comme un « mélange de colère et d'attrait de Bonaparte contre et pour moi ». Ce long duel qui, de part et d'autre, ressemble à du dépit amoureux. Souvenons-nous que Chateaubriand a reconnu que son admiration pour Bonaparte « a toujours été grande et sincère, alors même que j'attaquais Napoléon avec le plus de vivacité ». Le destin l'a voulu : il fallait la chute de Napoléon pour que commence l'ascension politique de Chateaubriand. Il va être pair de France, ambassadeur, ministre d'Etat. Avec cela un homme difficile pour ceux qui l'emploient. Jamais il ne scelle ses opinions, et celles-ci sont rigoureuses. Les Bourbons, eux, finiront par renoncer à le comprendre.

— Sous la Restauration, vous n'avez pas tardé à vous sentir en opposition avec les Ultras ?

— Pourquoi ai-je été royaliste contre mon instinct, dans un temps où une misérable race de cour ne pouvait ni m'entendre ni me comprendre ? Pourquoi ai-je été jeté dans une troupe de médiocrités qui me prenaient pour un écervelé quand je parlais courage, pour un révolutionnaire quand je parlais liberté ? Les libertés publiques sont les principales sauvegardes du trône.

C'est cette opinion-là qu'il va soutenir en 1816 dans cette *Monarchie selon la Charte* qui, un temps, le fera disgracier. Et puis il rentre en faveur, il est ministre plénipotentiaire à Berlin, ambassadeur à Londres, délégué au Congrès de Vérone, où il se lie avec le tsar Alexandre Ier, ministre enfin des Affaires étrangères.

— Que faut-il retenir de votre passage au ministère des Affaires étrangères ?

— Le grand événement de ma carrière politique est la guerre d'Espagne. Elle fut, pour moi, dans cette carrière, ce qu'avait été le *Génie du Christianisme* dans ma carrière littéraire. Ma destinée me choisit pour me charger de la puissante aventure qui, sous la Restauration, aurait pu régulariser la marche du monde vers l'avenir. Elle m'enleva à mes songes et me transforma en conducteur des faits.

Comme il a dit cela ! Ainsi sont les hommes. Parlant de cette guerre qui aujourd'hui nous amuse et nous attendrit, Chateaubriand s'est écrié avec orgueil : « Ma guerre d'Espagne ! » Il s'est vanté d'avoir réussi là où Napoléon avait échoué. De cette guerre où l'on s'est à peine battu, de cette promenade militaire, fallait-il tirer tant de fierté ? Il ne nous en reste que le nom d'une place à Paris : Trocadéro. Tout cela ne l'a pas empêché de se brouiller avec Villèle et d'être destitué brutalement, « chassé du ministère comme un laquais ».

— Que pouvez-vous nous dire de cette disgrâce ?

— On m'a mis à la porte comme si j'avais pris la montre du roi sur la cheminée.

— La vie publique vous avait coûté cher, vous avez

dû vendre la Vallée-aux-Loups. Mais alors vous avez dû changer encore davantage votre train de vie.

— Ma nature m'a rendu parfaitement insensible à la perte de mes appointements ; j'en fus quitte pour me remettre à pied et pour aller, les jours de pluie, en fiacre à la Chambre des pairs. Dans mon équipage populaire, sous la protection de la canaille, je rentrais dans les droits des prolétaires dont je faisais partie ; du haut de mon fiacre, je dominais le train des rois.

— Tout au long de la Restauration, vous avez lutté pour la liberté de la presse.

— La liberté de la presse a été presque l'unique affaire de ma politique ; j'y ai sacrifié tout ce que je pouvais y sacrifier : temps, travail ou repos. J'ai toujours considéré cette liberté comme une Constitution entière... C'est par la liberté de la presse que les droits des citoyens sont conservés, que justice est faite à chacun selon ses mérites... Des gazettes censurées ne sont d'aucune ressource au ministère ; les meilleurs articles perdent leur autorité dès qu'ils ne sont pas l'expression d'une opinion indépendante.

— Vous avez assisté, comme pair de France, au sacre de Charles X.

— A qui cette parade pouvait-elle faire illusion ?

J'aime qu'il ait prononcé le mot parade. On ne revient pas en arrière. Lui qui avait tant lutté pour la restauration d'un principe millénaire, il sentait le premier le terrible décalage. La restauration de droit ne s'était pas accompagnée d'une restauration de fait. Chateaubriand avait servi de son mieux les rois qu'il avait contribué à rappeler au pouvoir. Il s'était dévoué de corps et d'âme. Mais il n'était pas dupe et, sombrement, marquait les erreurs des deux règnes.

— L'annonce de la révolution de 1830 ne vous a pas étonné ?

— Inutile Cassandre, j'ai assez fatigué le trône et la patrie de mes avertissements dédaignés ; il ne me restait qu'à m'asseoir sur les débris d'un naufrage que j'ai tant de fois prédit.

— N'avez-vous pas songé à reconnaître Louis-Philippe ?

— Je ne puis reconnaître que le drapeau blanc. Je ne trahirai pas plus le roi que la Charte, pas plus le pouvoir légitime que la liberté.

— Vous réprouvez donc totalement cette usurpation de la couronne ?

— Le principe de l'hérédité monarchique, absurde au premier abord, a été reconnu par l'usage préférable au principe de la monarchie élective.

— Vous ne désirez pourtant pas que le duc de Bordeaux revienne en France, comme jadis Louis XVIII, « dans les fourgons de l'étranger » ?

— Aujourd'hui, je sacrifierais ma vie à l'enfant du malheur ; demain, si mes paroles avaient quelque puissance, je les emploierais à rallier les Français contre l'étranger qui rapporterait Henri V dans ses bras.

— L'équipée de la duchesse de Berry en Vendée vous a valu d'être arrêté quelques jours par la police de Louis-Philippe.

— De tous les gouvernements qui se sont élevés en France depuis quarante années, celui de Philippe est le seul qui m'ait jeté dans la loge des bandits ; il a posé sur ma tête sa lâche main, sur ma tête respectée même d'un conquérant irrité, Napoléon leva le bras et ne frappa pas.

— Vous avez eu le courage de protester, par une nouvelle brochure, contre l'incarcération à Blaye de la duchesse de Berry.

— Le *Mémoire sur la captivité de Mme la duchesse de Berry* m'a valu dans le parti royaliste une immense popularité. Les députations et les lettres me sont arrivées de toutes parts... La France légitimiste a pris pour devise ces mots : « Madame, votre fils est mon roi. »

— Pourquoi avez-vous accepté la mission délicate d'aller plaider à Prague la cause de la duchesse de Berry auprès de Charles X exilé ?

— Dévoué aux premières adversités de la monarchie, je me suis consacré à ses dernières infortunes : le malheur me trouvera toujours pour second.

La vérité est que dans ce légitimiste on découvre un républicain qui s'ignore. On le pressent dans plusieurs de ses écrits. Posons-lui la question :

— Si, en 1830, c'était la République qui avait triomphé, quelle eût été votre attitude ?

— Républicain par nature, monarchiste par raison et bourbonien par honneur, je me serais beaucoup mieux arrangé d'une démocratie, si je n'avais pu conserver la monarchie légitime, que de la monarchie bâtarde octroyée par je ne sais qui.

En tout cas, après 1830, il sacrifie tout. Plus de Charles X, plus de pension. Il est descendu pour la dernière fois de la tribune de la Chambre des pairs. Le voilà redevenu pauvre, ce qui ne lui attire pas pour autant l'estime de tous : « Il est bien ridicule, dit la duchesse de Broglie, il veut qu'on le plaigne des malheurs qu'il s'impose. Il se compose une grande infortune et nous la raconte. » Il y a du vrai dans cette sévérité. Mais Chateaubriand se raconte si bien ! C'est le temps où, pour vivre, il termine les *Etudes historiques,* achève la publication de ses œuvres complètes. C'est le temps surtout de Juliette Récamier. Il l'a retrouvée en 1817 à un dîner chez Mme de Staël. Il était assis à côté d'elle.

— Vous en souvenez-vous ?

— Je ne la regardais point, elle ne me regardait pas, nous n'échangions pas une parole.

— Vers la fin du dîner seulement, elle vous a adressé quelques mots, avec une timidité évidente.

— Je tournai un peu la tête, je levai les yeux, et je vis mon ange gardien debout à ma droite.

En un seul regard, ils se sont compris. Cette femme, qui a été la plus belle de son temps, qui a bouleversé tant de cœurs sans céder à aucun, va faire la conquête de Chateaubriand. L'hiver 1817-1818, on l'a vu souvent

Mme Récamier : Chateaubriand fut le seul... (*Peinture par David.* Musée du Louvre).

chez elle. Il s'est montré pressant. Elle ne l'a pas repoussé. Un aveu qu'elle a prononcé devant Louis de Loménie permet de penser qu'elle lui a cédé enfin en octobre 1818. André Maurois, en se fondant sur la correspondance, en avait eu la prescience. Le document inédit publié par Emmanuel Beau de Loménie a apporté la preuve. Juliette s'est retirée dans un couvent qui recevait les femmes du monde : l'Abbaye-aux-Bois, sur la rive gauche. C'est là, désormais, que chaque jour, à 3 heures, Chateaubriand viendra lui rendre visite.

— L'existence de Mme Récamier n'a-t-elle pas été une lumière dans votre vie ?

— En approchant de ma fin, il me semble que tout ce que j'ai aimé, je l'ai aimé dans Mme Récamier, et elle était la source cachée de mes affections. Mes souvenirs de divers âges, ceux de mes songes, comme ceux de mes réalités se sont pétris, mêlés, confondus pour faire un composé de charmes et de douces souffrances, dont elle est devenue la forme visible.

Dans cette chambre où il me reçoit, je songe à cette visite quotidienne, à une heure si ponctuelle que les gens du quartier réglaient leur montre au passage de Chateaubriand. A l'Abbaye-aux-Bois, Juliette réunit une société choisie, la petite cour de M. de Chateaubriand. Mais surtout, c'est pour elle qu'il vient. Cette évasion de chaque jour lui est aussi nécessaire que l'air qu'il respire. Pourtant, il trompe Juliette, plusieurs fois, et avec plusieurs. Mais il lui revient toujours. Il l'emmènera en Suisse, dans un voyage d'amoureux. Des amoureux de cinquante-cinq ans — elle — et soixante-quatre ans — lui.

De retour à Paris, il a repris le voyage quotidien. Chaque jour, elle lui propose du thé. Il accepte, mais après elle. Elle lui demande si elle doit ajouter du lait. « Quelques gouttes seulement. » Elle lui propose une seconde tasse. Il refuse. Le lendemain, cela recommencera. Le surlendemain. Et tous les autres jours. Elle est la première à connaître ce qu'il écrit. Il lui dit tout de lui. Il lui écrit : « Ne parlez jamais de ce que je deviendrais sans vous. Si vous me le demandiez, je ne le saurais pas. » Elle l'aide à supporter son propre intérieur, et surtout un monde qui le déçoit de plus en plus.

— Les Français d'aujourd'hui vous déplaisent, n'est-ce pas ?

— Quarante années de tempêtes ont brisé les plus fortes âmes... La liberté n'est nulle part... L'égalité, la passion française, semble suffire à tous les besoins : le citadin qui croit avoir nommé un roi, qui dîne à la table de ce roi et qui danse avec ses filles, fait dans sa vanité pavanesque bon marché de la liberté et de la gloire.

Ce qui le hante, c'est l'avenir du monde. Sans cesse, il y pense.

— Ce rôle de prophète vous va bien.

— J'ai toujours prédit et il restera après moi des preuves irrécusables de ce que j'ai inutilement annoncé. Je n'ai point été aveugle sur les destinées futures de l'Europe.

— Que pensez-vous de la situation actuelle des grandes puissances européennes ?

— Je me demande souvent si l'Ancien Monde peut éviter une révolution générale. La chute de la religion, qui entraîne celle des lois et des mœurs, a toujours été suivie chez le peuple d'un bouleversement de l'ordre public.

— Les rois, quel sera leur destin ?

— La démocratie les gagne : ils montent d'étage en étage, du rez-de-chaussée aux combles de leur palais, d'où ils se jetteront à la nage par les lucarnes.

— Alors, ce sont de grands bouleversements qu'il faut prévoir ?

— L'ancienne société périt avec la politique dont elle est sortie... L'ère des peuples est venue.

— Mais convenez que vous vivez au milieu des souvenirs d'un prodigieux passé.

— J'ai assisté à des sièges, à des congrès, à des conclaves, à la réédification et à la démolition des trônes. J'ai fait de l'histoire, et je pouvais l'écrire ; et ma vie solitaire, rêveuse, poétique, marchait au travers de ce monde de réalités, de catastrophes, de tumulte, de bruit, avec les fils de mes songes, Chactas, René, Eudore, Aben-Hamet, avec les filles de mes chimères, Atala, Amélie, Blanca, Velleda, Cymodocée...

— Vous pensez beaucoup à la mort ?

— Il est bien temps que je quitte un monde qui me quitte et que je ne regretterai pas... La vie me sied mal ; la mort m'ira peut-être mieux.

Je le regarde encore, ce petit homme dont l'esprit a porté tout un monde. Ecrivant à Mme de Duras en 1813, il a dit que personne ne se souviendrait de lui, que des quelques « vieux bouquins » qu'il avait écrits, on ne dirait plus rien. Quelle erreur ! Ou quelle fausse modestie ! Nous savons, nous, que nulle œuvre ne fut davantage accomplie. Et pourquoi pas sa vie ? Aujourd'hui, il parle de sérénité. Peut-être le croirions-nous si nous ne lisions dans ses yeux cette sorte de fièvre mêlée d'un secret tourment.

— Qu'attendez-vous, monsieur de Chateaubriand ?

— Je vois les reflets d'une aurore dont je ne verrai pas se lever le soleil. Il ne me reste qu'à m'asseoir au bord de ma fosse ; après quoi, je descendrai hardiment, le crucifix à la main, dans l'Eternité.

XI

TALLEYRAND

Je me souviens, c'était en 1959, un matin. Le général Marshall venait de mourir. Je me rendais à l'hôtel Talleyrand, au numéro 2 de la rue Saint-Florentin, pour rencontrer l'un des hommes qui avaient le mieux connu le général. Mon but ? En savoir plus sur celui à qui l'Europe — et les Etats-Unis — devaient tant.

Je venais de la place de la Concorde. A l'entrée de la rue de Rivoli, le feu rouge arrêta ma voiture. Il était là, devant moi, intact, l'hôtel où le prince de Talleyrand vécut tant d'années. Une harmonie géométrique, un équilibre de pierres blondes. Un feu vert allait m'en accorder l'accès. La cour, admirable réussite de Chalgrin et de Gabriel. Le péristyle où dorment deux lions de pierre. J'entrai.

Une seule langue résonnait à mes oreilles : l'anglais. Tout ici vivait à l'heure de l'Amérique. Moi-même, je venais m'informer sur un héros américain. On me reçut avec affabilité. Mon interlocuteur était heureux de m'aider, je le sentais. Pourquoi faut-il que, pendant les longs quarts d'heure que j'ai passés avec lui, mon esprit se soit si souvent évadé ? On me parlait de la Grande Guerre, de la Champagne et de l'Argonne. De la Chine. De l'état-major de l'armée américaine que dirigea George Marshall. On me parlait du plan d'aide économique qui avait porté son nom. Et moi, c'est une ombre claudicante que je voyais passer devant les tapisseries. On me parlait d'histoire contemporaine,

◀ « *Il faut faire une immense fortune !* » (*Portrait par Prud'hon.* Musée Carnavalet.) Photo Bulloz.

et moi, invinciblement, je me reportais à l'histoire plus ancienne. Faut-il croire que les demeures restent marquées, éternellement, de l'empreinte de ceux qui les ont habitées ? Faut-il croire à la « mémoire des maisons mortes », comme disait Paul Gilson ? Cette maison-là n'était pas morte. Mais, étrangement, la vie qui l'habitait ne parvenait pas à effacer la présence de son hôte le plus illustre.

Je me souviens. Mon interlocuteur, voulant retrouver des dates et des chiffres précis, s'était retiré dans un autre bureau. Je restai seul. A la même heure, cent trente ans plus tôt, des gens pénétraient, chaque matin, dans ce même hôtel : les familiers du prince. Oui, pour tous, il était *le prince*. On n'y ajoutait point de patronyme. Le prince, cela disait tout. Oubliant que sa principauté devait tout à Napoléon, et qu'elle était de Bénévent, l'ancien évêque d'Autun était alors statufié vivant en tant que prince de Talleyrand. Parmi les visiteurs, il y avait certains jours un petit Marseillais qui s'appelait Thiers. Une autre fois, ce fut un jeune homme, un poète, M. de Lamartine. Quelle chance ils avaient eue ! Se glisser à leur suite. Les accompagner dans le grand escalier, les salons aux dimensions humaines, tout droit venus du XVIIIe siècle. Assister au prodigieux spectacle du lever du prince. L'écouter parler. Peut-être le questionner, entendre ses réponses. Pourquoi pas ?

Je rêve ? Je ne sais plus. Un laquais en livrée me précède dans l'escalier d'honneur, où foisonnent statues et tableaux. Je m'arrête à l'entresol. Je traverse plusieurs pièces en enfilade, notamment la bibliothèque dont les volumes portent les armes de Talleyrand : « Trois lions rampants armés et lampassés », le petit salon qui semble construit autour d'une table, laquelle est encombrée de journaux anglais et français et entourée de profonds fauteuils. La marche du laquais qui me précède se ralentit. J'y crois discerner quelque solennité, évoquant assez bien celle du prêtre qui monte à l'autel. Il m'introduit dans le saint des saints, la chambre à coucher. Le lit de parade est grand ouvert.

Avec ses lions couchants, le péristyle de l'hôtel Talleyrand...

L'heure ? Entre 11 heures et 11 heures et demie, c'est-à-dire le moment où se lève le prince. Ce lit, on sent que le prince ne l'a pas quitté depuis longtemps. Au-dessus, un panache. Autour, des draperies soyeuses. Et puis, là, un petit bureau très simple avec un fauteuil garni de cuir marron, susceptible de tourner en tous sens et doté, de chaque côté, d'un portefeuille à soufflets. Dans un coin, la canne du prince, d'ivoire à pommeau d'or, avec ses armes, une couronne et deux clés.

Une portière de soie bleue. On la soulève pour moi. Et je le vois dans ce boudoir où on l'habille. Spectacle qui pourrait être dérisoire et qui — j'en suis sûr — ne l'est pas. Faire sa toilette en présence de familiers ou d'étrangers, c'est une évidente survivance de l'Ancien Régime. Mais le prince lui-même est le symbole vivant de l'Ancien Régime. Il vient tout droit de ce XVIIIe siècle qui, pour lui, a toujours évoqué la douceur de vivre. Surprise ! il est grand. Son passeport lui donne un mètre soixante-seize. Je le regarde et je ne vois d'abord qu'une montagne de flanelles et de molletons qui l'enveloppent de toutes parts. Sur la tête, un incroyable amas de bonnets de coton superposés, tenus par un turban. Le prince est-il donc si frileux ? Non. Mais il craint fort, la nuit, de tomber du lit. Tout ce singulier capiton n'est autre qu'une précaution.

Trois valets de chambre l'entourent, en tablier blanc. En silence, le prince vient s'asseoir devant une glace, dans un fauteuil qu'on lui avance. Moi, c'est cette glace que je fixe, parce qu'elle encadre la fameuse impassibilité de M. de Talleyrand, ses yeux ternes et morts, à demi clos, son teint blafard, son nez en pointe, sa bouche mince aux coins pendants, son expression ténébreuse, voire méprisante. Maintenant, les valets le dépouillent de ses flanelles. Tout cela tombe autour de lui, gilets, caleçons, peignoirs. Et puis c'est le tour des bonnets de coton qui s'amoncellent sur le tapis. Un valet de chambre place alors sous le menton du prince un bol plein d'eau. Talleyrand promène sur sa figure une énorme éponge, après quoi il plonge sa bouche et son nez dans le bol, aspire une énorme quantité d'eau qu'il recrache avec fracas. Je mentirais en disant que cela est agréable à voir. Il recommence à plusieurs reprises l'opération. Chaque fois, les mêmes bruits de gorge, gigantesques, le même écho de cataracte. C'est fini. Tant mieux. On a glissé sous le prince une cuvette remplie d'eau et il y trempe les pieds. Point d'inutile pudeur : il ne prend même pas la peine de cacher aux regards de l'assistance son membre difforme, « véritable pied de cheval », court et large. Je compte que les ablutions durent un quart d'heure en tout. On le débarrasse de ses dernières flanelles, car il en restait. On les remplace par les sous-vêtements de jour : deux caleçons, deux flanelles, deux paires de bas. Viennent ensuite la chemise, la culotte, les bas de laine, les bas de soie, les souliers à boucle. Sur la chaussure de droite, on assujettit la solide armature de fer, indispensable à la marche de l'infirme. Dans le même temps, deux perruquiers ont commencé à laver sa longue chevelure grise, à la peigner, à la friser et à la boucler. Un autre valet noue enfin sous le menton de son maître une énorme cravate de mousseline blanche. Le prince endosse un habit très ample aux larges revers.

Après le silence du début, les langues se sont déliées. On commente devant Talleyrand les nouvelles du jour. Il répond quelquefois. Un mot jaillit des lèvres minces, méchant ou drôle. Le temps a passé, il est 1 heure et demie. Le prince s'est levé, on lui a tendu sa canne. Toujours en public, il va prendre son déjeuner : en fait, plusieurs tasses de camomille, sans aucun aliment solide. Après quoi, la compagnie se sépare.

Et si, moi, j'étais resté ? Et si, à la manière du petit Thiers, je lui avais posé question sur question ? Il a tant parlé, il a tant écrit. Mais entendre de sa bouche l'explication de sa vie, quel privilège ! Tenter de résoudre l'énigme de ce politicien protée, à l'aise à travers tous les régimes. Pourquoi en impose-t-il à ce point ? Il a trahi et on l'admire. Il a menti sans cesse et on l'admire. Il a reçu des trésors des ennemis de la France et on l'admire. Il a dit qu'il n'avait conspiré que lorsqu'il était sûr d'avoir la majorité des Français avec lui. Mais n'était-ce pas de son propre honneur qu'il était surtout question ? Lui qui a servi tant de maîtres, ne s'est-il pas appliqué à se servir surtout lui-même ? Qui est-il, M. de Talleyrand ? Pour le savoir, il faudrait l'avoir connu enfant. L'explication des êtres est toujours dans leur enfance. Alors, pourquoi pas une première question :

— Prince, si vous aviez à définir votre enfance, que diriez-vous ?

Les lourdes paupières se sont baissées. Et la voix sèche, un peu aigre :

— Je suis peut-être le seul homme d'une naissance distinguée et appartenant à une famille nombreuse et estimée qui n'ait pas eu une semaine de sa vie la douceur de se trouver sous le toit paternel.

— On était dur à l'enfance au temps de la douceur de vivre. Mais l'enfance pouvait prendre sa revanche en haïssant. Et vous, prince ?

— Le respect que je dois à ceux de qui j'ai reçu le jour ne me défend pas de dire que toute ma jeunesse a été conduite vers une profession pour laquelle je n'étais pas né.

— Ne parlons pas déjà de votre profession. Tout enfant a droit à l'amour de ses parents. Et vous ?

— Je n'ai jamais été embrassé par ma mère ni par mon père.

— A l'âge de quelques mois, vous êtes tombé en vous brisant un pied. Les os se sont soudés sans intervention médicale. Vous êtes resté pied-bot. Vos parents, c'est flagrant, ont eu honte de vous. Ils vous ont chassé de leur affection et de leur maison. Vous avez été élevé par des étrangers, puis par votre arrière-grand-mère, Mme de Chalais. Tout cela parce que vous étiez infirme. Il y a de quoi concevoir de la rancune.

— Le temps que j'ai passé à Chalais fit sur moi une profonde impression. Mme de Chalais me fit connaître un genre de douceur que je n'avais pas encore éprouvée. C'est la première femme de ma famille qui m'ait témoigné de la tendresse. C'est la première aussi qui m'ait fait goûter le bonheur d'aimer — grâces lui en soient rendues !

— Mais votre père, votre mère ?

— Que de fois j'ai senti avec amertume le prix dont devait être une affection sincère dans ma famille...

— Donc, on a voulu faire de vous un prêtre. C'était le sort commun des cadets de famille. Surtout quand ils étaient infirmes, comme vous. Comment avez-vous accepté le séminaire?

— Révolté sans puissance, indigné sans oser ni devoir le dire, je fus au séminaire d'une tristesse qui, à seize ans, a bien peu d'exemples... J'ai passé trois ans à Saint-Sulpice à peu près sans parler. On me croyait hautain. Hélas ! mon Dieu, je n'étais ni hautain ni dédaigneux. Je n'étais qu'un bon jeune homme extrêmement malheureux et intérieurement courroucé...

— Cette révolte que vous venez d'avouer, contre qui, contre quoi se dirigeait-elle?

— J'étais indigné contre la société et je ne comprenais pas comment, parce que j'étais affligé d'une infirmité d'enfance, j'étais condamné à ne pas occuper la place naturelle qui m'appartenait.

Je le vois mieux, déjà, cet homme à l'enfance douloureuse, privé d'amour. Je me souviens qu'à l'âge de six ans et demi, on l'a fait revenir de chez Mme de Chalais pour le mettre au collège à Paris. Dix-sept jours de coche, entre Bordeaux et Paris. Et un valet qui le conduit directement au collège, sans même qu'il ait revu ses parents. De quoi, décidément, devenir renfermé, misanthrope. De quoi effectuer logiquement ces retours sur lui-même dont il a parlé.

— Je me suis senti isolé, sans soutien, toujours repoussé vers moi; je ne m'en plains pas car je crois que ces retours vers moi-même ont hâté ma force de réflexion. Je dois aux peines de mon premier âge de l'avoir exercée de bonne heure et d'avoir pris l'habitude de penser plus profondément que, peut-être, je ne l'eusse fait si je n'avais eu que de petits sujets de contentement...

Le XVIIIe siècle était incrédule. Au fait, prince, reconnaissez-vous cette incrédulité ?

— L'incrédulité n'est pas aristocratique... Chez un homme, l'incrédulité est de mauvais goût ; chez une femme, c'est un crime.

Bien. Retenons la distinction : sans foi, mais pas incrédule. Et en même temps assoiffé de la tendresse dont il a été frustré. On comprend l'aventure sur quoi l'on a tant daubé, la petite actrice rencontrée, un jour d'averse, à la sortie du séminaire. Il lui a offert son parapluie. Ils en sont venus aux confidences. Et puis au reste. Ce qui ne l'a pas empêché de préparer sa thèse de théologie. Dédiée à qui, cette thèse, prince ?

— A la Sainte Vierge.

Il me semble que personne n'a su proférer des choses

aussi « hénaurmes » avec autant de sérieux. Le voilà abbé de Saint-Denis, dans le diocèse de Reims, avec un revenu de dix-huit mille livres. Mais il court les salons bien plus qu'il ne hante les églises. C'est le temps où Greuze l'a peint avec son habit bleu, son gilet blanc, sa culotte chamois, le cou cerné de batiste. Avec cela, causeur admirable. C'est par sa conversation, son esprit, son charme qu'il séduit tant de femmes. Et qu'il devient chanoine, puis évêque à trente-quatre ans. Et qu'en 1789 il est député aux états généraux. Au vrai, les ouailles de son diocèse ne l'ont préoccupé qu'une fois, une seule : quand il a voulu en faire ses électeurs.

— Comment vous adressiez-vous à vos fidèles ?

— Par ces mots : « Dieu m'est témoin que je ne cesse de penser à vous. Oui, souffrez cette expression, mes très chers frères, vous êtes devenus notre douce et unique occupation.

Voilà. Le principal, pour M. de Talleyrand, c'est d'aboutir. Il veut être député. Les moyens pour y parvenir comptent peu.

— Qu'avez-vous dit à Lamartine, prince, qui, tout en vous admirant, condamnait certaines de vos démarches ?

— Je lui ai dit : « Votre honnêteté n'est pas la mienne. »

C'est ainsi qu'il faudra considérer, désormais, M. de Talleyrand. Le plus curieux est que, dans les mandements qu'il avait écrits alors pour soutenir son élection, il avait élaboré ce qu'Edouard Herriot — il était orfèvre — a appelé « le plus hardi programme d'une révolution libérale ».

— Et vous avez été élu, prince. Et vous vous êtes jeté dans la Révolution. Vous avez pris une part importante à la Déclaration des droits de l'homme. C'est à vous que l'on attribue l'article qui définit la loi comme « l'expression de la volonté générale ». Sachez que, pour nous, c'est important. Mais on vous doit un acte politique plus capital encore, la Constitution civile du clergé. Aujourd'hui, qu'en pensez-vous ?

— Je ne crains pas de reconnaître, quelque part que

j'aie eue dans cette œuvre, que la Constitution civile du clergé a été peut-être la plus grande faute politique de cette assemblée... Elle a été fascinée par les chimériques idées d'égalité et de souveraineté du peuple.

— Je retiens le mot chimérique. A l'époque, vous n'aviez pourtant que ces mots-là à la bouche.

— Le torrent formé par l'ignorance et les passions était si violent qu'il était impossible de l'arrêter.

— N'est-ce pas plutôt, prince, que vous préfériez vous laisser entraîner par ce torrent ? Parce que c'était plus commode. Vous avez prêté serment, vous avez été un *jureur*. Les curés d'Autun, vos curés, vous ont écrit cette phrase terrible : « Vous avez fait le serment de trahir. » Ça y est, le mot est prononcé. Il ne vous abandonnera plus.

— A l'Assemblée, j'ai prononcé ces paroles : « Il est temps que l'on sache que la liberté d'opinion ne fait pas en vain partie de la Déclaration des droits de l'homme, que c'est une liberté pleine et entière, une propriété réelle, non moins sacrée, non moins inviolable que toutes les autres et à qui toute protection est due. »

— Reconnaissons qu'une telle déclaration, le 7 mai 1791, à la veille de Varennes, n'était pas sans courage. Mettons à votre actif votre rapport sur l'instruction publique, œuvre remarquable. Vous avez voulu donner l'instruction à tous. On ne peut que vous en louer. Et puis, au temps de la Législative, on vous envoie à Londres pour préparer une alliance entre l'Angleterre et la France. On vous demandait une négociation. Qu'avez-vous cherché à obtenir ?

— Qu'est-ce qu'une capitulation militaire ? C'est un contrat temporaire entre deux parties qui restent ennemies. Qu'est-ce qu'un traité de paix ? C'est celui qui, réglant l'universalité des objets en contestation, fait succéder non seulement l'état de paix à l'état de guerre, mais l'amitié à la haine.

— Je retiens que vous faites à cette époque votre entrée dans la diplomatie, votre vraie vocation. Cela signifie que vous avez définitivement glissé vers l'état laïc. Vous ne deviez plus en sortir. Comment cela s'est-il fait ?

— J'avais donné ma démission à l'évêché d'Autun, qui avait été acceptée par le pape. Après le Concordat, cette grande réconciliation avec l'Eglise à laquelle j'avais si puissamment contribué, Bonaparte obtint du pape un bref pour ma sécularisation... Et il me semble que rien n'exprime mieux l'indulgence de Pie VII à mon égard que ce qu'il disait un jour en parlant de moi : « M. de Talleyrand, ah ! ah ! que Dieu ait son âme, mais moi, je l'aime beaucoup ! »

— Quelle a été la conduite du laïc que vous étiez devenu vis-à-vis de la religion ?

— Dispensé par le vénérable Pie VII de l'exercice de mes fonctions ecclésiastiques, j'ai cherché les occasions de rendre à la religion et à beaucoup de membres honorables et respectés du clergé catholique tous les services qui étaient en mon pouvoir. Jamais je n'ai cessé de me regarder comme un enfant de l'Eglise.

— Revenons à votre mission de Londres. Peut-on savoir quelles grandes idées ont mené votre politique étrangère ?

— J'ai toujours considéré l'alliance de la France et de l'Angleterre comme la garantie la plus solide du bonheur des deux nations et de la paix du monde. Mais que d'obstacles à surmonter pour atteindre ce but !

— C'était votre dessein en 1792. Mais ensuite ?

— Voyez combien je suis heureux dans ma vieillesse. En 1792, j'ai tenté de réconcilier Mirabeau et Pitt et de former entre l'Angleterre libérale et la France révolutionnaire une alliance qui aurait tenu la tige de la balance du monde. Eh bien, en 1830, la fortune me réservait pour dernière œuvre de venir à Londres avec la même mission et d'y défendre les mêmes principes que j'y défendais alors.

— 1792, c'est l'année où commencent les grandes conquêtes de la Révolution. Comment les avez-vous accueillies ?

— La véritable primauté, la seule utile et raisonnable, la seule qui convienne à des hommes libres et éclairés, c'est d'être maître chez soi et de n'avoir jamais la ridicule prétention de l'être chez les autres... La France est assez grande... Pour les Etats comme pour les individus, la richesse réelle consiste non à acquérir ou envahir les domaines d'autrui, mais à faire valoir les siens. La France doit rester circonscrite dans ses propres limites ; elle le doit à sa gloire, à sa justice, à sa raison, à son intérêt et à celui des peuples qui seront libres par elle.

— La France doit-elle donc rester repliée sur elle-même ?

— Lorsqu'on examine la position géographique de ce composé solide, compact, qu'on appelle la France, lorsqu'on suit tout son littoral, on a lieu d'être étonné qu'elle n'ait pas toujours regardé la mer Méditerranée comme son domaine... La France, par elle-même, et par l'Espagne, son alliée, doit avoir dans la Méditerranée la supériorité de domination qu'elle voudra y acquérir. Les avantages immenses qui pourraient en résulter pour nous ont été négligés.

— Pourtant, pendant de longues années, les Français se sont battus pour conquérir ou garder des territoires outre-Atlantique.

— L'influence de l'imitation et le sentiment de rivalité nous ont en fait entraîné de l'autre côté de l'océan. Il est remarquable que tous les projets de grandeur maritime de la France ont toujours eu besoin d'être excités par l'esprit d'opposition. Il a fallu toujours en perspective un ennemi à combattre, ou une puissance à affaiblir, pour enflammer notre orgueil, notre courage et notre industrie.

— Le bassin méditerranéen doit donc suffire à nos ambitions ?

— De même que l'Angleterre se trouve placée de manière à avoir des avantages sur la France dans l'océan, la France retrouve place de manière à avoir des avantages sur l'Angleterre dans la Méditerranée... On serait encouragé dans cette manière de voir si l'on se reportait à des époques antérieures de notre histoire. Ainsi on verrait qu'au temps des croisades l'Empire était précisément sur la route de ces idées. Le commerce de l'Asie, la liberté des communications avec cette riche partie de l'Ancien Monde étaient un des motifs secrets de guerre de quelques-uns des princes d'Occident contre les califes d'Arabie, contre les soudans d'Egypte et les sultans de Nicomédie. La religion servait de prétexte à la politique et la politique pouvait entrevoir les avantages d'une navigation exclusive... De nos jours, les grandes difficultés de religion étant éteintes, des arrangements commerciaux pourraient entrer dans les intérêts de toutes les puissances de l'Orient, qui, par elles-mêmes, ne sont pas essentiellement navigatrices.

— Vous êtes donc adversaire des conquêtes coloniales ?

— Point de domination, point de monopole, toujours la force qui protège, jamais celle qui s'empare...

— Revenons à la politique intérieure. Par une évolution qui nous semble aujourd'hui naturelle, la France est passée de la monarchie absolue à la monarchie constitutionnelle, puis de la monarchie constitutionnelle à la république. Que pensez-vous de la république ?

— Il faut se défier de tout homme qui n'a pas été républicain avant trente ans et de celui qui persiste à l'être passé cet âge.

— Vous avez vous-même traversé toutes les sortes de régimes. On peut penser que celui qui a le mieux comblé vos vœux a été celui de Louis-Philippe. Mais après Louis-Philippe, qu'envisagez-vous ?

— La France aura sur ses places les scènes d'Athènes et de Rome. J'ai vu le Mirabeau d'avant. J'attends le Mirabeau d'après...

Je l'écoute cependant que les mots me parviennent, nets, précis. Tous ceux qui l'ont rencontré ont été frappés par la clarté de l'expression. Cet homme a beaucoup entrepris, beaucoup agi. Assurément, ce n'est pas au hasard. Tout ce qu'il dit le prouve. Un nom vient de me frapper : Mirabeau. J'interroge :

— Vous avez, dans les premières assemblées de la Révolution, agi parallèlement à Mirabeau. Comment vous départagez-vous de ce grand tribun ?

— Mirabeau était un grand homme, mais il lui manquait le courage d'être impopulaire. Sous ce rapport, voyez, je suis plus homme que lui. Je livre mon nom à toutes les interprétations et à tous les outrages de la foule. On me croit immoral et machiavélique. Je ne suis qu'impassible et dédaigneux. Je n'ai jamais donné un conseil pervers à un gouvernement, mais je ne m'écroule pas avec eux. Après le naufrage, il faut des personnes pour recueillir les naufragés. J'ai du sang-froid. Je ne mène pas à un port quelconque. Peu importe le port, pourvu qu'ils y arrivent ! Je finis bien ma vie publique. Je ne suis pas pressé pour ma mémoire ; j'ai bravé la sottise de l'opinion toute ma vie, je puis bien la braver dans ma tombe... Mes prétendus crimes sont des rêves d'imbéciles. Est-ce qu'un homme habile a jamais besoin de crimes ? C'est la ressource des idiots en politique. Le crime est comme le flux de cette mer : il revient sur ses pas et il noie. J'ai eu des faiblesses, quelques indices des vices ; mais des crimes ? Fi donc !

Des crimes ? Là-dessus, il est formel. Bien sûr. Mais il a prêté serment à la monarchie, à la Révolution, au Directoire, au Consulat, à l'Empire, à la Restauration, à la monarchie de Juillet. Il a été évêque sous l'Ancien Régime ; ministre sous le Directoire ; ministre et grand chambellan sous le Consulat et l'Empire ; président du Conseil et chambellan sous la Restauration ; ambassadeur sous Louis-Philippe. C'est par lui que le Directoire a été renversé en 1799, parce qu'il a apporté son appui à Bonaparte. C'est par lui que Napoléon a été renversé en 1814, parce qu'il a apporté son appui aux Bourbons. C'est par lui que Charles X a été renversé en 1830, parce qu'il a apporté son appui à Louis-Philippe. Tout dépend du sens que l'on donne au mot crime. Trahir le régime qui vous a fait confiance, est-ce ou n'est-ce pas un crime ? Mais il refuse le mot trahison. Il le méprise. La vérité est que Talleyrand fut le baromètre infaillible du bonheur des régimes. Toujours, il est allé vers les triomphants. Dès qu'il a discerné la moindre faille dans l'édifice, il l'a quitté. Le premier. Si tous les Français avaient agi de même, il y aurait longtemps que la France serait morte. Sa force, sa grande force, est d'avoir su plaider sa propre cause avec des arguments presque convaincants, une subtilité de grand avocat. La conjonction de ces défauts et de ces qualités explique sans doute son succès aux Affaires étrangères.

— Au fait, prince, que doivent être, à votre avis, les qualités du parfait ministre des Affaires étrangères ?

— Il faut qu'il soit doué d'une sorte d'instinct qui, l'avertissant promptement, l'empêche, avant toute discussion, de jamais se compromettre. Il lui faut la faculté de se montrer ouvert en restant impénétrable, d'être réservé avec les formes de l'abandon, d'être habile jusque dans le choix de ses distractions ; il faut que sa conversation soit simple, variée, inattendue, toujours naturelle et parfois naïve ; en un mot, il ne doit pas cesser, un moment, dans les vingt-quatre heures, d'être ministre des Affaires étrangères.

— C'est votre portrait que vous tracez là !

— Toutes ces qualités, quelque rares qu'elles soient, pourraient n'être pas suffisantes, si la bonne foi ne leur donnait une garantie dont elles ont presque toujours besoin. Je dois le rappeler pour détruire un préjugé assez généralement répandu. Non, la diplomatie n'est point une science de ruse et de duplicité. Si la bonne foi est nécessaire quelque part, c'est surtout dans les transactions publiques, car c'est elle qui les rend solides et durables. On a voulu confondre la réserve avec la ruse. La bonne foi n'autorise jamais la ruse, mais elle admet la réserve, et la réserve a cela de particulier, c'est qu'elle ajoute à la confiance.

Moi, je ne peux m'empêcher de songer au mot le plus célèbre du prince : « La parole a été donnée à l'homme pour déguiser sa pensée. » Et puis, devant

« Je suis d'Inde », disait-elle : la princesse de Talleyrand, par Isabey (Collection particulière).

cet extraordinaire condensé d'aristocratie, les avatars de cette carrière m'étonnent plus encore. Comment a-t-il pu être à l'aise avec le personnel révolutionnaire ?

— L'envie, principe de la Révolution française, répond-il, a pris le masque d'une égalité dérisoire ; elle promena son insultant niveau sur toutes les têtes, pour détruire ces innocentes supériorités que les distinctions sociales établissent. Cependant, j'ai été ministre du Directoire ; toutes les bottes ferrées de la Révolution ont traversé ma chambre sans que jamais personne ait imaginé d'être familier avec moi.

Sa première accession aux affaires date de son retour d'Amérique où il avait attendu la fin de la Terreur. Dans la voiture qui l'emmenait à son ministère, il avait répété : « Et maintenant, il faut faire fortune. Une immense fortune. » Le programme a été en tout point accompli. Cela aussi, c'est une explication de M. de Talleyrand. L'étrange spectacle que ce dut être que celui de son installation avec la ravissante femme qu'il avait ramenée d'Amérique !

— Prince, peut-on vous demander dans quelles circonstances vous vous êtes marié ?

— Je ne puis, en vérité, donner aucune explication suffisante : cela s'est fait dans un temps de désordre général. On n'attachait grande importance à rien, ni à soi ni aux autres ; on était sans société, sans famille ; tout se faisait avec la plus parfaite insouciance à travers la guerre et la chute des empires. Vous ne savez pas jusqu'où les hommes peuvent s'égarer aux grandes époques de décomposition sociale.

— On a eu le front d'insinuer que la princesse de Talleyrand n'avait guère d'esprit...

— Elle avait de l'esprit comme une rose... Il faut avoir aimé une femme de génie pour savourer le bonheur qu'on éprouve à avoir épousé une bête... Une femme spirituelle compromet souvent son mari, une femme bête ne compromet qu'elle seule.

Il parlait d'une femme de génie. Comment ne pas penser à Mme de Staël qui a traversé sa vie, comme tant d'autres ? C'est par elle qu'il est arrivé pour la première fois au ministère. Avec des si, on met Paris dans une bouteille, disait Napoléon. Mais sans Mme de Staël, justement, Talleyrand eût-il rencontré Napoléon, l'homme qui a le plus pesé sur son destin ?

— Comment vos relations avec Bonaparte s'engagèrent-elles ?

— Le général Bonaparte, en apprenant ma nomination comme ministre des Relations extérieures, m'adressa à cette époque une lettre fort obligeante. Je trouvais dans ce jeune vainqueur quelque chose d'assez nouveau, d'assez fort, d'assez habile et d'assez entreprenant pour attacher à son génie de grandes espérances. Le soir de son arrivée à Paris, il m'envoya un aide de camp pour me demander à quelle heure il pourrait me voir. Je répondis que je l'attendais : il se fit annoncer pour le lendemain à 11 heures du matin. Je le fis dire à Mme de Staël qui, à 10 heures, était dans mon salon. Il y avait aussi quelques autres personnes que la curiosité avait amenées. On annonça le général, j'allai au-devant de lui. Au premier abord, il me parut avoir une figure charmante : vingt batailles gagnées vont si bien à la jeunesse, à un beau regard, à de la pâleur et à une sorte d'épuisement ! Nous entrâmes dans mon cabinet. Cette première conversation fut, de sa part, toute de confiance. Il me parla avec beaucoup de bonne grâce de ma nomination au ministère des Relations extérieures... Je lui donnai une fête pour célébrer ses victoires en Italie et la belle paix qu'il venait de faire.

— Quand avez-vous mesuré l'étendue des ambitions de Bonaparte ?

— La paix d'Amiens était à peine conclue que la modération commença à abandonner Bonaparte. Cette paix n'avait pas encore reçu sa pleine exécution qu'il jetait déjà les semences de nouvelles guerres qui devaient, après avoir accablé l'Europe et la France, le conduire lui-même à sa ruine.

— Quelle fut la plus grave faute de Bonaparte à cette époque ?

— L'assassinat du duc d'Enghien, commis uniquement pour s'assurer, en se plaçant dans leurs rangs, ceux à qui la mort de Louis XVI faisait craindre toute espèce de pouvoir ne venant pas d'eux, cet assassinat, dis-je, ne pouvait être ni excusé ni pardonné, et il ne l'a jamais été. Pour ce qui touche le jugement et l'exécution du duc d'Enghien, il ne me sera pas difficile de démontrer que je n'y ai contribué en quoi que ce soit.

Toujours le parler net, l'explication catégorique. Le ton est tel qu'y répondre paraîtrait discourtois. Pour-

A Erfurt, comme s'il présidait entre le tsar et l'empereur des Français... (Musée de Versailles).

tant, l'Histoire est là qui prouve la part de responsabilité indiscutable de Talleyrand dans l'exécution du duc d'Enghien. Pour une faute de Napoléon, bien plus grave à notre avis que l'affaire du duc d'Enghien, la guerre d'Espagne, nous savons à quel point Talleyrand a su donner au projet de Napoléon les contours historique et politique qui lui manquaient. Ce qui ne l'empêche pas, à ce sujet, de se montrer tout aussi formel :

— L'Empereur m'avait entretenu plusieurs fois de son projet de s'emparer de l'Espagne. Je combattis ce projet de toutes mes forces en exposant l'immoralité et les dangers d'une pareille entreprise... La disgrâce fut le fruit de ma sincérité.

Ce n'est pas vrai, mais c'est si bien dit ! Toujours l'implacable logique :

— Je servis Bonaparte empereur comme je l'avais servi consul, je le servis avec dévouement tant que je pus croire qu'il était lui-même dévoué uniquement à la France. Mais dès que je le vis commencer les entreprises qui l'ont perdu, je quittai le ministère, ce qu'il ne m'a jamais pardonné.

— Quels ont été vos vrais sentiments à l'égard de Napoléon ?

— J'aimais Napoléon. Je m'étais attaché même à sa personne, malgré ses défauts. A son début, je m'étais senti entraîné vers lui par cet attrait irrésistible qu'un grand génie porte avec lui. Ses bienfaits avaient provoqué en moi une reconnaissance sincère... Je l'ai servi avec dévouement et, autant qu'il a dépendu de moi, avec un dévouement éclairé. Dans le temps où il savait entendre la vérité, je la lui disais loyalement. Je la lui ai dite même plus tard, lorsqu'il fallait employer des ménagements pour la faire arriver jusqu'à lui. La disgrâce que m'a value ma franchise me justifie devant ma conscience de m'être séparé de sa politique d'abord, puis de sa personne quand il était arrivé au point de mettre en péril la destinée de ma patrie.

— Tout cela est fort séduisant. Mais il n'en reste pas moins qu'à Erfurt vous avez fait exactement le contraire de ce dont Napoléon vous avait chargé. Vous avez invité le tsar à résister, à ménager l'Autriche. Cela s'appelle conspirer.

— Je n'ai conspiré dans ma vie qu'aux époques où j'avais la majorité de la France pour complice, où je cherchais avec elle le salut de ma patrie. Les méfiances et les injures de l'Empereur à mon égard ne pouvaient rien changer à la vérité des faits... Napoléon battu devait disparaître de la scène du monde. C'est le sort des usurpateurs vaincus... Les régimes passent, la France reste.

Oserais-je lui rappeler ce qui s'est passé après la fameuse algarade de 1809 avec Napoléon, celle où l'Empereur l'a traité de « m... dans un bas de soie » ? Le lendemain, il s'est rendu chez l'ambassadeur d'Autriche. L'alliance qu'il a nouée, ce jour-là, c'est tout simplement une déclaration de guerre à Napoléon. Il est passé au service des Alliés. Mais ce n'est pas tout.

Calmement, il a déclaré à Metternich que, brouillé avec Napoléon, il allait perdre d'importants revenus. Ces revenus, il fallait que l'Autriche les lui compensât. Il a donc touché aussitôt quarante mille francs. Des francs-or. Par la suite, les versements n'ont jamais cessé.

Je me tais. D'ailleurs, je sais ce qu'il m'eût répondu. Car il y a toujours une réplique de M. de Talleyrand pour toutes les circonstances :

— Pour faire fortune, ce n'est pas de l'esprit qu'il faut, c'est de la délicatesse qu'il ne faut pas.

— Vous avez donc servi Louis XVIII. Personne au monde ne nie que votre rôle au Congrès de Vienne a été primordial.

— A Vienne, il fallait faire tenir à la France un autre langage que celui qu'on était depuis vingt ans habitué à entendre de sa part... J'entrepris une tâche dans laquelle j'avais confiance de réussir... Le premier besoin de l'Europe, son plus grand intérêt était de bannir les doctrines de l'usurpation et de faire revivre le principe de la légitimité, seul remède à tous les maux dont elle avait été accablée et le seul qui fût propre à en prévenir le retour. La légitimité des rois ou, pour mieux dire, des gouvernements, est la sauvegarde des natures. C'est pour cela qu'elle est sacrée... Un gouvernement légitime, qu'il soit monarchique ou républicain, héréditaire ou électif, aristocratique ou démocratique, est toujours celui dont l'existence, la forme et le mode d'action sont consolidés et consacrés par une longue succession d'années, et je dirais volontiers par une prescription séculaire.

— Et pourtant, ce beau principe de la légitimité, vous l'avez abandonné en 1830.

— On ne pouvait se dissimuler que nous marchions vers l'abîme. Du moment où la légitimité trahissait son principe en rompant ses serments, il fallait chercher le salut de la France au hasard et sauver au moins, si cela était possible, le principe monarchique, indépendamment de la légitimité, dans la grande tempête soulevée par celle-ci. Ce n'est pas moi qui ai abandonné le roi, c'est le roi qui nous a abandonnés.

Merveilleux tour de passe-passe. Il aura donc toujours le mot de la fin ? Et si je lui demandais une consultation pour l'avenir ? Moi qui connais, justement, cet avenir, ce serait une bonne occasion de savoir s'il a vu juste.

— Que pensez-vous, prince, de l'avenir de l'Europe ?

— On ne doit pas se faire illusion, l'équilibre européen que nous avons fondé au Congrès de Vienne n'est pas éternel. Il succombera un jour ou l'autre, mais il nous permet des années de paix. Ce qui menace de le rompre dans un temps plus ou moins éloigné, ce

Avocat de la légitimité : au Congrès de Vienne. (Sépia, par Isabey. Collection de la reine d'Angleterre.) Photo Bibl. nat.

sont les aspirations qui demeurent universelles dans le centre de l'Allemagne. Les nécessités de la défense et un péril commun ont préparé les esprits pour l'unité germanique... L'Autriche n'est pas à craindre... C'est la Prusse qui doit être surveillée : elle tentera l'aventure et, si elle réussit, alors toutes les questions d'équilibre seront changées.

Soyons justes, voilà une lucidité qui lui fait grand honneur. En 1830, il prévoyait déjà 1870 et tout ce qui en découla. Une autre question.

— Et la puissance américaine ?

— L'Amérique s'accroît chaque jour. Elle deviendra un pouvoir colossal, et un moment doit arriver où, placée vis-à-vis de l'Europe en communications plus faciles par le moyen de nouvelles découvertes, elle désirera dire son mot dans nos affaires et y mettre la main. La prudence politique impose donc aux gouvernements de l'ancien continent le soin de veiller scrupuleusement à ce qu'aucun prétexte ne s'offre pour une telle intervention.

Ici, c'est plus que de la lucidité, c'est une véritable prescience.

Il s'est levé, a fait quelques pas en claudiquant. Je sens que l'entretien touche à sa fin. J'aurais tant encore à lui demander ! Il aurait tant encore à me répondre ! Et si nous tentions un bilan ?

— Peut-on vous demander, prince, si vous êtes satisfait de ce que vous avez accompli pendant votre vie ?

— Je ne sais si je suis satisfait quand je récapitule comment tant d'années se sont écoulées, comment je les ai remplies. Que d'agitations inutiles ! Que de tentatives infructueuses, de complications fâcheuses, d'émotions exagérées, de forces usées, de dons gaspillés, de malveillances inspirées, d'équilibres perdus, d'illusions détruites, de goûts épuisés ! Quel résultat enfin ? Celui d'une fatigue morale et physique, d'un découragement complet et d'un profond dégoût du passé. Il y a une foule de gens qui ont le don ou l'insuffisance de ne jamais prendre connaissance d'eux-mêmes. Je n'ai que trop le malheur ou la supériorité contraire,

Tel qu'en lui-même, statufié vivant... (Collection de Castellane). Photo Schnapp.

elle augmente avec le sérieux que les années donnent.

Il se tait, comme replié sur lui-même. J'aime cette amertume après une longue carrière. Elle rejoint celle qui marqua son enfance. Sa vie, il l'a construite autour d'une éclatante réussite. Pour édifier sa propre gloire, il a piétiné bien des hommes et bien des principes. Nous devrions le condamner sans appel, s'il était sorti de là dans la tranquille certitude des bonnes consciences. Tout ce qu'il a dit, tout ce qu'il a écrit pourrait nous le laisser supposer. La cause qu'il a plaidée est celle d'un homme qui a eu toujours raison. Et cette plaidoirie-là ne peut nous abuser. Au bout de la route, nous sommes prêts à le condamner. Et puis, tout à coup, cette note inattendue, cette immense lassitude, la preuve que ses succès ne lui ont laissé en définitive qu'un goût de cendre. Voilà la meilleure note que nous puissions décerner à M. de Talleyrand.

— Ne craignez-vous pas que vos pensées et vos actes soient éternellement l'objet d'interprétations contradictoires ?

Il a fermé les yeux.

— Je veux que pendant des siècles on continue à discuter sur ce que j'ai été, sur ce que j'ai pensé et ce que j'ai voulu.

Et puis le silence. Mon rêve est achevé. Un cliquetis de machine à écrire, derrière moi. Un téléphone qui grésille. Mon interlocuteur américain qui revient pour me parler du général Marshall. De M. de Talleyrand, il ne reste que ce qu'a dit Barante : « Un grand débris du passé et un lustre du présent... Voilà ce que nous avons vu et rien de ce que nous verrons ne sera semblable. »

XII

FOUCHÉ

Au fond de son golfe, là, sur l'Adriatique, s'étale l'antique Trieste. Tout autour, des collines où s'agglutinent des maisons. Au centre, la cathédrale San Giusto, née au XIVe siècle de l'union de deux églises du XIe siècle. Sur tout cela, le soleil, brûlant en été, souvent chaud en hiver. Et, dans les rues, ce bonheur de vivre, cette vivacité contrastée de nonchalance qui est le propre des pays méditerranéens.

A la fin de 1819, Trieste vit apparaître l'un des plus singuliers personnages d'une époque qui en compte pourtant une foule : le citoyen Fouché, duc d'Otrante, choisissait le grand port comme résidence. Il y louait le palais Vico où il s'installait avec sa jeune épouse et ses trois fils.

Un événement, l'installation du duc d'Otrante. Les habitants de Trieste, qui le voyaient chaque jour sortir de chez lui pour sa promenade, le considéraient avec une sorte d'inquiétude. Au vrai, pour eux comme pour nous, Fouché sécrète le mystère. Il a tout fait pour cela Artiste en police, il a tout su sur ses contemporains, mais s'est appliqué à ce qu'on sût fort peu sur lui-même. A Trieste, ses pas le conduisaient souvent jusqu'aux quais. Là, il regardait la mer. On vit même celui qui avait été le plus fervent athée de la Convention entrer parfois à San Giusto.

Suivons-le. Dans l'église, il s'est agenouillé. Prie-t-il ? Rêve-t-il ? Evoque-t-il son destin ? Il sort de son silence, quitte l'église, retourne devant la mer, rêve à nouveau. Approchons-nous.

Fouché, c'est un visage, un visage blême, blanc, presque exsangue. Tout y apparaît frappant et d'abord les yeux : sous l'arc des sourcils relevés sans que le front se plisse, les paupières lourdes, ourlées de rouge, laissent filtrer un regard si terne qu'il paraît mort. Le nez est mince, osseux, les méplats accusés, les joues creuses. Et puis il y a les lèvres, minces comme un trait. L'allure générale ? Il est grand, il est fort sans être épais. Ses rares cheveux sont blancs. Il a soixante ans, mais en paraît beaucoup plus. Percer le secret de cet homme qui lui-même est un secret ? La tâche est ardue. Si nous ouvrons les Mémoires des contemporains, nous y trouvons d'innombrables propos de Talleyrand. Presque rien de Fouché. Il semble que l'on ait eu de la peine à restituer ses paroles. Sans doute parce qu'il en prononçait peu. Sans doute aussi parce que la prudence dont il s'enveloppait toujours leur ôtait cette personnalité qui frappe les mémorialistes.

N'importe, que peut penser un homme qui a été presque d'Eglise ; qui s'est rangé parmi les plus extrêmes de la Révolution ; qui, pour sauver sa tête, s'est fait soudain modéré et a conduit à la mort ses amis de la veille ; qui, républicain, a servi un empereur, puis un roi, trahissant l'un au profit de l'autre ? Cette carrière sans égale, maintenant qu'il est en exil et qu'il peut revenir sur elle, comment la juge-t-il ?

— Que pensez-vous de votre vie, duc d'Otrante ?

— Ma vie politique est terminée et mon ambition est satisfaite puisque j'ai acquis parmi les Français une considération qui suivra mon nom et ma personne. La justice et la postérité décideront si, dans les maux qui ont accablé ma patrie, tous les partis ont eu une égale part, et quel est celui qui y a le plus contribué.

Il incarnait la Police... (Gravure de Wolff, d'après Girardet. Musée de Malmaison). Photothèque Plon-Perrin. ▶

Il pense donc que les Français éprouvent pour lui de la considération. Est-ce de l'aveuglement ? Ou le croit-il sérieusement ? Il est certain qu'il intéresse les Français. Mais le sentiment qu'ils ressentent pour lui ne doit pas ressembler beaucoup à cette déférence que suppose la considération.

— Quels sentiments portez-vous à ceux qui vous attaquent ?

— Je n'ai point de courroux contre mes ennemis, ils m'ont attaqué avec les extrêmes de la fureur ; si je daigne leur répondre, je ne me défendrai qu'avec les extrêmes de la modération.

Modéré, lui ? N'oublions pas que c'est un sexagénaire qui parle, un exilé. Un homme aussi qui, jusqu'à son dernier instant, espérera pouvoir rentrer en France. Tous les propos que nous allons écouter doivent être compris sous cet angle. Il serait trop beau de vouloir attendre de lui de la sincérité. C'est un sentiment que Fouché ne comprend pas. Tout, dans son comportement, ses actes, ses paroles, n'est que calcul. A nous de rester sur nos gardes.

— On a dit beaucoup de choses sur vos origines.

— Peu importe que je sois le fils d'un armateur et qu'on m'ait d'abord destiné à la navigation : ma famille était honorable ; peu importe que j'aie été élevé chez les oratoriens, que j'aie été oratorien moi-même, que je me sois voué à l'enseignement, que la Révolution m'ait trouvé préfet du collège de Nantes, il en résulte au moins que je n'étais ni un ignorant ni un sot. Il est d'ailleurs de toute fausseté que j'aie jamais été prêtre, ni engagé dans les ordres.

Arrêtons-nous déjà. On l'a beaucoup accusé d'avoir été un prêtre défroqué. Il est vrai qu'en 1781 le registre du séminaire de l'Oratoire à Paris portait la mention : « Joseph Fouché, âgé de vingt-deux ans, *clerc tonsuré* du diocèse de Nantes. » Il a donc été séminariste, mais n'a pas reçu les ordres majeurs. Sans être prêtre, il se bornera à être *confrère* de l'Oratoire, ce qui n'empêche pas ses élèves de parler du « Révérend Père Fouché ». Louis Madelin — on ne peut étudier Fouché sans se référer à lui — a dit qu'il n'avait jamais été prêtre, mais qu'il l'était moralement.

— Avez-vous adhéré aux grands principes révolutionnaires dès le début de la Révolution ?

— D'abord, qu'on ne me rende personnellement responsable ni de la Révolution, ni de ses écarts, ni même de sa dictature. Je n'étais rien, je n'avais aucune autorité quand ses premières secousses, bouleversant la France, firent trembler le sol de l'Europe.

Que de précautions, déjà : voilà qu'il se dénie toute part de responsabilité dans la Révolution !

— Vous avez pourtant pris parti sans hésitation apparente pour cette même Révolution ?

— Il n'y a que le vulgaire qui croit que les révolutions politiques sont le résultat de combinaisons et l'œuvre des individus. Ceux qu'elles frappent en sont souvent les auteurs. Ceux qui semblent les diriger n'en suivent que les mouvements... Qui peut s'établir juge de la conduite des hommes au milieu de nos crises et de nos orages ?

— En septembre 1792, vous avez été envoyé à la Convention par les électeurs de la Loire-Inférieure. Votre profession de foi électorale était fort modérée et s'adressait d'ailleurs à des électeurs modérés. Vous aviez siégé au côté droit de l'Assemblée. Vous condamniez cette « poignée d'hommes » — les Jacobins — qui cherchaient à dominer l'Assemblée. Et puis, tout à coup, vous changez : vous votez la mort de Louis XVI. Vous affirmerez que vous ne l'avez fait que pour obéir aux vœux de vos électeurs. Pourtant les habitants de Nantes étaient à cette époque favorables au roi. Pourquoi avez-vous donc voté la mort ? Pourquoi cette volte-face ?

— J'ai été fatalement entraîné à voter la mort de Louis XVI... On me présenta le roi comme se préparant à attirer les Allemands à Paris... On grisa mon jeune esprit républicain des maximes d'Athènes et de Lacédémone, des mots magiques de tyrannie et de république... Ce n'est pas Louis XVI qui a été condamné, mais l'affreux fantôme sous lequel il a été présenté à la Convention nationale... Ce vote [...] reste injustifiable, j'avouerai même, sans honte comme sans faiblesse, qu'il me fait connaître le remords. Mais j'en prends à témoin le Dieu de la Vérité, c'était bien moins le monarque au fond que j'entendis frapper (il était bon et juste) que le diadème, alors incompatible avec l'ordre des choses. Et puis, le dirai-je ? car les révélations excluent les réticences, il me paraissait alors, comme à tant d'autres, que nous ne pourrions inspirer assez d'énergie à la représentation et à la masse du peuple, pour surmonter la crise, qu'en outrant toutes les mesures, qu'en dépassant toutes les bornes, qu'en compromettant toutes les sommités révolutionnaires. Telle fut la raison d'Etat qui nous parut exiger cet effrayant sacrifice.

Comme on préfère la dernière partie de sa déclaration ! Assurément elle sonne plus vrai. Il est difficile de croire aux remords de Fouché. Quand il parle de nécessité politique, on le retrouve. Ce qui est également probable, c'est qu'au cours du procès de Louis XVI il a senti que la majorité s'éloignait irrévocablement de l'indulgence que lui-même aurait été prêt à prôner. Rester à l'écart d'un mouvement irrésistible ? Impossible pour Fouché. Alors, répudiant sa modération de la veille, il s'est jeté dans le mouvement. Dès lors, il se maintiendra à l'avant-garde. Ses missions à travers la France se traduiront par des fusillades, des mitraillades, des guillotinades dont Nantes, Troyes, Nevers, Moulins et surtout Lyon ont gardé un souvenir peuplé d'effroi.

— Que pouvez-vous dire de votre activité pendant la Révolution ?

— Envoyé en mission dans les départements, forcé de me rapprocher du langage de l'époque et de payer un tribut à la fatalité des circonstances, je me vis contraint de mettre à exécution la loi contre les suspects. Elle ordonnait l'emprisonnement en masse des prêtres et des nobles.

— Les mesures de terreur que vous avez prescrites

Il fut l'homme des mitraillades de Lyon (Gravure de Boyer, d'après Raffet). Photothèque Plon-Perrin.

dépassent de beaucoup ce qu'ont accompli la plupart des autres représentants en mission.

— On trouvera bien moins, dans le cours de mes missions, d'actions blâmables à relever que de ces phrases banales dans le langage du temps et qui, dans des temps plus calmes, inspirent encore une sorte d'effroi ; ce langage d'ailleurs était, pour ainsi dire, officiel et consacré. Qu'on ne s'abuse pas non plus sur ma position à cette époque, j'étais le délégué d'une assemblée frénétique, et j'ai prouvé que j'avais éludé ou adouci plusieurs de ces mesures acerbes. Mais, du reste, ces prétendus proconsulats réduisaient le député missionnaire à n'être plus que l'homme-machine, le commissaire ambulant des Comités de salut public et de sûreté générale. Jamais je n'ai été membre de ces Comités de gouvernement... Je n'ai point tenu pendant la Terreur le timon du pouvoir, au contraire, la Terreur a réagi pour moi. Par là on peut juger combien ma responsabilité a été restreinte.

En somme, si on l'en croit, il n'aurait fait que se glorifier, dans ses écrits, d'actes qu'il n'aurait pas réellement commis. L'Histoire est là qui le prend en flagrant délit de mensonge. Les mitraillades de Lyon, c'est le canon substitué à la guillotine jugée trop lente ; des troupeaux entiers de condamnés mitraillés dans la plaine des Brotteaux. C'est le temps où Fouché écrit : « Oui, nous osons l'avouer, nous faisons répandre beaucoup de sang impur, mais c'est par humanité, par devoir. Représentants du peuple, nous ne trahirons point sa volonté. »

Là, sur le quai de Trieste, je le lui rappelle. Un peu de tristesse seulement sur son visage et il reprend, de sa voix douce :

— Pas un acte de mes missions qui ne porte l'empreinte de la bonne foi d'une conscience pure, tout occupée de la perfection sociale et du bonheur.

On sait comment Robespierre, considérant que certains représentants en mission, dont Fouché, déshonorent la République, les fera rappeler. Dès lors, Fouché va trembler.

— Pour vous défendre, vous avez attaqué. Et Robespierre vous est apparu comme l'homme à abattre.

— Etre envieux, haineux, vindicatif [...], il aspirait ouvertement, non plus à la tyrannie décemvirale, mais au despotisme de la dictature des Marius et des Sylla. Il n'avait plus qu'un pas à faire pour rester le maître absolu de la Révolution qu'il nourrissait l'ambitieuse audace de gouverner à son gré ; mais il fallait encore trente têtes ; il les avait marquées dans la Convention. Il savait que je l'avais deviné, aussi avais-je l'honneur d'être inscrit sur ses tablettes à la colonne des morts. J'étais encore en mission quand il m'accusa d'opprimer les patriotes et de transiger avec l'aristocratie... Il me fit chasser des Jacobins dont il était le grand prêtre, ce qui, pour moi, équivalait à un arrêt de proscription.

Le résultat ? Fouché s'est fait le plus ardent et le plus

efficace agent de la conjuration qui amènera, au 9-Thermidor, la chute de Robespierre.

— Vainqueur en thermidor, vous avez été pourtant la victime des thermidoriens ?

— J'avais échappé aux proscriptions de Robespierre, je ne pus éviter celle des réacteurs. Ils me poursuivirent jusque dans la Convention, dont ils me firent expulser par un décret inique, à force de récriminations et d'accusations mensongères. Je passai presque une année en butte à toutes sortes d'avanies et de persécutions odieuses.

— Grâce à Barras, vous avez été nommé ambassadeur du Directoire ?

— Je m'obstinai à refuser les faveurs subalternes qui me furent offertes, j'étais décidé à n'accepter qu'une mission brillante qui me lançât tout à coup dans la carrière des grandes affaires politiques. J'eus la patience d'attendre : j'attendis même longtemps mais je n'attendis pas en vain.

— Ce fut également Barras qui vous fit obtenir un portefeuille de ministre ?

— J'échangeai volontiers mon ambassade pour le ministère de la Police, quoique le sol où j'allais camper me parût mouvant. Je me hâtai de me rendre à mon poste.

— Vous étiez dès lors à la bonne place pour aider Bonaparte à prendre le pouvoir au 18-Brumaire.

— La révolution de Saint-Cloud aurait échoué si je lui avais été contraire, je pouvais égarer Sieyès, donner l'éveil à Barras, éclairer Gohier et Moulins, je n'avais qu'à seconder Dubois de Crancé, le seul ministre opposant, et tout croulait.

— En remerciement, Bonaparte vous a maintenu à la tête de la Police...

— Quand on en vint à la Police, Sieyès, alléguant des motifs insidieux, proposa de me remplacer par Alquier : c'était son homme. Bonaparte objecta que je m'étais bien conduit au 18-Brumaire et que j'avais donné assez de gages. En effet, non seulement j'avais favorisé le développement de ses dispositions préliminaires, mais encore, au moment de la crise, j'étais parvenu à paralyser l'action de plusieurs députés et de quelques généraux qui auraient pu nuire au succès de la journée.

Voilà donc accomplie l'évolution. Il vient de se livrer au nouveau maître de la France. Il l'a fait sans hésiter. Car, une fois de plus, il a senti d'où soufflait le vent. Plus peut-être que d'autres, Fouché estime que la Révolution a achevé son cours. Il tient à lui conserver ses conquêtes, il ne veut pas que l'on revienne en arrière. Mais, comme il l'a dit à cette époque, il estime qu'*il faut une tête*. Quasi physiquement, il a horreur de l'anarchie, du débraillé. A condition que l'on ne rétablisse pas l'ancienne monarchie — il est régicide, il ne l'oublie pas — il est prêt, dès le Directoire, à se rallier à une sorte de république aristocratique. Avec Bonaparte, la tête est trouvée. Il servira donc Bonaparte, car le servir, c'est se servir lui-même. On aurait pu lui proposer un autre ministère. On n'y pense pas, puisque, de toute évidence, la Police et Fouché devaient faire bon ménage. On verra mieux encore que ce que l'on espérait : « Fouché de Nantes » va pousser l'art policier au plus haut degré de perfection jamais connu jusque-là.

— Votre tâche au ministère de la Police fut-elle ardue ?

— C'est de tous les ministères le plus difficile puisque c'est celui où il est le plus aisé et le moins permis de faire un écart, car si le chef de ce département surveille tous les autres, chacun des autres en particulier a occasion et intérêt de relever ses erreurs, d'éclairer ses fautes.

— Si l'on vous demandait de formuler une règle qui résumât votre action de premier policier de France, que diriez-vous ?

— La clémence est une vertu, mais la faiblesse est un vice qui compromet la garantie sociale ; elle est un crime quand elle s'exerce aux dépens de la sécurité publique.

Dans les rayons de la gloire impériale... (Portrait par Dubufe. Musée de Versailles). Photo Bulloz.

— La police doit-elle tout connaître ?

— La police est une surveillance continuelle de l'ordre dans toutes les parties de la société... Le regard de la police est partout et presque toujours son action se borne à voir.

— Toutes les informations recueillies aboutissaient dans votre cabinet ?

— Je me débarrassai d'une foule de détails fastidieux, me réservant de planer seul sur la haute police... C'était dans mon cabinet que venaient aboutir les hautes affaires dont je tenais moi-même les fils. Nul doute que je n'eusse des observateurs soudoyés dans tous les rangs et dans tous les ordres ; j'en avais dans les deux sexes, rétribués à mille ou deux mille francs par mois selon leur importance et leurs services.

— Logiquement, votre surveillance aurait dû s'exercer seulement à l'intérieur des frontières. Est-ce ce qui s'est passé ?

— J'avais aussi mes observateurs au-dehors. C'était en outre dans mon cabinet que venaient s'amasser les gazettes étrangères interdites aux regards de la France, et dont on me faisait le dépouillement. Par là, je tenais les fils les plus importants de la politique extérieure. [...] Toutes les prisons d'Etat étaient à mes ordres, de même que la gendarmerie. La délivrance et le visa des passeports m'appartenaient, j'étais chargé de la surveillance des étrangers, des amnisties, des émigrés.

— Avez-vous été très jalousé pendant tout votre ministère ?

— Je fus plus fort que tous mes ennemis réunis ensemble. Que fit-on alors pour me perdre ? On m'accusa formellement auprès du Premier consul de protéger les républicains et les démagogues... Le fait est que j'usai de toute mon influence ministérielle pour déjouer les projets des écervelés, pour les détourner de former aucun complot contre le chef de l'Etat et que plusieurs m'étaient redevables de secours et des avertissements les plus salutaires... Mais, à force de me rendre suspect, on finit par exciter la défiance du Premier consul.

— C'est alors que Bonaparte créa des polices parallèles ?

— La maxime machiavélique *divide ut imperes* ayant prévalu, il y eut bientôt quatre polices distinctes, la police militaire du château faite par les aides de camp et par Duroc, la police des inspecteurs de la gendarmerie, la police de la préfecture faite par le préfet Dubois et la mienne... Tous les jours, le Premier consul recevait quatre bulletins de police séparés, provenant de sources différentes et qu'il pouvait comparer entre eux, sans compter les rapports de ses correspondants affiliés. C'était ce qu'il appelait tâter le pouls à la République.

— En tant que ministre, avez-vous usé de procédés du même genre ?

— Lorsque les princes habitaient l'Angleterre, j'exigeais des agents que j'avais près d'eux et que je payais très généreusement qu'ils me mandassent à quelle heure les princes se levaient, quel habit ils portaient, quel cheval ils avaient monté, à quelle heure ils étaient sortis... J'avais plus d'un agent auprès de chaque prince, ces petits détails me servaient à juger la fidélité, l'exactitude de chacun d'eux... Le rapport d'un agent servait à contrôler celui d'un autre, je trouvais le moyen de vérifier lequel des deux avait dit la vérité et les contradictions sur les faits minutieux, tout à fait inutiles en apparence, m'ont souvent fait révoquer des agents à qui je ne pouvais plus me fier sur les faits les plus importants.

— On dit que vous avez régné sur votre ministère par une poigne de fer.

— J'ai la manie de vouloir être le maître quand je gouverne.

— Ne peut-on dire que la police est le mensonge érigé en institution ?

— A quoi bon mentir quand on ne trompe personne ? Mentir sans tromper, c'est la méprise d'un sot.

J'aime la formule. Avant de continuer à le questionner, je la savoure. Ce qui est certain, c'est que Fouché, lui, s'est entendu mieux que personne à tromper son monde. Dans l'acception qu'il défend, le mensonge prend donc toute sa valeur.

— Le budget du ministre de la Police devait être énorme ?

— Toute police est impossible si celui qui en est chargé n'a pas carte blanche pour la dépense ; il faut se garder de confier la sûreté des personnes et la paix d'un pays à l'homme auquel il serait dangereux de remettre la clef des coffres-forts de l'Etat.

— Pour les Français d'alors, votre puissance apparaissait redoutable. Ce sentiment était-il justifié ?

— Ayant partout des regards et des bras, la police pouvait faire arrêter les coupables partout où les crimes pouvaient être commis ; c'est elle qui disposait pour maintenir l'ordre public d'une force armée supérieure à toutes les forces qui pouvaient le troubler, avait tous les moyens de mettre les prévenus sous la main de la justice et d'écarter, de vaincre ce qui s'opposerait à ses arrêts.

— Et la presse ?

— Avec un mot les journalistes attaquent un ministre, il faut dix pages pour se défendre... Le mal que les journalistes peuvent faire, il est trop tard de le juger après l'impression.

— Partant de là, vous avez supprimé quantité de journaux.

— J'avoue que je suis un grand coupable d'avoir entravé la liberté de la presse : si vous avez sous la main un bon confesseur qui se sente capable de m'absoudre de tous les péchés que j'ai commis à ce sujet pendant dix ans de ministère, faites-moi le plaisir de me l'envoyer !

Ma parole, voilà qu'il se moque de moi ! Ce qui est évident, c'est qu'il ne regrette rien et qu'il recommencerait à la première occasion.

— Dans l'ensemble, quel est votre jugement sur votre rôle comme ministre de la Police ?

— Que de maux n'ai-je pas empêchés ! S'il m'a été

impossible de réduire, comme je l'aurais voulu, la police générale à un simple épouvantail, à une magistrature de bienveillance, j'ai au moins la satisfaction de pouvoir affirmer que j'ai fait plus de bien que de mal, c'est-à-dire que j'ai évité plus de mal qu'il ne m'a été permis de bien faire, ayant presque toujours eu à lutter contre les préventions, les passions et les emportements du chef de l'Etat.

— Lors de l'explosion de la machine infernale, vous avez réussi à trouver les vrais coupables, des conspirateurs royalistes, alors que le Premier consul croyait à la responsabilité des Jacobins. Malgré ce succès, le ministère de la Police fut peu après supprimé ?

— Je rentrai dans la vie privée avec une sorte de contentement et de bonheur domestique, dont je m'étais accoutumé à goûter la douceur au milieu même des plus grandes affaires.

— Vous n'étiez donc pas ministre lors de l'affaire du duc d'Enghien ?

— Quand je sus que le télégraphe venait d'annoncer l'arrestation du prince et que l'ordre de le transférer de Strasbourg à Paris était donné, je pressentis la catastrophe et je frémis pour la noble victime. Je courus à Malmaison où était alors le Premier consul... Je lui représentai qu'il soulèverait la France et l'Europe s'il n'administrait pas la preuve irrécusable que le duc conspirait contre sa personne à Ettenheim. « Qu'est-il besoin de preuve, s'écria-t-il, n'est-ce pas un Bourbon, et de tous le plus dangereux ? » J'insistai... Ce fut en vain...

— Et quand le duc fut exécuté ?

— Je ne suis pas celui qui osa s'exprimer avec le moins de ménagement sur cet attentat contre le droit des nations et de l'humanité. « C'est plus qu'un crime, dis-je, c'est une faute », paroles que je rapporte, parce qu'elles ont été répétées et attribuées à d'autres.

De fait, sous la Restauration, tous les contemporains, à qui mieux mieux, se sont vantés d'avoir tout fait pour empêcher l'exécution du duc d'Enghien. Dans les Mémoires du prince Joseph, comme dans ceux du prince Eugène, on nous peint avec émotion par exemple Mme Letizia se jetant en larmes aux pieds du Premier consul pour obtenir la grâce de d'Enghien. Or, à cette époque-là, Mme Letizia était en Italie ! Il faut retenir plutôt, en ce qui concerne Fouché et le duc d'Enghien, les avantages que l'opération présentait pour lui. En faisant fusiller un Bourbon, Bonaparte se rangeait parmi les régicides comme lui. Certains contemporains n'ont pas craint d'affirmer que Fouché avait conseillé la mort de d'Enghien. Rien ne le prouve, mais rien ne prouve non plus le contraire. Il y a comme une connivence dans le fameux dialogue qui s'échangera plus tard entre Napoléon et Fouché : « Vous avez bien voté la mort du roi ! — Oui, Sire, et c'est même le premier service qu'il m'a été donné de rendre à Votre Majesté. »

Car voilà l'Empire et, en même temps, l'apogée de Fouché.

— Après la proclamation de l'Empire, le ministère fut rétabli et vous en êtes redevenu le chef. Vous avez alors tenté d'arrêter Napoléon dans la voie des grandes fautes.

— Peu susceptible d'illusion, et à portée de tout voir et de tout entendre, je pressentis les malheurs des peuples et leurs réactions plus ou moins prochaines.

— En 1810, votre désir de paix générale a amené votre disgrâce. L'arrivée de Savary, votre successeur au ministère, comment fut-elle accueillie ?

— Dans chaque salon, dans chaque famille, dans tout Paris enfin, on frémissait de voir la police générale confondue désormais avec la police militaire du chef de l'Etat, et de plus livrée au dévouement fanatique d'un homme qui s'honorait d'être l'exécuteur des ordres occultes de son maître... Par position et par convenance, il me fallut, pendant plusieurs jours, dévorer l'ennui de servir de mentor à Savary dans le début de son noviciat ministériel... A vrai dire, impatient de sa lourde insuffisance, je m'amusai à lui conter des sornettes.

— Vous avez surtout brûlé beaucoup de papiers, ce qui vous valut une disgrâce plus complète encore. On a dit que vous aviez pensé à quitter la France. Est-ce exact ?

— J'ai eu le projet d'aller aux Etats-Unis chercher un asile inaccessible à mes ennemis pour m'y établir avec ma femme et mes enfants.

— Vous avez pu pourtant vous réfugier dans votre sénatorerie d'Aix. Mais, en 1812, vous avez eu le chagrin de perdre la première duchesse d'Otrante ?

— Elle était le modèle et l'exemple de son sexe... Mon travail, mes lectures, mes promenades, mon sommeil, tout était en commun avec elle.

Je songe à cette épouse digne de lui, à celle qu'il appelait Bonne-Jeanne. Il l'avait épousée à Nantes, en 1792, dix jours avant de gagner la Convention où il venait d'être élu. Elle était laide, irrémédiablement laide, avec des cheveux et des sourcils roux, des pommettes osseuses et une taille décharnée. Dès lors, elle a été la plus effacée des femmes, mais toujours présente. Elle a, de son mari, tout accepté, tout approuvé : assurément, Joseph Fouché, cet époux qu'elle idolâtrait, ne pouvait se tromper. Jamais. Cette femme pieuse deviendra donc athée. Sa première fille, appelée *Nièvre,* recevra le baptême républicain. Le plus singulier est que malgré l' « horrible laideur » de Bonne-Jeanne, Fouché en a été amoureux depuis le premier jour. A Lyon, Bonne-Jeanne approuvera les mitraillades. Fouché s'en montrait ému jusqu'aux larmes. Et puis ce sera le temps des splendeurs. Bonne-Jeanne a donné des enfants à son mari. Fouché ne l'en aime que plus, « ils font le charme de sa vie ». La duchesse d'Otrante fuit les honneurs, se refuse à quitter ses enfants, vit entre quelques intimes et reçoit avec effusion l'archevêque de Paris, Monseigneur de Belloy. Bien sûr, elle est redevenue chrétienne et ses autres enfants ont été baptisés. Quand Bonne-Jeanne mourut, à Ferrières, le 9 octobre 1812, elle n'avait que quarante-huit ans. Et Fouché écrivit : « Cette communauté si douce, si heureuse, vient de finir par le plus affreux déchirement. » Comme cela est édifiant !

— Vous étiez absent de Paris lors de l'entrée des Alliés dans la capitale ?

— Je n'arrivai à Paris que dans les premiers jours d'avril, mais il était trop tard. La formation d'un gouvernement provisoire dont j'aurais dû faire partie, la déchéance de Napoléon que j'eusse ambitionné de prononcer, mais effectuée sans moi, enfin la restauration des Bourbons, à laquelle je me fusse opposé pour faire prévaloir le plan de régence qui était mon ouvrage, anéantissaient mes projets et me rejetaient dans la nullité politique en présence des princes que j'avais offensés.

— Je suppose pourtant que vos projets ont changé lorsque le roi remonta sur son trône ?

— Quelle position, grands dieux ! Agité par la conscience de tant de titres qui me reportaient au pouvoir et par le sentiment d'un remords qui m'en repoussait, frappé moi-même d'un spectacle tout nouveau pour la génération, l'entrée publique d'un fils de France qui, jouet de la fortune pendant vingt-cinq ans, revoyait au milieu des acclamations et de l'allégresse publique la capitale de ses aïeux [...], ému je l'avoue par ce tableau touchant d'une bonté royale, je fus subjugué...

— Néanmoins vous avez refusé de faire partie de la délégation chargée de saluer le comte d'Artois ?

— Il fallait se garder d'offrir aux yeux du prince des personnes dont la vue pouvait lui rappeler de pénibles souvenirs.

— Vous avez, auparavant, poussé l'Empereur déchu à gagner l'Amérique plutôt que de demeurer sur le « rocher d'Elbe », où il inquiéterait encore les puissances.

— J'ai voulu rendre un dernier service à l'Empereur dont j'ai été dix ans le ministre... Ses intérêts ne pouvaient être pour moi une chose indifférente, puisqu'ils avaient excité la pitié généreuse des puissances qui l'avaient vaincu. Mais le plus grand des intérêts pour la

France et l'Europe, celui auquel on devait tout sacrifier, c'était le repos des peuples après tant d'agitations et de malheurs... Napoléon serait pour l'Italie, pour la France, pour toute l'Europe ce que le Vésuve est à côté de Naples.

— Pendant la première Restauration, vous vous êtes retiré dans votre château de Ferrières. Vous n'avez pas voulu tremper dans le complot qui ramena l'Empereur ?

— Je n'avais eu d'abord aucune intention d'embrasser le parti de la révolte... Ce ne fut qu'au moment du débarquement de Napoléon que j'eus une parfaite connaissance de la fatale combinaison qui le ramenait sur notre rivage.

Je l'écoute. Dit-il la vérité ? Avec cet homme-là, on ne sait jamais. En fait, ce n'est qu'à son corps défendant qu'il s'est retiré à Ferrières, parce que, les Bourbons se raffermissant, on n'avait plus besoin de lui. Jusque-là il avait joué un jeu curieux, parlant d'assez haut aux ministres de Louis XVIII, rencontrant Blacas et le subjuguant, faisant parvenir des avis au roi par l'intermédiaire du grand aumônier. Quand il s'est aperçu qu'on se passerait décidément de lui, il a commencé à travailler à un changement de régime. Ce qu'il préparait, c'était non le retour de Napoléon dont il ne voulait pas, mais la proclamation de Napoléon II avec un conseil de régence. Conseil dont, naturellement, il ferait partie... Et puis l'Empereur était rentré.

— L'Empereur, de retour aux Tuileries, vous fit chercher et vous rendit le portefeuille de la Police. Très vite, vous avez connu la déclaration des Alliés mettant Napoléon au ban de l'Europe ?

— A peine eus-je connaissance de cette déclaration que je n'hésitai pas à faire demander au roi, par un intermédiaire sûr, qu'il daignât consentir à ce que je me dévouasse, quand il serait temps, à son service. Je n'y mettais d'autre condition que de conserver ma tranquillité et ma fortune dans ma retraite de Ferrières. Tout fut accepté...

Jamais aucun homme ne noua autant d'intrigues que Fouché en 1815. Il sert Napoléon, mais il se garde du côté de Louis XVIII. Après Waterloo, il préconise Napoléon II et la régence, mais en secret rend la combinaison impossible. Plus que quiconque, il contribue à ramener les Bourbons. Tout cela, il ne l'accomplit que dans son propre intérêt. Son but, toujours ? La gloire de Fouché.

— Les contemporains ne vous ont guère pardonné votre trahison à l'égard de Napoléon.

— Ce n'est pas moi qui ai trahi Napoléon, mais Waterloo.

— Pourtant vous avez contribué à rendre au roi sa couronne ?

— Ceux qui souffrent des fautes de la Restauration me les reprochent, ils ne me pardonnent pas d'avoir rétabli le roi sur le trône ; la douleur les empêche de se souvenir que je n'avais que ce moyen pour sauver la patrie, leurs propriétés et leur vie.

— Vous n'en avez pas moins suscité de vives et durables rancunes...

— Tout Paris a apprécié ma conduite dans la crise terrible qui a ébranlé le trône. Il y avait quelque courage à se prononcer pour les Bourbons avant l'entrée du roi dans sa capitale. On sait que les dangers personnels n'ont pas refroidi mon dévouement au roi.

Il a réponse à tout. Quand on l'écoute, son comportement devient normal, logique. Tout de même, on s'effare quand on pense à la fameuse scène, si bien décrite par Chateaubriand, de Talleyrand s'appuyant sur le bras de Fouché pour le conduire à Louis XVIII : le vice appuyé sur le crime... Et l'ancien régicide, l'homme de Nevers et de Lyon, allait devenir ministre du roi très-chrétien !

— On vous a beaucoup reproché d'avoir signé l'ordonnance du 24 juillet 1815 établissant une liste de proscriptions.

— Si je n'avais signé cette ordonnance, j'aurais été obligé d'abandonner le ministère, par suite ma politique de modération par laquelle j'ai tenté de ramener la paix et la concorde en France. J'ai sauvé ainsi des milliers de victimes, sinon de coupables ; il fallait arrêter à tout prix les dénonciations suscitées par la fureur du parti royaliste.

— Vous avez donc tenté, face aux ultras, de jouer un rôle modérateur ?

— J'ai parlé le langage de la raison à des hommes qui ne voulaient écouter que celui des passions : peut-être aussi mes idées étaient-elles trop larges pour les têtes où je voulais les faire entrer.

— Peut-on savoir comment vous avez composé vos listes de proscriptions ?

— Dès le lendemain du 8 juillet, le besoin de proscrire envahit toutes les classes du parti royaliste, depuis les salons du faubourg Saint-Germain jusqu'aux antichambres du palais des Tuileries, et des milliers de noms, autant ignorés que connus, furent signalés au ministère de la Police pour être enveloppés dans une mesure générale de proscription. On demandait des têtes au ministre de la Police, comme preuve de son affection sincère pour la cause royale. Il n'y avait pour moi que deux partis à prendre : celui d'être le complice des vengeances ou de renoncer au ministère. Je ne pouvais souscrire au premier, j'étais engagé trop avant pour que je puisse renoncer au second. Je trouvai un troisième expédient : ce fut de faire réduire les listes à un petit nombre de noms...

Dans toute la vie de Fouché, il n'y a probablement pas de période plus extraordinaire. Ancien apôtre de l'athéisme, le clergé ne jure que par lui. Régicide et massacreur de nobles, la noblesse l'admire et parfois l'idolâtre : c'est le cas de la princesse de Vaudémont, de la marquise de Custine. Louis XVIII a confirmé son titre de duc d'Otrante, il est donc devenu l'égal à la cour d'un Richelieu et d'un La Rochefoucauld. Il a l'estime et même l'amitié de Wellington, de Metternich, du prince de Hardenberg, du cardinal Consalvi. Mieux peut-être encore, voilà qu'il épouse Gabrielle de Castellane, d'une des plus anciennes familles de Provence, « dont les ancêtres avaient jadis régné, en princes sou-

Sa seconde épouse, Gabrielle de Castellane : Louis XVIII signa au contrat.

verains, dans la vallée du Rhône ». Grand mariage que celui de ce duc de cinquante-six ans, avec cette jeune fille de vingt-six ans. Sa Majesté le roi Louis XVIII, en signe d'affection pour son ministre, ne va pas redouter de signer au contrat du régicide. Incroyable apothéose. Et pourtant, la disgrâce est proche.

— La disgrâce qui vous frappa en septembre 1815 fut-elle pour vous un coup inattendu ?

— Je ne puis imaginer que la même main qui a

signé ma nomination au ministère de la Police et une lettre de reconnaissance de mes services ait pu consentir à signer contre moi une ordonnance d'exil. Cette dernière signature a l'air d'appartenir à un autre règne. Qui peut compter sur les paroles royales si les Chambres peuvent en annuler les effets ? Que devient l'inviolabilité de député s'il peut être atteint par les généralités d'une loi ?

— Aujourd'hui, il n'est pas de jour qu'une accusation nouvelle ne soit produite contre vous.

— Ceux qui me calomnient aujourd'hui devraient, du moins, se souvenir que je n'ai jamais cessé de porter du respect à leur malheur, que j'ai souvent défendu

Ce portrait est attribué à David (Musée de Versailles). Photothèque Plon-Perrin.

leurs propriétés, leur liberté, quelquefois leur vie sous Bonaparte, que je n'ai pas révélé au roi leur faiblesse. Je ne m'attendais pas à la reconnaissance, je sais que les hommes n'estiment que la puissance, mais je comptais sur la modestie.

— Quelles sont les causes de votre chute ?

— Mon zèle et mon dévouement n'ont servi qu'à soulever contre moi la haine la plus violente du parti qui domine en France... Les leçons du passé sont inutiles [...], les passions gouvernent... J'avais à parler à des hommes : ils m'ont préparé la ciguë, ce n'est que par une faveur extrême qu'ils ont borné leur vengeance à l'ostracisme. J'accepte volontiers le repos auquel ils me condamnent...

— Même dans votre exil les ultras vous ont poursuivi de leur haine.

— On a envoyé gratis à Dresde, pendant le séjour que j'y ai fait, des milliers de brochures pour me déchirer. Après avoir commis à mon égard la plus grande des iniquités, il a bien fallu accuser la victime.

— Que pensez-vous de ce qu'a écrit M. de Chateaubriand dans son livre *De la monarchie suivant la Charte ?*

— Je répondrai dans mes *Mémoires* au dernier ouvrage de Chateaubriand ; c'est un mauvais roman. J'opposerai à ses tableaux et à ses rêveries la raison et la vérité. Je ne veux me venger de ses injures qu'en l'instruisant. Ce serait dommage qu'un aussi beau talent continuât à s'exercer dans le vide.

— Cette attaque vous a étonné ?

— Je croyais que le temps avait émoussé tous les glaives, que la politesse et la décence avaient repris leur doux empire, mais l'ouvrage de M. de Chateaubriand m'a prouvé le contraire... Il n'est pas adroit de jeter du blâme sur ceux qui ont servi Bonaparte quand on a, comme lui, brigué de l'emploi à sa cour, quand on a été secrétaire de légation à Rome et dans le Valais. Pourquoi dire qu'il m'a observé à Saint-Denis des antichambres du roi ? Il m'a observé aussi des antichambres du cardinal Fesch. Qu'est-ce que cela prouve ? Que les temps sont changés.

Tel est, dans son exil, le citoyen Fouché, duc d'Otrante. Sur les quais de Trieste, il revoit sa vie tumultueuse, observe ses contradictions et leur donne une logique. Sa vie, on pourrait la passer en revue cent fois avec lui et cent fois il se donnerait raison. Alors, mieux vaut borner là cet entretien. Les lourdes paupières rouges se sont baissées sur ses yeux ternes. Comme un rideau. Eh bien, *rideau,* duc d'Otrante.

Déjà il s'éloigne, je cours derrière lui.

— Au moins, dans l'exil, monsieur le duc, avez-vous acquis une philosophie nouvelle ?

Il s'est arrêté, scrute le sol, un instant. Et puis :

— Je suis désormais d'un âge à me faire ermite, du moins à songer sérieusement à me ménager quelque crédit dans l'autre monde...

Il a repris sa marche, il s'éloigne, il disparaît. Et moi je me souviens de l'inscription que le citoyen Fouché avait ordonné d'apposer dans les cimetières de Nevers : *La mort est un sommeil éternel.*

Le bon géant des lettres françaises (Amis d'Alexandre Dumas).

XIII

ALEXANDRE DUMAS

Il est là, devant moi, le fameux château de Monte-Cristo, à Marly-le-Roi, près de Saint-Germain. Imaginez un édifice faussement Renaissance, rappelant vaguement Anet mais suggérant cent autres images. Un peu plus loin, un petit castel néo-gothique, ceinturé d'eau. Un parc aux herbes folles, aux pentes inclinées, avec des arbres immenses. Dès que l'on a franchi la grille en fer forgé, où se lisent, grandioses, les initiales A.D., l'impression s'impose — absolue. Alexandre Dumas est présent, ici, dans sa maison. Il va sortir, s'élancer des marches de son perron vers le visiteur, secouer sa chevelure en forme de crinière, crier de sa voix chaleureuse : « Enfin, vous voilà ! »

Comment ne pas l'imaginer, rubicond, son ventre arrondissant le gilet blanc, montrant d'un geste large Monte-Cristo et le château d'If :

— J'ai là une réduction du paradis terrestre !

Alexandre Dumas a composé son château comme il eût fait d'un de ses livres. Avec la même foi, le même enthousiasme. C'est pour cela que Monte-Cristo est le cri ultime du romantisme, le portrait en pierre et en ardoise du père de d'Artagnan, la copie conforme d'Alexandre Dumas.

Moi qui veux rencontrer le père des *Mousquetaires*, comment n'irais-je pas à Monte-Cristo ?

— Enfin, vous voilà !

Combien de fois a-t-il, au même endroit, ouvert ses

bras chaleureux à l'ami en visite ! C'est par les mêmes mots qu'il m'accueille.

Un trait du caractère de Dumas est l'admiration. A Monte-Cristo, il a voulu proclamer les grands hommes qu'il admirait en faisant ceinturer la maison de médaillons en leur honneur. Cela va d'Homère à Casimir Delavigne, en passant par Eschyle, Sophocle, Virgile, Plaute, Térence, Dante, Shakespeare, Lope de Vega, Corneille, Racine, Molière, Goethe, Schiller, Walter Scott, Byron. Je m'étonne :

— A propos, et vous, monsieur Dumas, vous n'y êtes pas ?

— Moi, je suis dedans !

Ce n'est pas tout à fait vrai. Au-dessus du perron, je viens d'apercevoir le médaillon d'Alexandre Dumas avec sa devise : « J'aime qui m'aime », et la devise de sa famille : « Au vent la flamme ! Au Seigneur l'âme ! »

Michelet a écrit un jour à Alexandre Dumas : « Monsieur, je vous aime et je vous admire, parce que vous êtes une des forces de la nature. » On n'attaque pas de front une force de la nature. Alors, comment vais-je pouvoir interroger Dumas ? Ce qui va peut-être me faciliter la tâche, c'est l'enthousiasme, le frémissement de vie qui émanent de toute sa personne. Et puis chacun sait qu'il est un conteur-né. Sur tous les sujets il est intarissable. Alors, sur lui-même ?

— Monsieur Dumas, vous êtes un géant des lettres françaises. Que pouvez-vous nous dire des grands talents de votre siècle ?

— Il y avait en 1830 comme il y a encore aujourd'hui trois hommes à la tête de la littérature française : ces trois hommes sont Victor Hugo, Lamartine et moi.

— Comment vous situez-vous par rapport à Lamartine et à Hugo ?

— Je donne du corps aux rêves de Lamartine, de la clarté aux pensées de Hugo et je sers au public ce double mets qui de la main du premier l'eût mal nourri comme trop léger, de la main du second lui eût causé une indigestion comme trop lourd... Lamartine est un

Le château de Monte-Cristo : « J'ai là une réduction du paradis terrestre ! » ▶

DÉTAILS DE LA FAÇADE DU SUD
J'AIME QUI M'AIME
FAÇADE DU NORD
PHANOR
PRITCHARD
CARAMEL

rêveur, Hugo est un penseur, moi je suis un vulgarisateur.

Admirable Dumas ! Son immodestie est elle-même écrasante !

— Vous voyez toujours grand.

— Mon premier désir est illimité, ma première aspiration est toujours pour l'impossible. Comment j'y arrive ? En travaillant comme personne ne travaille, en retranchant de la vie tous ses détails, en supprimant le sommeil.

— Dans quelle catégorie littéraire vous situez-vous ?

— Je n'admets pas, en littérature, de système ; je ne suis pas d'école, je n'arbore pas de bannière ; amuser et intéresser, voilà mes seules règles.

— Etes-vous d'accord sur ce que Michelet vous a écrit ?

— J'emporte avec moi — d'où cela vient, je n'en sais rien mais cela est — j'emporte avec moi une atmosphère de vie et de mouvement qui est devenue proverbiale.

En vérité, la route de Dumas était celle du succès. Il existe des êtres dont le destin ne se conçoit pas sans le bonheur. Il leur est nécessaire, comme l'air qu'on respire. On ne peut imaginer Dumas qu'épanoui, heureux, et c'est pour cela qu'on peut l'aimer librement, car ce bon géant n'a jamais commis une seule bassesse. Dumas, ce fut un homme heureux, mais un homme heureux qui avait du cœur. Une qualité qui compte. La vie, pour lui, c'est un drame, et c'est une comédie. Il ne tient pas en place. Quel plaisir à le voir voyager à travers l'Europe, un peu fou, faisant des farces énormes, voyant le plus petit événement sous l'angle dramatique, marchant sur Naples avec Garibaldi, parcourant la Méditerranée sur un bateau de Louis-Philippe, faisant l'ascension du mont Blanc ou partant pour la Corse voir de près les bandits ! Un chroniqueur de l'époque le dépeint en ces termes : « Habits fantastiques, gilets éblouissants, chaînes d'or, dîners de Sardanapale, crève les chevaux et aime les femmes. »

Aujourd'hui, le château de Monte-Cristo est propriété d'un Syndicat intercommunal groupant Marly-le-Roi, Port-Marly et Le Pecq. En haut : le château proprement dit. En bas : le petit château d'If, où Dumas avait installé son cabinet de travail.

— Parlez-nous de votre jeunesse. Je crois que vous n'avez pas connu votre père, le général Dumas, héros de la Révolution française. Vous aviez à peine quatre ans quand il est mort.

— J'adorais mon père. Peut-être, à cet âge, ce sentiment que j'appelle aujourd'hui de l'amour n'était-il qu'un naïf étonnement pour cette structure herculéenne et pour cette force gigantesque que je lui avais vu déployer en plusieurs occasions, peut-être n'était-ce qu'une enfantine et orgueilleuse admiration pour son habit brodé, pour son aigrette tricolore et pour son grand sabre... De son côté, mon père m'adorait.

— On a prétendu que vous étiez un bâtard.

— Si j'avais été bâtard, j'aurais tout simplement accepté la barre, comme ont fait de plus célèbres bâtards que je ne l'eusse été et, comme eux, j'eusse si bien travaillé de corps ou d'esprit que je fusse amené à donner à mon nom une valeur personnelle. Mais que voulez-vous ! Je ne le suis pas et il faut bien que le public fasse comme moi, c'est-à-dire qu'il se résigne à ma légitimité.

— Votre père — et vous-même — auriez dû vous appeler Davy de La Pailleterie.

— Je suis un des hommes de notre époque auxquels on a contesté le plus de choses. On m'a contesté jusqu'à mon nom de Davy de La Pailleterie, auquel je ne tenais pas beaucoup puisque je ne l'ai jamais porté et qu'on ne le trouvera à la suite de mon nom de Dumas que dans les actes officiels que j'ai passés devant notaire.

— N'avez-vous jamais eu la tentation de vous faire appeler du nom de votre aïeul paternel ?

— Je m'appelle Dumas et pas autrement. J'ai connu mon père, mais je n'ai pas connu mon grand-père ; que dirait mon père si je le reniais, lui, pour m'appeler comme mon grand-père paternel ?

Dumas parle volontiers de son père, moins volontiers de son grand-père, pas du tout de sa grand-mère paternelle. Il s'agissait d'une esclave noire de Saint-Domingue, Marie-Césette Dumas. Son propre père était né esclave. Je le regarde et, sur ses traits, je vois la trace du sang noir. Les épais cheveux crépus, le teint brun suffiraient à marquer son origine. Il ne faut pas la traiter à la légère, cette origine. Qui sait si sa prodigieuse imagination Dumas ne la doit pas à ses lointains ancêtres africains ? Les Noirs sont d'admirables conteurs, n'est-ce pas là le don primordial que Dumas ait reçu ? D'ailleurs, il savait répondre de verte façon à ceux qui croyaient le peiner en rappelant ses origines. Un jour, un importun osa lui dire :

— Mais, au fait, vous devez les connaître, les nègres. Vous avez, si je ne me trompe, un peu de leur sang dans les veines.

Ce qui lui attira cette réponse :

— J'en ai certainement. Mon père était un mulâtre, mon grand-père était un nègre, mon arrière grand-père était un singe. Vous voyez, monsieur, que ma famille commence où la vôtre finit.

Il me faut reprendre mon interrogatoire.

— Quelle fut votre première impression théâtrale ?

— Une troupe d'élèves du Conservatoire joua à Soissons, par extraordinaire, le *Hamlet* de Ducis. J'ignorais complètement ce que c'était que *Hamlet*, je dirai plus, j'ignorais complètement ce que c'était que Ducis... Il y a quelque chose comme trente-deux ans que cette soirée s'est écoulée ; eh bien, elle produisit une telle impression sur mon esprit que les moindres détails en sont encore présents à ma mémoire... Le *Hamlet* de Ducis me parut un chef-d'œuvre et me produisit un effet merveilleux.

— Très jeune, on vous envoya travailler chez un notaire.

— J'avais quinze ans. On jugea qu'il était temps de me faire apprendre un état et on se décida pour celui de notaire... Il fut donc décidé que, le lundi suivant, j'entrerais chez Me Mennesson, les gens polis disaient en qualité de troisième clerc, les autres en qualité de saute-ruisseau.

C'est vrai. Alexandre Dumas a débuté dans la vie comme clerc de notaire. Ce qui n'est pas le moindre paradoxe de cette existence. Il avait grandi à Villers-

Cotterêts, dans une liberté presque absolue. D'études, rien d'autre que les quelques leçons d'un bon curé. Son enfance s'était déroulée dans la forêt, en compagnie de braconniers, tels que l'étonnant Boudoux. Sa mère l'élevait avec le produit d'un débit de tabac. Il était urgent qu'il gagnât sa vie. D'où les quelques années passées comme clerc de notaire. Dans son étude, il étouffait. Il jetait des regards désespérés vers sa chère forêt. Pour oublier, il rejoignait le dimanche des jeunes gens et des jeunes filles. On jouait, on dansait. Dumas adressait de petits vers à des jeunes filles de Villers-Cotterêts ou de Crépy-en-Valois. Ses premiers essais littéraires. Car il rêvait déjà de littérature. Un jour, il n'y tint plus : il lui fallait Paris.

— Sur la recommandation du général Foy, vous avez obtenu une place d'expéditionnaire surnuméraire chez le duc d'Orléans, futur roi Louis-Philippe.

— En récompense de ma belle écriture et de mon habileté à faire les enveloppes et les cachets, je fus nommé employé à douze cents francs d'appointements. Je n'avais pas à me plaindre : c'était juste ce qu'avait eu Béranger à son entrée à l'Université.

— Vous étiez alors passionné de théâtre. Vous avez vu jouer Talma. Quelle impression ce grand tragédien fit-il sur vous ?

— Qui n'a pas vu Talma ne saurait se figurer ce que c'était que Talma ; c'était la réunion de trois suprêmes qualités que je n'ai jamais retrouvées depuis dans un seul homme : la simplicité, la force et la poésie ; il était impossible d'être plus beau de la vraie beauté d'un acteur, c'est-à-dire de cette beauté qui n'a rien de personnel à l'homme, mais qui change selon le héros qu'il est appelé à représenter, il est impossible, dis-je, d'être plus beau de cette beauté-là que ne l'était Talma.

Donc, des années encore à copier, à copier sans cesse dans les bureaux du duc d'Orléans au Palais-Royal. Et en même temps, l'ambition qui grandit. Il vit de sa belle écriture, mais il rêve de vivre de sa plume. Un de ses camarades de bureau lui dit un jour : « La France attend le roman historique. » Mais lui, Dumas, c'est vers le théâtre qu'il regarde. Il a rencontré un vieux vaudevilliste, nommé Rousseau. Avec lui, il va écrire sa première pièce, intitulée *la Chasse et l'Amour*. Je ne l'interrogerai pas là-dessus car il ne saurait en garder aucun motif de fierté. De la plus mineure de toutes ses œuvres, on ne peut retenir que deux vers — et encore :

Car pour mettre à bas un lièvre
Je suis un fameux lapin !

Il n'y a évidemment pas de quoi pavoiser ! N'importe, il était joué au théâtre. La pièce lui rapportera trois cents francs. Il gardera un souvenir heureux de cette époque où il vivait dans une mansarde, carré des Italiens. Une jeune personne partageait sa vie, blonde et blanche, charmante, lingère. Elle s'appelait Catherine Lebay. Il l'aimait beaucoup. A ce point que, le 27 juillet 1824, un troisième larron fit une apparition bruyante dans l'appartement d'Alexandre et de Catherine : c'était un gros bébé qu'on appela Alexandre. On aurait bien surpris son ambitieux de père si on lui avait dit que ce fils serait un jour presque aussi célèbre que lui et qu'il écrirait *la Dame aux camélias*.

En attendant, Dumas avait recommencé à écrire. Il avait découvert dans la *Biographie Universelle* un épisode des plus tragiques : l'histoire de la reine Christine de Suède. Admirable épisode, rouge et or : la reine, le favori, la trahison, la lâcheté de la victime, l'exécution. Déjà, dans l'esprit d'Alexandre, une pièce bouillonnait. Une pièce en vers. Ce qui nous apparaît passionnant, c'est que, au temps de la tragédie néo-classique, Alexandre ne veut pas écrire une tragédie. Ce qui vient sous sa plume, c'est, simplement, le drame. Ce drame romantique auquel Hugo, bientôt, donnera ses lois. Il veut des vers « frémissants, frappés, terribles », quelque chose, a écrit Lucas-Dubreton, comme la *Lénore* de Burger. Ce qui l'entraîne vers le drame, vers une forme nouvelle d'art dramatique, c'est son tempérament violent. Il ne peut supporter les règles, ces trois unités alors sacro-saintes. Or donc, tant pis pour les règles ! Et le jour arriva où fut écrit le dernier vers :

Eh bien, j'en ai pitié, mon père... Qu'on l'achève !

Recommandé par Charles Nodier, Dumas rencontrera le baron Taylor, commissaire du roi pour la Comédie-Française. La pièce sera reçue, par acclamation et à l'unanimité par le Comité. Mais la censure l'interdira. Qu'à cela ne tienne : Dumas écrit un autre drame : *Henri III et sa cour.* Il est reçu avec autant d'empressement à la Comédie-Française, en 1828.

— Vous vous sentiez vraiment une vocation d'auteur dramatique ?

— C'est à propos d'*Henri III* qu'il est facile de voir que la faculté dramatique est innée chez certains hommes. J'avais vingt-cinq ans, *Henri III* était ma seconde œuvre sérieuse ; qu'un critique consciencieux la prenne et la soumette au plus sévère examen, il y trouvera tout à reprendre comme style, rien comme plan. J'ai fait cinquante drames depuis *Henri III,* aucun n'est plus savamment fait.

— La première représentation d'*Henri III et sa cour* fut un incroyable triomphe, un succès comme on en vit rarement.

— Peu d'hommes ont vu s'opérer dans leur vie un changement aussi rapide que celui qui s'était opéré dans la mienne, pendant les quatre heures que dura la représentation d'*Henri III.* Complètement inconnu le soir, le lendemain, en bien ou en mal, je faisais l'occupation de tout Paris.

— Et *Christine* ? Vous ne vous êtes pas résigné, vous êtes allé trouver au ministère M. Briffaut.

— C'était un excellent homme que M. Briffaut... Nous discutâmes longtemps, non pas les défauts littéraires, mais les défauts politiques de la malheureuse *Christine.* Elle en était hérissée, à ce qu'il paraît ; la pauvre censure, qui a les doigts si délicats, ne savait vraiment pas par où la prendre. Il y avait surtout ce vers, que Christine dit à propos de sa couronne :

C'est un hochet royal trouvé dans mon berceau,
qui semblait à ces messieurs une énormité. Par ce vers

Jeune et encore mince... (*Portrait par Devéria*).
Photo. Bibl. nat.

j'attaquais la légitimité, le droit divin, la succession ! Incroyable, la quantité de choses que j'attaquais par ce vers.

— Finalement, la censure autorisa *Christine* ?

— La pièce de *Christine* fut rendue, sans grands changements, dans les premiers jours de mars. On avait même laissé le fameux vers sur le hochet royal, tout incendiaire qu'il était !

Cette fois, il était loin loin, le classicisme. Le concret se substituait à l'abstrait. Le mot drame vient de *drama* et *drama* signifie action. Ce qu'avait voulu Dumas, c'était tuer l'éloquence figée du classicisme à l'agonie au profit d'une action violente. L'analyse cédait la place à la passion, aux passions. Et cela, c'était du sang neuf infusé au théâtre français. C'était toute une époque restituée, brutalement, avec un élan qui saisissait. André Maurois l'a constaté, ce théâtre neuf venait à son heure. C'était celui que souhaitait le peuple français, ce peuple de 1829 qui avait fait les grandes journées de la Révolution française et s'était enivré de la gloire de l'Empire. Certes, les raffinés pouvaient condamner ce réalisme. Ils pouvaient regretter les meurtres sur la scène. Dans le théâtre classique, il n'est possible d'agoniser que dans la coulisse. Mais Goethe avait-il craint ces scènes violentes ? Et Shakespeare ? Bientôt Hugo et Vigny ne les dédaigneront plus. Mais Dumas leur aura montré la voie.

— Entre-temps, Charles X était tombé. Dans vos *Mémoires,* vous avez décrit avec une verve prodigieuse la révolution de 1830. Oserai-je vous dire qu'en vous lisant on a l'impression que vous avez tout fait, à vous seul ?

— La révolution n'a duré que trois jours. J'ai eu le bonheur d'y avoir pris une part assez active pour avoir été remarqué par La Fayette et le duc d'Orléans. Puis une mission à Soissons, où j'ai été seul à m'emparer des poudres, a achevé ma réputation militaire.

— La révolution venait à point nommé pour vous permettre de faire créer votre nouvelle pièce, *Antony* ?

— Pauvre *Antony* ! Il avait déjà près de deux ans d'existence, mais ce retard, il faut l'avouer, au lieu de lui nuire en quoi que ce fût, lui devait au contraire devenir très profitable. Pendant ces deux années, les événements avaient marché et avaient fait à la France une de ces situations fiévreuses dans lesquelles les explosions des excentricités individuelles ont un immense écho. Il y avait dans l'époque quelque chose de maladif et de bâtard qui répondait à la monomanie de mon héros.

— On peut dire qu'*Antony* marque le plus prodigieux de vos succès au théâtre. Mais qu'est-ce qu'*Antony ?*

— *Antony* n'est point un drame, *Antony* n'est point une tragédie, *Antony* n'est point une pièce de théâtre,

Antony est une scène d'amour, de jalousie, de colère en cinq actes.

— Comment le sujet d'*Antony* est-il né dans votre imagination ?

— Un jour que je me promenais sur le Boulevard, je m'arrêtai tout à coup, me disant à moi-même : « Un homme qui, surpris par le mari de sa maîtresse, la tuerait en disant qu'elle lui résistait, et qui mourrait sur l'échafaud à la suite de ce meurtre, sauverait l'honneur de cette femme et expierait son crime. » L'idée d'*Antony* était née... Six semaines après, *Antony* était fait...

— Vous sentiez-vous alors quelque chose de commun avec le héros de votre pièce ?

— Quand je fis *Antony,* j'étais amoureux d'une femme qui était loin d'être belle, mais dont j'étais horriblement jaloux : jaloux parce qu'elle se trouvait dans la position d'Adèle, qu'elle avait son mari officier dans l'armée et que la jalousie la plus féroce qu'on puisse éprouver est celle qu'inspire un mari, attendu qu'il n'y a pas de querelle à chercher à une femme en puissance de mari, si jaloux que l'on soit de ce mari.

— Comment a réagi la censure de Charles X ?

— J'ai envoyé la pièce à la censure, elle fut arrêtée comme *Christine.*

— Est-ce donc que la pièce sembla dangereuse pour la morale ?

— *Antony,* engagé dans une intrigue coupable, emporté par une passion adultère, tue sa maîtresse pour sauver l'honneur de la femme et s'en va mourir sur un échafaud, ou tout au moins traîner le boulet au bagne. Eh bien, je vous le demande, y a-t-il beaucoup de femmes de la société, y a-t-il beaucoup de jeunes gens du monde qui soient disposés de se jeter dans une intrigue coupable, à entamer une passion adultère, à devenir, enfin, des Adèle et des Antony, avec cette perspective d'avoir pour dénouement à leur passion, pour conclusion à leur roman, la femme, la mort ! le jeune homme, les galères !

— Le soir de la représentation, ce fut un déferlement de triomphe. On applaudissait à tout rompre les deux principaux acteurs, Bocage et Dorval, mais l'auteur n'était-il pas encore plus applaudi ?

— Tout un monde de jeunes gens de mon âge — j'avais vingt-huit ans — pâle, effaré, haletant se rua sur moi. On me tira à droite, on me tira à gauche, on m'embrassa. J'avais un habit vert boutonné du premier au dernier bouton. On en mit les basques en morceaux. Au théâtre, on était stupéfait. On n'avait jamais vu de succès se produisant sous pareille forme : jamais applaudissements n'étaient arrivés si directement du public aux acteurs.

— Marie Dorval conquit tous les cœurs.

— Mlle Dorval était adorable de naïveté féminine et de terreur instinctive.

— Le succès dura-t-il longtemps ?

— C'était une vie fatigante que celle que nous menions : chaque jour amenait son émotion, soit politique, soit littéraire. *Antony* poursuivait le cours de son succès au milieu des émeutes. Tous les soirs, sans qu'on put lui assigner de motifs quelconques, un rassemblement se formait sur le Boulevard.

Cette femme, inspiratrice d'*Antony*, dont vient de parler Dumas, s'appelait Mélanie Waldor. Catherine Lebay se voyait rejetée dans les brumes du passé. Il y eut tant de femmes dans la vie de Dumas qu'on a de la peine à les dénombrer. Plusieurs lui donnèrent des enfants. Il les reconnut tous. Sauf un, parce que la mère lui avait dit : « Je ne veux point d'une reconnaissance, car vous êtes trop amoral. » La liaison avec Mélanie Waldor est une de celles qui ont compté. Dumas lui écrivait à toute heure du jour et de la nuit. En prose et en vers. Ses lettres se terminaient souvent par cette phrase : « Adieu, mon ange, la faim me presse. » Alexandre était un amoureux qui se portait fort bien. Mélanie trouvait même quelquefois qu'il se portait trop bien. Elle y gagna des étouffements, des palpitations et devint dyspeptique. A ses reproches, Alexandre répondait :

« Crois que je n'aime autant l'amour que parce qu'il semble nous lier davantage. Les moments qui le suivent sont délicieux et plus suaves que lui peut-être. Crois que je sais savourer l'amour ! » Ce traitement effrayait Mélanie. Mais il lui écrivait : « Engraisse vite, mon amour. J'irai te faire maigrir en te tourmentant. » Nous sommes au plein du romantisme, et naturellement les lettres de Dumas sont romantiques. Il donne maintenant ses rendez-vous au Père-Lachaise. Il écrit à Mélanie : « Comment veux-tu que je meure tant que tu m'aimeras ? Oh ! c'est alors, mon ange, que je deviendrais athée et blasphémateur, car je ne pourrais croire à Dieu sans le maudire : Dieu qui me séparerait de toi ! » Et puis paraîtront dans la vie d'Alexandre d'autres femmes. Beaucoup. Adieu, Mélanie Waldor.

— En 1832, vous avez obtenu un autre succès. Vous avez vous-même raconté de quelle façon à partir du médiocre manuscrit d'un inconnu, vous avez créé le chef-d'œuvre des mélodrames historiques. Comment *la Tour de Nesle* a-t-elle été accueillie par le public ?

— La salle était en ébullition. On sentait le grand succès, il était dans l'air, on le respirait. La fin du second tableau fut d'un effet terrible. Buridan sautant par la fenêtre dans la Seine, Marguerite démasquant sa joue sanglante [...] tout cela était d'un effet saisissant. Et quand, après cette orgie, cette fuite, cet assassinat, ces rires éteints dans les gémissements, cet homme précipité dans le fleuve, cet amant d'une nuit assassiné par sa royale maîtresse, on entendit la voix insouciante et monotone de l'avertisseur de nuit qui criait : « Il est 3 heures, tout est tranquille, Parisiens, dormez ! » la salle éclata en applaudissements.

— A la même époque, vous vous sentiez une âme républicaine. En 1832, on a annoncé dans un journal que vous aviez participé aux émeutes survenues à l'occasion des funérailles du général Lamarque, et même que vous vous étiez fait tuer au cloître Saint-Merri !

— Pour la première fois, le journal disait du bien de

moi : donc le rédacteur me croyait mort ; je lui envoyai ma carte, avec tous mes remerciements !

Désormais, Dumas est entré dans un cycle de travail qui, aujourd'hui encore, nous effare. Les pièces s'accumulent. Il travaille six mois entiers, sans désemparer. Il abat sa besogne comme un bûcheron coupe des arbres. Et puis, tout à coup, il quitte Paris, part pour l'Europe. Le voilà en Espagne, en Afrique du Nord, en Russie, en Suisse, en Corse, à Naples. Il parcourt cent existences, merveilleusement naturel, dénué de complexes, promenant partout une personnalité qui écrase tout autour de lui. Quand il rentre à Paris, il publie des *Impressions de voyage*. Il faut lire ces livres où Dumas galope comme il fera plus tard galoper ses héros de roman. Son esprit le conduit invinciblement à des évolutions toujours inattendues. Un soir, il se promène dans la grande allée du Luxembourg, pensif, frappant les arbres de sa canne. Deux jeunes gens sont sur son passage. Il ne les connaît pas. Il les aborde :

— Permettez-moi, messieurs, d'interrompre votre promenade. Je viens vous consulter sur un cas de conscience.

Et devant les jeunes gens médusés, il se met à raconter sa vie. Il explique comment la faculté dramatique existe en lui, innée. Comment il est parvenu à la gloire. Puis il devient sombre, il paraît découragé, accablé. Il poursuit :

— Vous l'avouerai-je, messieurs ? Moi, Alexandre Dumas, il me prend souvent envie de jeter là mon harnais d'auteur dramatique et de fouler aux pieds tout le clinquant de la gloire mondaine. Je voudrais donner une nouvelle direction à mes facultés. Qu'en pensez-vous, messieurs ? Que faudrait-il faire pour que je devienne prêtre ?

Il n'abandonnera les jeunes gens épuisés qu'à une heure avancée de la nuit. Le lendemain, il ne pensait plus à sa vocation et prenait une nouvelle maîtresse.

Après le théâtre, il s'est mis à l'histoire. C'est la partie de son œuvre la plus oubliée. Mais les ouvrages des historiens franchissent difficilement le cap des générations. Lenotre attachait beaucoup de prix à son livre sur Varennes. Mais le monde savant ne s'intéressait pas aux livres d'histoire d'Alexandre Dumas.

— Ce discrédit vous a-t-il peiné ? Car vos ouvrages historiques sont en fait passés inaperçus...

— Ce sont les histoires illisibles qui font sensation. C'est comme les dîners qu'on ne digère pas. Les dîners qu'on digère, on n'y pense plus le lendemain.

De l'histoire, il passa au roman. Et ici, il convient de s'arrêter. Car Dumas romancier, c'est une étape. Dumas romancier, c'est du plaisir, de la joie assurée à plusieurs générations. Dumas romancier, c'est une série de chefs-d'œuvre qui sont après plus d'un siècle restés aussi frais, aussi neufs que s'ils dataient d'hier.

— Parlons de vos chefs-d'œuvre, vos romans historiques, et tout d'abord des *Trois Mousquetaires*.

— Les *Mousquetaires*... je m'étais promis, quand je serais vieux, de me rendre compte de ce que ça vaut.

— Et qu'en pensez-vous aujourd'hui ?

— C'est bien...

— N'avez-vous pas aussi relu *Monte-Cristo ?*

— Ça ne vaut pas les *Mousquetaires*.

— Vous connaissez parfaitement les époques que vous décrivez dans vos romans. Mais qu'est pour vous l'Histoire ?

— C'est un clou auquel j'accroche mes romans.

— Vous n'avez pas craint d'arranger à votre façon certains événements historiques.

— Il est permis de violer l'Histoire, à la condition de lui faire un enfant.

— Vous n'avez jamais caché votre admiration pour l'*Histoire des Girondins* de Lamartine.

— Lamartine a élevé l'Histoire à la hauteur du roman.

— Les envieux se sont plu à raconter que vos romans n'étaient pas de vous.

— Il est si simple de croire que c'est de moi que l'on n'en a même pas l'idée.

— On a même cité ceux que l'on disait vos « nègres ».

— Eh oui, j'avais fait faire le dernier roman par mon valet de chambre, mais comme il avait un grand succès, le drôle m'a demandé des gages si exorbitants qu'à mon grand regret je n'ai pu le garder.

— N'est-il pas vrai cependant que vous employez de nombreux mineurs à extraire le minerai que vous convertissez ensuite en bons et gros lingots ?

— Mon seul mineur, c'est ma main gauche qui tient le livre ouvert tandis que la droite travaille douze heures par jour. Je collaborerais avec un forçat s'il me fournissait une idée neuve.

Dumas se défend donc d'avoir eu des collaborateurs. Il a tort. Parce qu'il est vrai qu'il en a eu. Et avant tout Auguste Maquet. Maquet, quand il a connu Dumas, était un jeune professeur au collège Charlemagne. Il avait écrit un manuscrit sur la conspiration de Cellamare. L'idée était bonne, le résultat médiocre. L'éditeur offrit à Dumas de refaire le livre. Dumas accepta. Le résultat fut : *le Chevalier d'Harmenthal.* La terne histoire de Maquet éblouissait maintenant de vie. Le pli était pris. Désormais, les deux hommes collaborèrent. Le vrai est que Dumas et Maquet se complétaient admirablement. Dans l'immense œuvre romanesque qu'a signée Dumas, la meilleure part fut écrite avec Maquet. Henri Clouard a donné, je crois, la définition la plus objective de ce qui revient à chacun : « Dumas proposait à Maquet des péripéties, lui faisait composer des scènes et en composait. » Ils faisaient ensemble les plans : « J'étais venu pour faire du (*sic*) plan de *Bragelonne* », écrit Dumas à Maquet. Maquet était encore mis à contribution pour la documentation : « Pouvez-vous venir demain matin ? Apportez *Mlle* (*sic*) *de La Fayette* et si vous avez une *Histoire d'Angleterre,* restauration de Charles II... » A eux deux, les collaborateurs abattaient une besogne énorme. Au gré de Dumas, Maquet ne lui fournissait jamais assez de « cette matière première » qu'il allait, lui, refondre, remanier, vivifier. Un critique, Gustave Simon, a publié le brouillon de Maquet et le texte définitif de Dumas d'un chapitre entier des *Trois Mousquetaires* : l'exécution de Milady. Le récit de Maquet est lourd, gauche. Ses personnages sont mal campés. Lorsque Dumas est passé par là, les dialogues deviennent étincelants, chaque personnage prend corps, parle et agit suivant son individualité propre, le mouvement devient endiablé. « Comme des diamants ou des perles dans une grossière monture de cuivre, dit Henri d'Alméras, dans cette prose banale, Dumas semait à pleines mains sa gaieté et son esprit. »

— N'avez-vous pas regretté la brouille qui vous a séparé de Maquet ?

— Il y aurait quarante beaux drames de plus si la meilleure amitié, la plus solide, la plus productive qui ait jamais existé, n'eût pas été rompue par les cancans des faux amis.

— Comme tous les hommes à succès, on vous a beaucoup calomnié.

— Il n'y a que deux choses dont on ne m'ait pas accusé : d'être mouchard et de retourner les pages à la façon d'Henri III.

— Vous avez eu souvent affaire à beaucoup d'ingrats.

— Exiger de la nature humaine de n'être pas ingrate, c'est demander aux loups d'être herbivores.

— Le nombre de vos détracteurs est immense. Ne leur répondez-vous jamais ?

— Mais où prendrais-je le temps de répondre à mes amis ?

— C'est en visitant l'îlot de Monte-Cristo avec le fils du roi Jérôme que vous avez eu l'idée de ce roman. Cependant ne vous êtes-vous pas un peu inspiré de quelques pages de l'archiviste Jacques Peuchet, prises en particulier dans un chapitre intitulé « Le diamant de la vengeance » ?

— Tel que cela était, c'était tout simplement idiot... Il n'est pas moins vrai qu'au fond de cette huître il y avait une perle. Perle informe, perle brute, perle sans valeur aucune — et qui attendait son lapidaire.

— Le lapidaire, c'était vous. Vous avez tellement bien mis en scène vos personnages que tout le monde croit qu'ils ont existé.

— Si vous allez à Marseille, on vous montrera la maison Morel sur le Cours, la maison de Mercédès aux Catalans, et les cachots de Dantès et de Faria au château d'If. Lorsque je mis en scène *Monte-Cristo* au théâtre historique, j'écrivis à Marseille pour que l'on me fît un dessin du château d'If et que l'on me l'envoyât. Ce dessin était destiné au décorateur. Le peintre auquel je m'étais adressé m'envoya le dessin demandé. Seulement, il fit mieux que je n'eusse osé exiger de lui, il écrivit sous le dessin : « Vue du château d'If, à l'endroit où Dantès fut précipité. » J'ai appris depuis qu'un brave homme de cicérone, attaché au château d'If, vendait des plumes en cartilage de poisson, faites par l'abbé Faria lui-même. Il n'y a qu'un malheur, c'est que Dantès et l'abbé Faria n'ont jamais existé que dans mon imagination, et que, par conséquent, Dantès n'a pu être précipité du haut en bas du château d'If, ni l'abbé Faria faire des plumes.

— Votre imagination semble intarissable. La vue du papier blanc ne vous a-t-elle jamais assombri ?

— Mes plus folles fantaisies sont souvent sorties de mes jours les plus nébuleux. Supposez un orage avec des éclairs roses.

— Votre renommée est aussi grande à l'étranger qu'en France. Lorsque la reine Victoria est venue à Paris, elle a voulu qu'on jouât à Saint-Cloud l'une de vos pièces, *les Demoiselles de Saint-Cyr*.

— Je sais ce qui aurait amusé la reine bien davantage que voir ma pièce, c'eût été de me voir moi-même, et vraiment ça m'aurait amusé aussi... Une femme aussi remarquable et qui sera probablement la plus célèbre du siècle aurait dû se rencontrer avec le plus grand homme de France. C'est dommage qu'elle s'en soit allée sans avoir vu ce qu'il y avait de mieux dans notre pays : Alexandre, roi du monde romanesque.

Dumas tient dans sa main Auguste Maquet (caricature d'André Gill). Au journal qui publia cette caricature, Dumas écrivit : « J'autorise le journal la Lune *à publier ma charge. Les caricatures étant les seuls portraits ressemblants qu'on ait faits de moi jusqu'aujourd'hui »* (Amis d'Alexandre Dumas).

Toujours l'immodestie ! Le plus étonnant, c'est que, chez Dumas, elle attendrit bien plus qu'elle ne choque. Comment ne pas se réjouir quand on l'écoute répondre à des gens qui le plaignaient d'avoir été dans une famille réputée pour les soirées ennuyeuses qu'elle donnait ?

— Vous avez dû diablement vous ennuyer, mon cher Dumas ! lui disait-on.

Et la réponse :

— Mais non. J'étais là.

Le succès des *Trois Mousquetaires* fut un événement sans précédent, sans égal dans l'histoire littéraire française. On peut dire que la France entière se passionna pour la publication du roman. Il paraissait en feuilleton dans *le Siècle.* On passait son temps à attendre le journal. Dans les villages, les paysans allaient en bande à la rencontre du facteur, afin de connaître plus tôt la suite. On raconte que Guizot, alors ministre des Affaires étrangères et président du Conseil, se faisait chaque jour apporter *le Siècle,* l'un des journaux qui l'attaquèrent le plus — non pas pour savoir ce qu'on disait de lui, mais pour lire ce qu'on disait de d'Artagnan.

Il faut le voir, ce grand Dumas, en bras de chemise et en pantalon blanc — Dumas fils disait : « C'est un père que j'ai voué au blanc » — été comme hiver, matin et soir, suant, soufflant ; il faut le voir, le bon géant, travailler de nuit et de jour, sur un coin de table, au milieu du bruit. Son appartement était ouvert à tous. On y trouvait toujours vingt personnes. Quand survenait un nouvel arrivant, Dumas lui tendait la main gauche, sans cesser d'écrire de la droite. Il créait dans la joie. Il lisait ses dialogues à haute voix. De temps en temps, on l'entendait rire aux éclats. Un jour, un visiteur se présente, demande au valet de chambre si Dumas est seul. Le valet répond affirmativement. Alors, à travers la porte, on entend d'énormes éclats de rire.

— Vous voyez bien qu'il n'est pas seul, reproche le visiteur.

— Mais si, dit le valet, comme une chose toute naturelle. Monsieur s'amuse avec ses personnages.

Un jour, son fils le trouva en larmes. Il lui en demanda la raison.

— Porthos est mort, répondit Dumas, j'ai été obligé de le sacrifier !

Dumas vivait entouré de parasites qui exploitaient sa générosité, et aussi, il faut bien le dire, sa vanité. Oh ! une vanité si évidente, si éclatante, si bon enfant qu'il est impossible de lui en vouloir. D'ailleurs, il a montré l'exemple, puisque lui-même a ignoré, toute sa vie, l'envie ou la rancune.

« Monsieur... vous êtes une des forces de la nature », lui écrivait Michelet (Portrait par Lafosse. Musée Carnavalet). Photo Bulloz. ▶

— On a souvent dit que vous jetiez l'argent par les fenêtres. Est-ce exact ?

— Que je gagnasse 1 500 ou 15 000 francs par an, j'ai toujours un peu fait le grand seigneur.

— Vous n'avez jamais renvoyé un quémandeur les mains vides.

— Je n'ai jamais refusé d'argent à personne, sauf à mes créanciers.

— Il est bien naturel que le père des *Trois Mousquetaires* ait gagné de belles sommes.

— Toute renommée se traduit par l'argent, mais l'argent ne vient réellement qu'à la suite de la renommée.

— Aujourd'hui, pourtant, vous avez des dettes.

— J'ai gagné quatre ou cinq millions, je devrais avoir 100 000 francs de rente et j'ai 200 000 francs de dettes. Le Plutarque qui racontera ma vie ne manquera pas de dire, en style moderne, que j'étais un panier percé, en oubliant d'ajouter bien entendu que ce n'était pas toujours moi qui faisais des trous au panier.

Je l'écoute, je le regarde et je songe à la transformation physique de cet homme. Au moment d'*Henri III et sa cour,* il était long, presque filiforme, tel que l'a vu Devéria. Aujourd'hui, sa corpulence est considérable. Il a dit lui-même avoir cessé de surveiller sa ligne à partir de l'âge de quarante ans. Le responsable, c'est son goût illimité pour la bonne cuisine. Il a parcouru le monde et partout a recueilli des recettes qu'il a expérimentées lui-même. Il aime autant ses plats que ses livres. Cette passion a donné naissance à son *Grand Dictionnaire de cuisine,* un chef-d'œuvre. Le seul livre de cuisine où des recettes se lisent avec passion.

— D'où vous vient ce goût ?

— Mon goût pour la cuisine, comme celui de la poésie, me vient du ciel. L'un était destiné à me ruiner — le goût de la poésie, bien entendu — l'autre à m'enrichir, car je ne renonce pas à être riche un jour. Quant au maître d'hôtel sous lequel j'ai étudié, comment voulez-vous que je dise cela, moi, éclectique par excellence ? J'ai étudié sous tous les maîtres et particulièrement sous ce grand maître qu'on appelle la nécessité.

— Pourquoi ce livre de cuisine ?

— Qui nous dit que Carême ne vivra pas plus longtemps qu'Horace, et Vatel qui se coupa la gorge, que Lucain qui s'ouvrit les veines ?... Je vois avec plaisir que ma réputation culinaire se répand et promet bientôt d'effacer ma réputation littéraire. Dieu soit loué ! Je pourrai donc me vouer à un état honorable et léguer à mes enfants, au lieu de livres dont ils n'hériteraient que pour quinze ou vingt ans, des casseroles ou des marmites dont ils hériteront pour l'éternité.

La nouvelle satisfaction d'Alexandre Dumas vieillissant, sa nouvelle joie, c'était son fils. Celui-ci remportait à son tour des succès qui éclipsaient un peu ceux de son père. Dumas s'en montrait ravi. Aux premières de son fils, il paradait au balcon, dans la loge du milieu, revêtu d'une redingote, d'un gilet de piqué blanc qui faisait ressortir l'ampleur de son ventre, et un énorme bouquet posé près de lui. Tout le long de la pièce, il ne cessait de battre des mains, riait aux éclats, criait bravo au milieu des tirades. Puis, quand on annonçait le nom de l'auteur, il se levait, son bouquet à la main, saluait à droite et à gauche, envoyait des baisers aux dames, plus fier que si c'était lui-même qu'on applaudissait.

Dumas fils disait bien joliment : « Mon père, c'est un enfant que j'ai eu quand j'étais tout petit. »

— Vous avez un fils dont les succès dramatiques vous rendent très fier. Parlez-nous de lui.

— Je vous parlerai, si vous le voulez, d'un beau et fier garçon de trente ans, plein de force, de jeunesse, de santé et, je puis ajouter hardiment, plein d'avenír... Je vous parlerai de mon meilleur ouvrage à moi, de M. Alexandre Dumas fils.

— Le talent de Dumas fils diffère-t-il beaucoup de celui de Dumas père ?

— Moi je prends mes sujets dans mes rêves, mon fils les prend dans la réalité. Je travaille les yeux fermés, il travaille les yeux ouverts. Je dessine, il photographie.

— Quand vous repensez à vos livres, aux centaines d'ouvrages que vous nous avez donnés, que ressentez-vous ?

— Chaque page me rappelle un jour écoulé. Je suis comme un de ces arbres au feuillage touffu, plein d'oiseaux muets à midi mais qui s'éveilleront vers la fin de la journée et qui, le soir venu, empliront ma vieillesse de battements d'ailes et de chants.

Je le regarde, éclatant de force sur le perron de Monte-Cristo. Bientôt, le château sera vendu. Dumas vieillira. La plus grande douleur de sa vie, il l'éprouvera en 1870 quand son pays, cette France qu'il a si bien chantée, sera vaincue. C'est Victor Hugo qui l'a dit : « De tous ses ouvrages, si multiples, si variés, si vivants, si charmants, si puissants, sort l'espèce de lumière propre à la France. » Et encore : « Ce qu'il sème, c'est l'idée française. » La défaite de son pays lui sera insupportable. A la fin d'août 1870, il arrivera chez son fils, près de Dieppe, et lui dira simplement : « Mon garçon, je viens mourir chez toi. »

Un matin — le 4 décembre 1870 — son fils le trouvera absorbé.

— A quoi songes-tu, papa ?

— C'est trop sérieux pour toi.

— Pourquoi ?

— Tu ris toujours.

Dumas fils insistera. Alors, Dumas tournera vers lui des yeux très doux et demandera :

— Alexandre, crois-tu qu'il restera quelque chose de moi ?

— Ça, papa, je te le jure !

Nous qui aimons Dumas comme un ami, soyons reconnaissants à Dumas fils de ce serment. Comme s'il l'avait prononcé en notre nom.

Le lendemain, Dumas sera moribond. Il recevra les sacrements. Le soir, à 10 heures, doucement, sans le sentir, il rendra à Dieu sa grande âme chaleureuse.

XIV

GEORGE SAND

Il y a une énigme George Sand. Soyons francs : on ne lit plus beaucoup les livres de la « bonne dame de Nohant ». Certes, on offre toujours en cadeau aux enfants *la Mare au diable* ou *la Petite Fadette.* Mais le plus vivant, le plus convaincant de ses ouvrages, *Histoire de ma vie,* ne se trouve dans aucune édition populaire. Ses romans socialistes n'ont qu'une valeur de référence. On connaît les titres d'*Indiana,* de *Lélia.* Seulement les titres.

L'étrange de l'affaire, c'est que si l'auteur n'intéresse plus guère, la femme passionne. Allez, l'été, à Nohant. Dans le chemin qui conduit de la grand-route à la petite place où s'élève le château, une file de cars s'étire. On a dû disposer un vaste parking pour accueillir les innombrables voitures des visiteurs. Au vrai, à Nohant, on s'écrase. C'est un des hauts lieux du tourisme français. Les visiteurs, en franchissant la grille, s'en viennent avec empressement au-devant d'un destin.

Depuis qu'elle habitait là, rien n'a changé à Nohant. Mêlons-nous aux touristes. Pénétrons dans le parc. Devant nous, la longue façade Louis XVI et les grands arbres. La cour de cette ferme où la petite Aurore

Dupin — future George Sand — jouait avec les enfants du métayer, soignait les agneaux, cherchait les œufs des poules. Pénétrons dans la demeure. Tout y a été conservé. Il semble que l'on pourrait y habiter demain. Dans le salon, les fauteuils Louis-XVI attendent autour de la table ovale. Et puis voici le piano, la harpe de Mme Dupin de Francueil, les tableaux de famille, le portrait de Maurice de Saxe dont descendait George Sand. Dans la salle à manger, la table est mise pour dix personnes. Devant chaque assiette, un bristol désigne l'hôte du jour. Glissons-nous dans la chambre de George, contemplons son lit bateau, sa coiffeuse, son secrétaire, son papier blanc et bleu. Un peu plus loin, voici le petit théâtre, installé en 1847 par le fils de George, Maurice. On dirait qu'elle est là, George, un peu forte dans sa large robe noire, le regard doux et bon sous les cheveux gris coiffés en bandeau.

Au fait, si elle était là, pour nous ? Si elle nous répondait ? Telle qu'à travers ses écrits nous pouvons la connaître, nous sommes sûrs qu'elle sera sincère. D'ailleurs, sa franchise a choqué souvent les contemporains. Soyons sûrs qu'elle satisfera la postérité.

— A Nohant, madame, vous avez passé une jeunesse heureuse. En 1848, vous vous y êtes fixée définitivement. Que pensez-vous de Nohant ?

— J'y ai été élevée, j'y ai passé presque toute ma vie et je souhaiterais pouvoir y mourir.

— Tantôt vous y avez vécu très entourée, tantôt dans la solitude.

— Nohant est une retraite austère par elle-même, élégante et riante d'aspect, mais en réalité solitaire et, pour ainsi dire, imprégnée de mélancolie. Qu'on s'y rassemble, qu'on la remplisse de rires et de bruit, le fond de l'âme ne reste pas moins sérieux et frappé d'une espèce de langueur qui tient au climat et au caractère même des hommes et des choses environnantes. Tout est paisible, mais tout est muet. Tout repose, mais tout semble mort. J'ai toujours aimé ce pays, cette nature et ce silence. Je n'en chéris pas seulement le charme,

◀ *Elle offrit sa propre liberté à la cause de toutes les femmes (Portrait par Desmadryl, d'après Charpentier) B.N. estampes.* Photo Bibl. nat.

Cette vue de Nohant date de 1818 (*photo Bulloz*).

j'en subis le poids, et il m'en coûte de le secouer quand même j'en vois le danger.

Je la regarde, tassée par les années, mais avec, dans le regard, une extraordinaire jeunesse.

— Je sais, madame, que votre activité est encore plus grande que dans le passé.

— Me voilà très vieille... Par une bizarrerie de la destinée, je suis beaucoup mieux portante, beaucoup plus forte et agile que dans ma jeunesse. Je marche plus longtemps, je veille mieux, je m'éveille sans effort après un sommeil excellent. Je me baigne dans l'eau glacée et courante avec un plaisir extrême... Je suis calme absolument. Une vieillesse aussi chaste d'esprit que de fait. Aucun regret de la jeunesse...

— Pourtant, la jeunesse vous a donné beaucoup.

— Le jour où j'ai résolument enterré la jeunesse, j'ai rajeuni de vingt ans...

— De fait, madame, vous livrez de vous-même une merveilleuse image d'équilibre.

— Depuis que je sens la main de la vieillesse s'étendre sur moi, je sens un calme, une espérance, une confiance en Dieu que je ne connaissais pas. Dieu est bon de nous vieillir, de nous ôter les aiguillons de personnalité si âpres de notre jeunesse.

— Comment vos contemporains vous jugent-ils ?

— Je ne suis qu'une bonne femme à qui l'on a prêté des férocités de caractère tout à fait fantastiques. On m'a aussi accusée de n'avoir pas su aimer passionnément. Il me semble que j'ai vécu de tendresse et qu'on pouvait bien s'en contenter.

— Vous avez, au cours de votre vie, côtoyé beaucoup d'hommes illustres ?

— J'ai des grands hommes plein le dos (passez-moi l'expression). Je voudrais les voir tous dans Plutarque. Là, ils ne font pas souffrir du côté humain. Qu'on les taille en marbre, qu'on les coule en bronze et qu'on n'en parle plus ! Tant qu'ils vivent, ils sont méchants, persécutants, fantasques, despotiques, amers, soupçonneux...

— Voilà bien de la dureté ! Pourtant, dans l'ensemble, votre caractère ne vous porte-t-il pas à l'indulgence ?

— Si on fait le mal, c'est qu'on n'a pas su qu'on le faisait. Mieux éclairé, on ne le ferait plus jamais... Je ne crois pas au mal, je ne crois qu'à l'ignorance.

Dans ses yeux noirs qui me regardent avec quelque ironie, il y a une vivacité qui ne trompe pas. Ses yeux noirs sont ceux de son père. Ceux aussi de sa grand-mère, Mme Dupin de Francueil, fille naturelle du maréchal de Saxe. Que de sang disparate dans les veines de George ! Quand Mme Dupin de Francueil était restée veuve, son fils Maurice avait dix ans. Engagé plus tard dans les armées de la Révolution, il a fait comme aide de camp la campagne d'Italie en 1800. Déjà, c'est l'Italie de Stendhal. On donne des rendez-vous au son des guitares. Le général dont Maurice dépend a fait venir de Paris sa maîtresse, Sophie Victoire, la ravissante fille d'un vendeur d'oiseaux. Pas une vertu, mais peu importe. Maurice enlève Sophie à son général. Amour, passion, liaison. En 1804, Sophie est enceinte. Maurice l'épouse juste à temps pour que, trois semaines plus tard, Aurore naisse légitime. Ainsi George Sand descend-elle à la fois d'un maréchal de France et d'un marchand d'oiseaux.

Elle était tout enfant quand son père, au retour de la campagne d'Espagne, s'est tué à Nohant d'une chute de cheval. Sa grand-mère et sa mère se la disputent. Heures difficiles. La grand-mère l'emporte, et c'est ainsi qu'elle grandira à Nohant. Quand est venue l'heure de la marier, après la mort de Mme Dupin de Francueil, on a choisi pour elle un certain Casimir, fils naturel du colonel baron Dudevant. Des situations « en rapport », comme on disait alors. Le passé de la mère d'Aurore est douteux, mais Casimir est bâtard. L'un fait oublier l'autre. Avant son mariage, elle aime beaucoup Casimir. Elle écrit à une amie : « J'ai ici un camarade que j'aime beaucoup, avec qui je saute et je ris comme avec toi. » Après le mariage, elle a connu la

Le mari Casimir Dudevant, dessiné par son fils. Photo Bibl. nat.

passion. Elle lui écrit : « Je te mange, je t'adore... Adieu tout ce que j'aime. » Mais à cet amour, il y a une ombre. Dès la première nuit, Casimir s'est conduit avec une brutalité qui a épouvanté Aurore. Un jour, elle s'éloignera de lui. Un jour, elle ne pourra plus supporter de vivre avec lui.

— Que pensez-vous du mariage, madame ?

— Le mariage n'est agréable qu'avant le mariage.

— Mais encore ?

— Le mariage est beau pour les amants, il est utile pour les saints. Quand l'amour n'y est pas, ou n'y est plus, il reste sacrifice. Cela suppose une dose de cœur et un degré d'intelligence qui ne courent pas les rues.

— Jugez-vous qu'une bonne entente conjugale exige de grands sacrifices, au moins du côté d'un des deux partenaires ?

— Il faut que l'un des deux en se mariant renonce entièrement à soi-même et fasse abnégation non seulement de sa volonté mais de son opinion, qu'il prenne le parti de voir par les yeux de l'autre... Quel supplice, quelle vie d'amertume quand on s'unit à quelqu'un qu'on déteste... Mais aussi quelle source inépuisable de bonheur quand on obéit à ceux qu'on aime !

Elle se recueille un instant, et elle lance :

— Le mariage sans amour, ce sont les galères à perpétuité !

— Vous avez pourtant, dans *Mauprat,* célébré la grandeur et la beauté de l'union conjugale.

— Quand j'écrivis *Mauprat,* je venais de plaider la séparation. Le mariage dont jusqu'alors j'avais combattu les abus, laissant peut-être croire, faute d'avoir suffisamment développé ma pensée, que j'en méconnaissais l'essence, m'apparaissait précisément dans toute la beauté morale de son principe. A quelque chose malheur est bon pour qui sait réfléchir. Plus je venais de voir combien il est pénible et douloureux d'avoir rompu de tels liens, plus je sentais que, ce qui manque au mariage, ce sont des éléments de bonheur et d'équité d'un ordre trop élevé pour que la société actuelle s'en préoccupe. La société s'efforce au contraire de rabaisser cette institution sacrée, en l'assimilant à un contrat d'intérêt matériel. Elle l'attaque de tous les côtés à la fois, par l'esprit de ses mœurs, par ses préjugés, par son incrédulité hypocrite. Tout en faisant un roman pour m'occuper et me distraire, la pensée me vint de peindre un amour exclusif, éternel, avant, pendant et après le mariage. L'idéal de l'amour est certainement la fidélité éternelle. Les lois morales et religieuses ont voulu consacrer cet idéal...

— Avouez pourtant que vous ne croyez pas que la fidélité soit possible.

— Le changement est une nécessité de la nature humaine... Toutes les théories devraient être admises et j'accorderais celle de la fidélité conjugale aux âmes d'exception. La majorité a d'autres besoins et d'autres puissances. A ceux-ci la liberté réciproque, la mutuelle tolérance, l'abjuration de tout égoïsme jaloux. A ceux-là de mystiques ardeurs, des feux longtemps couvés dans le silence, une longue et voluptueuse réserve. A d'autres enfin, le calme des anges, la chasteté fraternelle, une éternelle virginité.

— Approuvez-vous l'union libre ?

— Les femmes ont perdu leur cause en se jetant dans le désordre au nom de l'amour... D'union libre qui fût calme, estimable, enviable, je n'en ai pas vu et je doute qu'il en existe en France...

— Mais vous ne préconisez pas non plus les mariages de raison ?

— Les mariages de raison sont une erreur où l'on tombe, ou un mensonge qu'on se fait à soi-même.

— A quoi tient, selon vous, l'échec que connaissent tant de couples ?

— J'ai passé dix ans à réfléchir là-dessus et après m'être demandé pourquoi tous les amours de ce monde, légitimes ou non, étaient plus ou moins malheureux, je me suis convaincue de l'impossibilité radicale de ce parfait bonheur idéal de l'amour dans des conditions d'inégalité, d'infériorité et de dépendance d'un sexe vis-à-vis de l'autre. Que ce soit la loi, que ce soit la morale reconnue généralement, que ce soit l'opinion ou le préjugé, la femme en se donnant à l'homme est nécessairement enchaînée ou coupable.

— Quels conseils pourriez-vous donner aux jeunes mariés ?

— Il faut que l'homme et la femme obéissent à leurs serments, à l'honneur, à la raison, à leur amour pour leurs enfants. Ce sont là des liens sacrés, dès lors supérieurs aux conseils de notre orgueil et aux entraînements des passions humaines.

— Une fois de plus, vous venez de prononcer le mot passion. Dans vos romans, c'est probablement le sentiment qui domine. Et aussi dans votre vie. Voudriez-vous essayer de le définir ?

— L'amour n'est pas seulement cette violente aspiration de toutes nos facultés vers un être créé, c'est l'aspiration sainte de la partie la plus éthérée de notre âme vers l'inconnue ! Êtres bornés, nous cherchons sans cesse à donner le change à ces insatiables désirs qui nous consument. Nous cherchons un but autour de nous et, pauvres prodigues que nous sommes, nous parons nos périssables idoles de toutes les beautés immatérielles aperçues dans nos rêves. Il nous faudrait le ciel et nous ne l'avons pas. C'est pourquoi nous reportons le sentiment de l'adoration sur un être incomplet et faible qui devient ainsi le dieu de notre culte idolâtre. Mais quand tombe le voile divin et que la créature se montre chétive et imparfaite, derrière ces nuages d'encens, derrière cette auréole d'amour, nous sommes effrayés de cette illusion, nous en rougissons, nous renversons l'idole et nous la foulons aux pieds. Et puis nous en cherchons une autre. Car il nous faut aimer et nous nous trompons encore souvent jusqu'au jour où désabusés, éclairés, purifiés, nous abandonnons l'espoir d'une affection durable sur la terre, et nous élevons vers Dieu l'hommage enthousiaste et pur que nous n'aurions jamais dû adresser qu'à lui.

— Est-ce pour cela que vous avez accordé à votre vie tant de place à l'amour ?

— Aimer, être aimé, c'est le bonheur, c'est le ciel... Aimer, c'est de tout ce que nous connaissons ce qu'il y a de plus large et de plus ennoblissant, c'est là qu'on trouve encore la volonté et le pouvoir de se sacrifier.

— L'amour peut être la cause de grandes douleurs.

— Bah ! Vive l'amour quand même ! Nos douleurs ne peuvent pas plus contre lui que les nuages de la nuit contre l'existence et la beauté des étoiles.

— Est-il possible de vivre sans aimer ?

— Si l'on pouvait vivre soumis aux lois de la froide raison et de l'austère sagesse, il faudrait essayer d'arracher son propre cœur.

— Si vous faites un bilan de vos propres expériences, à quelle conclusion parvenez-vous ?

— Je me suis beaucoup fiée à mes instincts qui ont toujours été nobles ; je me suis parfois trompée sur les personnes, mais jamais sur moi-même. J'ai beaucoup de bêtises à me reprocher, pas de platitudes, ni de méchanceté... Mais les sentiments ont toujours été plus forts que les raisonnements et les bornes que j'ai voulu me poser ne m'ont jamais servi à rien. J'ai changé vingt fois d'idée. J'ai cru par-dessus tout à la fidélité. Je l'ai prêchée, je l'ai pratiquée, je l'ai exigée. On y a manqué et moi aussi. Et pourtant je n'ai pas senti le remords parce que j'avais toujours subi dans mes infidélités une sorte de fatalité, un instinct de l'idéal qui me poussait à quitter l'imparfait pour ce qui me semblait se rapprocher du parfait. Jusqu'ici j'ai été fidèle à ce que j'ai aimé, parfaitement fidèle en ce sens que je n'ai jamais trompé personne et que je n'ai jamais cessé d'être fidèle sans de très fortes raisons qui avaient tué l'amour en moi par la faute d'autrui.

Assurément, on découvre dans tout ce raisonnement une autodéfense bien explicable. Quel homme ou quelle femme, s'il fait un bilan de sa vie, n'est pas amené à vouloir se justifier vis-à-vis des autres et de soi-même ? Les idées qu'elle exprime sont cohérentes, convaincantes, mais finalement d'une grande simplicité. C'est cela, George Sand, une femme simple. Mais il est temps de revenir à l'histoire de sa vie, au moment où elle décide de quitter son mari, Casimir Dudevant.

— Pensez-vous qu'il faille attribuer vos difficultés conjugales à la façon dont on élevait à votre époque les jeunes filles ?

Elle approuve, vivement.

— Nous les élevions comme des saintes, puis nous les livrions comme des pouliches...

— Que reprochez-vous le plus à M. Dudevant ?

— Je ne voulais pas être supportée comme un fardeau, mais comme une compagne libre. Rappelez-vous comme j'ai été humiliée. Cela a duré huit ans.

— Vous avez pourtant essayé de vous réconcilier avec lui ?

— Les rapprochements sans amour sont quelque chose d'ignoble à envisager.

— Quels motifs vous décidèrent à rompre avec M. Dudevant ?

— Il y a un terme à tout... J'ai trouvé un paquet à mon adresse, en cherchant quelque chose dans le secrétaire de mon mari. Ce paquet avait un air solennel qui m'a frappée. On y lisait : *Ne l'ouvrez qu'après ma mort*. Je n'ai pas eu la patience d'attendre que je fusse veuve... Le paquet m'étant adressé, j'avais le droit de l'ouvrir sans indiscrétion et, mon mari se portant fort bien, je pouvais lire son testament de sang-froid. Vive Dieu ! Quel testament ! Des malédictions, et c'est tout ! Il avait rassemblé là tous ses mouvements d'humeur et de colère contre moi, toutes ses réflexions sur *ma perversité,* tous ses sentiments de mépris pour mon caractère. Et il me laissait cela comme un gage de sa tendresse ! Je croyais rêver, moi qui jusque-là fermais les yeux et ne voulais pas voir que j'étais méprisée. Cette lecture m'a enfin tirée de mon sommeil. Je me suis dit que vivre avec un homme qui n'a pour sa femme ni estime ni confiance ce serait vouloir rendre la vie à un mort. Mon parti a été pris et, j'ose le dire, irrévocablement.

J'ai dit qu'elle serait sincère. Assurément. Ce qu'elle dit, elle le croit — fortement. A nous pourtant d'être vigilants. A nous de nous souvenir que, déçue par Casimir, elle a noué avec Aurélien de Sèze une liaison chaste, mais enfiévrée. Aurélien avait vingt-six ans. Aurore l'avait subjugué avec son teint doré, ses cheveux noirs et ses yeux sombres. Elle avait failli se donner à lui, s'était au dernier moment reprise. Ils avaient échangé des lettres brûlantes. Et puis, un peu plus tard, elle avait eu un amant, Stéphane de Grandsagne. Une petite fille était née, Solange, que Casimir avait endossée. D'ailleurs, depuis lors, elle refusait son lit à M. Dudevant. Il s'était réfugié dans des liaisons parfois ancillaires et il avait souffert. Beaucoup. Sachant cela, on comprend mieux le sens du pli à n'ouvrir *qu'après ma mort*.

Visiblement, cela, George Sand l'a oublié. Essayons de l'en faire souvenir :

— Il n'y a pas eu seulement cette histoire de lettre posthume ?

— La conduite de M. Dudevant devint si dissolue, si bruyante, ses fanfaronnades de libertinage si déplacées en ma présence, le silence de mes nuits fut si souvent interrompu par le vacarme de ses plaisirs que le séjour de ma maison me devint insupportable... Au mois de janvier 1831, je déclarai à M. Dudevant que je voulais vivre séparée de lui et il y eut une convention amiable, moyennant laquelle j'allai m'installer à Paris.

— Après votre séparation judiciaire, vous avez dû être à la fois père et mère pour vos enfants.

— C'était beaucoup de fatigue. J'y ai fait de mon mieux. Mais j'avais dix fois, cent fois plus de peine qu'il n'y paraissait. Et toutes choses n'allèrent pas toujours au gré de mon zèle et de mon dévouement.

— Votre rôle de mère a été difficile ?

— La maternité a d'ineffables délices. Mais soit par l'amour, soit par le mariage, il faut l'acheter à un prix que je ne conseillerai jamais d'y mettre.

Toujours la sincérité... relative. Il faut aussi se souvenir qu'en 1830, cependant qu'elle s'enflammait des

En 1830, elle s'enflammait des nouvelles de la révolution (Portrait par Blaize. Musée Carnavalet) Tallandier.

nouvelles de la révolution, elle avait rencontré à Nohant un petit jeune homme blond de dix-neuf ans, timide, fragile, « frisé comme un petit saint Jean de Nativité ». Etudiant, il était en vacances. Il s'appelait Jules Sandeau. Sur-le-champ, il était tombé amoureux d'elle. Elle s'était attendrie. Cette forte femme s'était faite protectrice. Bientôt, elle confiait à un ami : « Si vous saviez comme je l'aime, ce pauvre enfant, comme dès le premier jour son regard expressif, ses manières brusques et franches, sa gaucherie timide avec moi me donnèrent envie de le voir, de l'examiner. C'était je ne sais quel intérêt que chaque jour rendait plus vif et auquel je ne songeais pas seulement à résister... »

Elle n'avait pas résisté. La nuit, elle le retrouvait dans un pavillon, au fond du parc. Quand il avait rejoint Paris, elle avait pleuré. Tout à coup lui était apparue la nécessité d'un choix : Casimir, ce mari qu'elle n'aimait pas, qu'elle n'aimait plus, cet homme devenu à ses yeux un butor ; et Jules Sandeau, si charmant, l'image même du bonheur. Soudain, elle s'était décidée : elle rejoindrait Jules à Paris. Ce faisant, elle s'affirmait, pour elle-même, partisan de cette liberté de choix qu'elle réclamerait bientôt pour toutes les femmes.

— Vous avez beaucoup aimé Jules Sandeau, n'est-ce pas ?

— Le jour où je lui dis que je l'aimais, je ne me l'étais pas encore dit à moi-même. Je le sentais et je n'en voulais pas convenir avec mon cœur, et Jules l'apprit en même temps que moi.

— Dans votre vie, Jules Sandeau a-t-il joué un rôle essentiel ?

— Jules m'a arrachée à une existence dont j'étais lasse, et que je ne supportais que par devoir, à cause de mes enfants. Il a embelli un avenir dont j'étais dégoûtée d'avance...

— Pourtant la liaison s'est mal terminée ?

— J'ai été trop profondément blessée... Jules a tout perdu, même mon estime et sans doute aussi la sienne.

Entre-temps, il est vrai, elle est devenue célèbre. A Paris, après avoir signé J. Sand quelques articles et un roman écrit en collaboration avec Jules Sandeau, elle a volé de ses propres ailes et publié *Indiana*. Considérable, le succès. Toute la France a lu *Indiana*. Toute la France découvre George Sand — car désormais elle signe ainsi. L'ennui, c'est que cette femme célèbre a compris qu'elle n'aimait plus Jules Sandeau. Impossible sans doute de le lui faire avouer, mais elle ne sait pas aimer longtemps. Reconnaissons-lui cette qualité : elle refuse les moyens termes. Elle a répudié tout accommodement avec son mari. Elle en fait autant avec ses amants. Sandeau, lui, a été chassé. Elle a fait sa malle et l'a poussée sur le palier. *Exit* Jules Sandeau. La place est libre. D'autres ne vont pas tarder à l'occuper. Car George sait bien qu'elle n'est pas faite pour vivre seule. Mais ce qu'elle exige, c'est une autre liberté, parfaitement insolite en son temps : celle de *choisir* un homme. Ce qui est remarquable, dans l'histoire de George, c'est que, ces attitudes audacieuses, elle ne se contentera jamais d'en éprouver les conséquences pour elle seule. Dès qu'elle franchit un pas, elle le réclame pour les autres femmes. De ce fait, elle acquiert, dans l'histoire du féminisme, une place qui, en son siècle, est probablement la première.

Mais revenons aux amants...

— Vous avez connu Alfred de Musset en 1833, à un dîner de *la Revue des deux mondes*. Vous l'avez traité de dandy, mais il semble bien que vous ayez été agréablement impressionnée.

— Il n'était ni roué ni fat, bien qu'il méritât d'être l'un et l'autre.

— L'année suivante, vous êtes partis tous les deux pour l'Italie. Vous étiez souffrante. Lugubre, n'est-ce pas, votre arrivée à Venise ?

— C'était une nuit de janvier sombre et froide. Nous

Musset se dessina avec elle : souvenir caricatural d'une passion inoubliable. (Coll. part.) Photo Bibl. nat.

descendîmes à tâtons dans une gondole... La fièvre me jetait dans une apathie profonde. Je ne vis rien... J'avais le frisson et je sentais vaguement qu'il y avait dans cet embarquement quelque chose d'horriblement triste. Cette gondole noire, étroite, basse, fermée de partout, ressemblait à un cercueil.

— Et Musset tomba gravement malade...

— J'ai passé de bien tristes jours, seule auprès de ce lit où le moindre mouvement, le moindre bruit était pour moi un sujet d'effroi perpétuel.

— Le médecin qui soignait Musset s'appelait Pagello. Il s'est montré fort empressé à votre égard. Vous n'aimiez plus Musset. La suite se devine. Musset s'en aperçut-il rapidement ?

— Les amants n'ont pas de patience et ne savent pas se cacher... Si j'avais pris une chambre dans l'auberge, nous aurions pu nous voir sans le faire souffrir et sans nous exposer à le voir d'un moment à l'autre devenir furieux.

— Pourtant vous avez renoué avec Musset après votre retour en France ?

— Je me suis rendue par amitié plus que par amour. Ce n'était plus un caprice, c'était un attachement senti.

— Après votre deuxième rupture avec Musset, avez-vous été très malheureuse ?

— Si je ne me suis pas suicidée, c'est à cause de mes enfants.

Exit Musset. Mais, déjà, voici Chopin.

— C'est en 1837 qu'il est apparu dans votre vie, n'est-ce pas ?

— Nous nous sommes livrés au temps qui passait et qui nous a emportés tous deux dans une autre région...

— Chopin est venu à Nohant, puis vous avez emmené vos enfants à Palma de Majorque. Chopin vous a accompagnée. Mais vous vous êtes vite inquiétée de sa toux opiniâtre.

— Dès que l'hiver se fit, et il se déclara tout à coup par des pluies torrentielles. Chopin présenta, subitement aussi, tous les caractères de l'affection pulmonaire. Nous n'avions aucun médecin qui nous inspirât confiance, et les plus simples remèdes étaient presque impossibles à se procurer.

— Est-ce alors que vous vous êtes installés, sur les hauteurs, à la chartreuse de Valdemosa ?

— C'était la plus poétique résidence de la terre... Nous partîmes pour Valdemosa vers la mi-décembre, par une matinée sereine et nous allâmes prendre possession de notre chartreuse au milieu d'un de ces beaux rayons de soleil d'automne qui allaient devenir de plus en plus rares pour nous...

— Je crois que commencèrent alors pour vous, dans le vent et dans le froid, de lugubres journées.

— L'état de notre malade empirait toujours. Le vent pleurait dans le ravin, la pluie battait nos vitres, la voix du tonnerre perçait nos épaisses murailles... La mort semblait planer sur nos têtes pour s'emparer de l'un de nous, et nous étions seuls à lui disputer sa proie.

— Comment Chopin se sentait-il à Majorque ?

— Doux, enjoué, charmant dans le monde, Chopin malade était désespérant dans l'intimité exclusive... Son esprit était écorché vif ; le pli d'une feuille de rose, l'ombre d'une mouche le faisaient saigner. Excepté moi et mes enfants, tout lui était antipathique sous le ciel de l'Espagne. Il mourait des impatiences du départ bien plus que des inconvénients du séjour.

Ce qu'il faut dire, c'est que la réalité de l'amour de Chopin pour George ne fait aucun doute. Cet amour n'était pas né dès le premier instant. Lorsqu'ils s'étaient vus pour la première fois, il avait dit : « Quelle femme antipathique que cette Sand ! Est-ce vraiment une femme ? Je suis prêt à en douter. » Et puis, un jour d'octobre 1837, Chopin avait pu noter dans son journal : « Je l'ai revue deux fois depuis... Elle m'aime... Aurora, quel nom charmant ! » De la vie aux Baléares, Chopin avait d'abord dit qu'elle était, avec George, « délicieuse ». Ce qui avait tout gâché, sans doute, c'est la maladie. A la fin de mai 1839, quand on avait gagné Nohant, Chopin n'en était pas moins toujours amoureux : « Pour toi, Aurora, je ramperais sur le sol. Rien ne me serait de trop, je te donnerais tout ! » Mais les mois avaient passé. Et les années. George soignait toujours Chopin.

Je le lui rappelle. Elle hoche la tête :

— Je me demandais si je devais accepter l'idée que Chopin s'était faite de fixer son existence auprès de la mienne... Je n'étais pas illusionnée par une passion. J'avais pour l'artiste une sorte d'adoration maternelle, très vive, très vraie.

— Est-il vrai que votre affection pour Chopin était devenue toute platonique ?

— Je me suis vieillie avant l'âge et même sans effort ni sacrifice, tant j'étais lasse de passion, et désillusionnée et sans remède... Si une femme sur la terre pouvait lui inspirer la confiance la plus absolue, c'était moi et il ne l'a jamais compris, et je sais bien des gens qui m'accusent, les uns de l'avoir épuisé par la violence de mes sens, les autres de l'avoir désespéré par mes incartades. Lui s'est plaint à moi de ce que je l'ai tué par la privation, tandis que j'avais la certitude de le tuer si j'agissait autrement.

— A Nohant, Chopin composait-il ?

— Il s'enfermait des journées entières, pleurant, marchant, brisant ses plumes, répétant et changeant cent fois une mesure. Il passait six semaines sur une page pour en revenir à l'écrire telle qu'il l'avait traitée au premier jet.

Si l'on observe sans parti pris la liaison Sand-Chopin, on doit convenir qu'à force de soins, Sand a, sinon guéri son amant, du moins fait reculer la maladie. Mais que d'orages entre eux !

— D'évidence, la vie est devenue entre vous de plus en plus difficile. Et la présence de vos enfants Maurice et Solange n'arrangeait rien ?

— Je vous assure que je ne suis pas fâchée qu'il m'ait retiré le gouvernement de sa vie, dont ses amis et lui voulaient me rendre responsable d'une manière beaucoup trop absolue. Son caractère s'aigrissait de jour en jour ; il en était venu à me faire des algarades de dépit, d'humeur et de jalousie, en présence de tous mes amis et de mes enfants.

— Votre fille ne s'est-elle pas montrée coquette, ce qui a failli provoquer des catastrophes, en particulier lorsque son mariage fut annoncé ?

— Je me rappelle que ce printemps, le jour même où il recevait la nouvelle du mariage arrêté, il était saisi d'un accès d'asthme nerveux qui le tenait quatre jours à l'agonie. Je me rappelle des accès de jalousie furieuse qui prétendaient m'avoir pour objet et auxquels je ne faisais certainement que servir de prétexte car il ne pouvait pas être jaloux en vue de moi des hommes qui courtisaient Solange.

Au vrai, ce qui les oppose à cette époque, ce sont presque toujours des mesquineries. A ce compte, même le plus authentique des amours s'use fatalement. Une de leurs querelles s'est envenimée. Chopin a quitté Nohant. Il devait revenir quelques jours plus tard, il ne reviendra pas. Elle lui écrit, il lui répond une lettre si froide qu'elle la considère comme une lettre de rupture. Alors, elle s'adresse à lui une dernière fois : « Adieu, mon ami. Que vous guérissiez vite de tous vos maux, et je l'espère maintenant (j'ai mes raisons pour cela) et je remercierai Dieu de ce bizarre dénouement à neuf années d'amitié exclusive. Donnez-moi quelquefois de vos nouvelles. Il est inutile de jamais revenir sur le reste. »

L'affaire se situe en juillet 1847. Elle et lui ne se reverront qu'une seule fois, en mars 1848.

— C'est par hasard que vous l'avez croisé, n'est-ce pas, à la porte d'une maison amie ?

— Je serrai sa main tremblante et glacée. Je voulus lui parler, il s'échappa. C'était à mon tour de dire qu'il ne m'aimait plus. Je lui épargnai cette souffrance et je remis tout aux mains de la Providence et de l'avenir. Je ne devais plus le revoir.

— Votre fils ne vous a donné que des joies. On ne peut pas en dire autant de votre fille et de votre gendre, M. Clésinger.

— Ce que j'ai souffert de Solange depuis son mariage est impossible à raconter... Cette froide, ingrate et amère enfant a joué fort bien la comédie jusqu'au jour de son mariage, et son mari avec elle, encore mieux qu'elle. Mais à peine en possession de l'indépendance et de l'argent, ils ont levé le masque et se sont imaginés qu'ils allaient me dominer, me ruiner, me torturer à leur aise. Ma résistance les a exaspérés et pendant les quinze jours qu'ils ont passés ici (*à Nohant*), leur conduite est devenue d'une insolence scandaleuse, inouïe. Les scènes qui m'ont forcée non pas à les mettre, mais à les jeter à la porte, ne sont pas croyables...

— Que s'est-il passé ?

— On a failli s'égorger ici, mon gendre a levé un marteau sur Maurice et l'aurait tué peut-être si je ne m'étais mise entre eux, frappant mon gendre à la figure et recevant de lui un coup de poing à la poitrine. Si le curé qui se trouvait là, des amis et un domestique n'étaient intervenus par la force des bras, Maurice, armé d'un pistolet, le tuait sur place, Solange attisant le feu avec une froideur féroce, et ayant fait naître ces déplorables fureurs par des ragots, des mensonges, des noirceurs inimaginables, sans qu'il y ait eu de la part de Maurice et de qui que ce soit l'ombre d'une taquinerie, l'apparence d'un tort. Ce couple diabolique est parti, criblé de dettes, triomphant dans l'impudence et laissant dans le pays un scandale dont ils ne pourront jamais se relever.

C'est pendant la liaison avec Chopin qu'elle publie non seulement ses premiers romans champêtres, mais aussi ses romans socialistes. C'est que, entre Musset et Chopin, il y a eu un avocat illustre, Michel de Bourges, l'un des chefs de l'opposition républicaine. Il lui a gagné sa séparation judiciaire avec Casimir. Mais c'est elle qu'il a gagnée aussi. Quand il lui parlait de République, de liberté, d'égalité, elle vibrait comme si elle avait entendu de la musique. C'est à Michel de Bourges, devenu son amant, qu'elle doit les idées politiques qui gouverneront désormais sa vie. Aussi, elle est devenue l'amie de Pierre Leroux, un autre socialiste, elle aime et admire Lamennais. Elle rêve d'une société meilleure, plus juste, plus fraternelle.

— Que vous reste-t-il de l'influence de Michel de Bourges ?

— Michel me fit entendre que la vérité métaphysique et la vérité sociale sont deux vérités indivisibles et qu'elles doivent se compléter l'une par l'autre... Dès le premier jour, nous nous sommes appartenus par la pensée. Je lui ai ouvert mon âme. J'étais vierge par l'intelligence, j'attendais qu'un homme de bien parût et m'enseignât.

— Et Pierre Leroux ?

— Si j'ai une goutte de vertu dans les veines, c'est à lui que je la dois, depuis que je l'ai étudié, lui et ses œuvres... La philosophie de Leroux est la seule chose qui soit claire comme le jour et qui parle du cœur comme l'Evangile. Je m'y suis plongée et transformée. J'y ai trouvé le calme, la force, la foi, l'espérance. C'est la religion de la poésie, c'est le temple élevé à la vraie divinité.

— Espérez-vous que la société pourra un jour se transformer ?

— N'aurons-nous pas un jour une société assez riche et assez chrétienne pour qu'on ne dise plus aux imbéciles : tant pis pour toi, deviens ce que tu pourras.

— Qu'entendez-vous par société chrétienne ?

— Il y a de nos jours fort peu de vrais chrétiens et cela vient de ce que cette religion si belle n'a jamais reçu son application sociale.

— Comment imaginez-vous les progrès sociaux qui pourront se réaliser un jour ?

— Ma raison ne peut admettre autre chose qu'une série de modifications successives amenant les hommes, sans contrainte et par la démonstration de leurs propres intérêts, à une solidarité générale dont la forme absolue est encore à définir. Toutes les écoles socialistes ont entrevu la vérité et l'ont même saisie par quelques points essentiels. Mais aucune n'a pu tracer sagement le code des lois qui doivent sortir de l'inspiration générale à un moment donné de l'Histoire.

— Vous êtes foncièrement démocrate ?

— J'ai été démocrate non seulement par le sang que ma mère a mis dans mes veines, mais par les luttes que ce sang du peuple a soulevées dans mon cœur et dans mon existence.

— A plusieurs reprises, vous vous êtes dite communiste. Pouvez-vous vous expliquer ?

— Le vrai communisme n'a rien à voir avec l'anarchie. Il permettra de créer une société idéale. Par la communauté des biens et des idées, tous les hommes, toutes les femmes seront égaux et libres... Je suis communiste comme on était chrétien en l'an 50 de notre ère. C'est pour moi l'idéal des sociétés en progrès, la religion qui vivra dans quelques siècles. Je ne peux donc me rattacher à aucune des formes de communisme actuelles, puisqu'elles sont toutes assez dictatoriales, et croient pouvoir s'établir sans le secours des mœurs, des habitudes et des convictions. Aucune religion ne s'établit par la force.

— Vous vous êtes occupée aussi bien de la condition de la femme que de celle des déshérités. Laquelle vous semble la plus difficile ?

— Nous voyons la cause de la femme et celle du peuple offrir une similitude frappante qui semble les rendre solidaires l'une de l'autre. Même dépendance, même ignorance, même impuissance les rapprochent ; même possibilité, même emportement, même résignation, mêmes orages, même ignorance des intérêts personnels les plus sérieux, même exclusion des intérêts sociaux, cette similitude s'explique par un mot, le manque d'instruction, toute une vie de labeur, des sentiments sans connaissances suffisantes, tout un monde de rêves et d'aspirations sans certitude positive, sans pouvoir, sans initiative, sans liberté.

Cet élan vers une société renouvelée n'est pas resté seulement platonique chez elle. Elle s'est jetée, corps et âme, dans la révolution de 1848. Ledru-Rollin l'a chargée de rédiger le *Bulletin de la République*. Elle a fondé *la Cause du peuple*. Voyant la bourgeoisie détourner la révolution de ses buts, elle a appelé à l'insurrection, a échoué. Pourquoi continuer à se battre pour un régime qui n'est pas celui de ses rêves ? Elle a vu juste : quelque temps plus tard, Cavaignac étouffait à coups de canon les aspirations populaires. Alors, définitivement, elle est repartie pour Nohant. Elle ne sera plus qu'écrivain.

— Ecrire, pour vous, qu'est-ce que c'est ?

— Le métier d'écrire est une violente passion, presque indestructible. Quand elle s'est emparée d'une pauvre tête, elle ne peut plus la quitter.

— On dit que vous travaillez surtout le soir, quand vous n'entendez plus aucun bruit.

— J'ai fait un volume en cinq nuits.

— Vous avez toujours eu une étonnante facilité d'écriture.

— Je reconnais que j'écris vite, facilement, longtemps, sans fatigue ; que mes idées engourdies dans mon cerveau s'éveillent et s'enchaînent par déduction, au courant de la plume.

— Votre livre qui me touche le plus est certainement l'*Histoire de ma vie*. Est-ce réellement une confession ?

— C'est une série de souvenirs, de profession de foi et de méditations dans un cadre dont les détails ont quelque poésie et beaucoup de simplicité. Ce n'est pourtant pas toute ma vie que j'ai révélée. Je n'aime pas l'orgueil et le cynisme des confessions... D'ailleurs, notre vie est solidaire de toutes celles qui nous environnent, et on ne pourrait jamais se justifier de rien sans être forcé d'accuser quelqu'un, parfois notre meilleur ami. Or je ne voulais accuser ni contrister personne.

— Que pensez-vous de votre œuvre littéraire ?

— Je crois que dans cinquante ans je serai parfaitement oubliée et peut-être durement méconnue. C'est la loi des choses qui ne sont pas de premier ordre. Mon idée a été plutôt d'agir sur mes contemporains et de leur faire partager mon idéal de douceur et de poésie.

Etrange, cette prescience. Elle a tort et elle a raison. Tort quand elle dit qu'elle sera méconnue, raison quand elle pense qu'on ne la lira plus. Mais justement pouvait-elle imaginer un paradoxe que nous avons, nous-mêmes, du mal à expliquer ?

Parmi les biographies d'André Maurois — ces chefs-d'œuvre — la vie de George Sand, celle qu'il baptisait *Lélia,* du nom de l'une de ses héroïnes, fut celle peut-être qui remporta le plus grand succès. Rencontre entre une destinée — celle de George — et une sensibilité : la nôtre. Peut-être aussi devons-nous admettre que les combats de George Sand nous concernent directement. En un temps où la revendication féminine se situe au premier plan, peut-on oublier les plaidoyers si éloquents que, l'une des premières, George eut l'audace de prononcer en faveur de la femme ?

Et si nous interrogions George Sand, justement, sur la condition de la femme ?

— Pourquoi estimez-vous que la loi est injuste pour les femmes mariées ?

— Toutes les unions seront intolérables tant qu'il y aura dans la coutume une indulgence illimitée pour les erreurs d'un sexe, tandis que l'austère et salutaire rigueur du passé subsistera uniquement pour réprimer et condamner celles de l'autre.

— D'après vous, tous les droits semblent être dévolus au mari ?

— Le mari a le droit de réduire sa femme à la misère, tout en gaspillant avec des filles le revenu ou le capital qui lui appartient. Il a le droit de chasser les parents de sa femme et de lui imposer les siens. Il a le droit de la battre et de repousser ses plaintes devant un tribunal si elle ne peut produire de témoins ou si elle recule devant le scandale.

— Vous avez prôné l'émancipation des femmes. Sur quelles bases ?

— Les femmes reçoivent une éducation déplorable. C'est là le grand crime des hommes envers elles. Cet aboutissement de la femme, on le dit aujourd'hui d'institution divine et de législation éternelle. En étouffant son intelligence, en détruisant en elle la force morale, l'homme se flatte de régner sur elle par le seul fait de sa force brutale. La religion fut le seul secours moral laissé à la femme. Mais l'homme s'est affranchi de ses propres devoirs civils et religieux, et il a trouvé bon que la femme gardât le précepte chrétien de souffrir et de se taire.

— Je suppose que vous jugez que les femmes sont intellectuellement les égales des hommes...

— Je crois les femmes aptes à toutes les sciences, à tous les arts, et même à toutes les fonctions, comme les hommes. Je voudrais qu'elles puissent apprendre et exercer la médecine, la chirurgie et la pharmacie. Elles me paraissent admirablement douées par la nature pour remplir ces fonctions.

— Certains hommes déclarent ne pas vouloir de femmes trop instruites.

— Ce sont les imbéciles qui demandent une compagne bornée. Ce sont les sots qui veulent jouer le rôle de pacha et jeter le mouchoir à des odalisques. Un homme de cœur et d'esprit veut vivre avec son égale.

— Mais une femme ayant une carrière peut-elle concilier son travail et ses devoirs de mère ?

— Beaucoup de femmes de mérite, excellentes mères, sont forcées par le travail de confier leurs petits à des étrangers. Mais c'est le vice d'un état social qui, à chaque instant, méconnaît et contredit la nature. La femme peut bien, à un moment donné, remplir d'inspiration un rôle social et politique, mais non une fonction qui la prive de sa mission naturelle, l'amour de la famille. On m'a dit souvent que j'étais arriérée dans mon idéal de progrès, et il est certain qu'en fait de progrès l'imagination peut tout admettre. Mais le cœur est-il destiné à changer ? Je ne le crois pas. Je vois la femme à jamais esclave de son propre cœur et de ses entrailles.

— En somme, vous préférez voir la femme au foyer plutôt que travaillant hors de chez elle ?

— Il serait monstrueux que la femme retranchât de sa vie et de ses devoirs les soins de l'intérieur et de la famille. Je voudrais au contraire agrandir pour elle ce domaine que je trouve trop restreint. Je voudrais qu'elle pût s'occuper davantage de l'éducation de ses enfants, compléter celle de ses filles et préparer celle de ses fils.

On dira que ce programme nous apparaît plutôt timide. Si nous écoutons Simone de Beauvoir ou les militantes du M.L.F., nous débouchons sur bien d'autres ambitions. Nos féministes nient que l'administration d'une maison soit enrichissante pour une femme. Elles considèrent que seul le travail peut libérer leur sort. Que George Sand soit en deçà d'un tel programme ne doit pas nous étonner. Songeons à l'époque à laquelle elle s'exprimait. Déjà, ce qu'elle prônait s'inscrivait dans le droit fil d'une véritable révolution.

Une question, encore, sur la femme :

— Etes-vous favorable à l'institution du divorce ?

— Ce qu'il y a de plus curieux, c'est que moi-même qui ai tant écrit sur le sujet, je sais à peine à quoi m'en tenir. Pour vous dire en un mot toutes mes hardiesses, elles tendraient à réclamer le divorce dans le mariage... J'ai beau chercher le remède aux injustices sanglantes, aux misères sans fin, aux passions souvent sans remède qui troublent l'union des sexes, je n'y vois que la liberté de rompre et de réformer l'union conjugale. Je ne serais pas d'avis qu'on dût le faire à la légère et sans des raisons moindres que celles dont on appuie la législation légale aujourd'hui en vigueur.

Tout autour de la grande maison de Nohant, la campagne impose une image de paix souveraine. Après tant de tumultes, nous comprenons que George ait ici cherché et trouvé la même paix. Souvent, des amis la rejoignent : Flaubert, Liszt, Dumas fils, Théophile Gautier, d'autres. Après le déjeuner, pris en commun, George se retire vers 3 heures. Elle écrit. Autour d'elle, on la compare à un bœuf de labour, creusant chaque jour

Chaque jour à son écritoire, image de la sagesse (Photo Bibl. nat). ▶

un sillon identique. Après le dîner, pris de nouveau avec ses amis et sa famille, elle retourne à sa table de travail. Chaque jour, une vingtaine de feuillets, tous admirablement calligraphiés.

Dans cette vieillesse paisible, une contradiction : elle condamnera les événements de la Commune, pourtant suite logique de cette révolution de 1848 où elle s'était jetée avec tant d'ivresse.

George à Nohant, c'est l'image de la philosophie.

— Quel sens voulez-vous donner à votre vie, à la nôtre ?

— Croyons au progrès ; croyons à Dieu dès à présent. Le sentiment nous y porte. La foi est une surexcitation, un enthousiasme, un état de grandeur intellectuelle qu'il faut garder en soi comme un trésor et ne pas le répandre sur les chemins en petites monnaies de cuivre, en vaines paroles, en raisonnements inexacts et pédantesques.

— Craignez-vous la mort ?

— J'ai sur la mort des croyances très douces et très riantes, et je m'imagine n'avoir mérité qu'un sort très gentil dans l'autre vie. Je ne demande pas à être dans le septième ciel avec les séraphins, et à contempler à toute heure la face du Très-Haut... Je suis optimiste en dépit de tout ce qui m'a déchirée, c'est ma seule qualité peut-être... L'univers est grand et beau. Tout ce que nous croyons plein d'importance est si fugitif que ce n'est pas la peine d'y penser.

— Et si, à cet entretien, on vous demandait une conclusion ?

— Je crois pouvoir résumer l'histoire de tous en résumant la mienne propre : au commencement, force, ardeur, ignorance. Au milieu, emploi de la force, réalisation des désirs, science de la vie. Au déclin, désenchantement, dégoût de l'action, fatigue — doute, apathie — et puis la tombe qui s'ouvre comme un livre pour recevoir le pèlerin fatigué de sa journée. O Providence !

XV

NAPOLEON III

Devant moi, au bout d'une avenue bordée de grands ormes, la maison, une construction du XVIIe siècle, rouge de brique, blanche de pierre, cernée par des cèdres magnifiques. Je suis à Camden Place, à Chislehurst, en Angleterre. Camden Place, c'est la demeure de l'exil. L'impératrice Eugénie l'avait louée pour cinq cents livres lorsqu'elle était arrivée, la première, en Angleterre. Tout naturellement, quand s'était achevée sa captivité en Allemagne, Napoléon III l'y avait rejointe.

Pour interroger le dernier empereur des Français, j'ai donc suivi aussi le chemin de l'exil. J'ai pu imaginer les sentiments du souverain déchu retrouvant une maison qu'il avait connue dans sa jeunesse tissée d'espoirs. Là, jadis, il avait courtisé Emily, fille de ses amis Rowles. Souvenirs.

Lorsque Napoléon III est arrivé, le 20 avril 1871, il a vu tourner pour lui la grille majestueuse de l'entrée. Pouvait-il savoir qu'elle avait été acquise par le propriétaire, Mr. Strode, parmi les matériaux de l'Exposition de Paris de 1867, mis à l'encan après la fermeture ? Cette grille avait marqué les fastes éclatants d'un règne. Maintenant, elle s'ouvrait sur un exilé.

Sur la façade de Camden Place, une devise, *Malo mori quam feodari.* Quand l'impératrice l'avait vue pour la première fois, elle avait dit :

— « Plutôt la mort que la désertion. » Voilà une devise faite pour moi.

A mon tour, j'ai traversé la petite antichambre circulaire, j'ai gravi le grand escalier à la rampe de cuivre. Je suis entré dans l'appartement de l'empereur. J'y ai considéré le lit de chêne sculpté surmonté d'un dais, le couvre-pied en satin blanc brodé d'abeilles d'or, marqué de l'aigle impérial. J'ai pénétré dans le bureau, une pièce si étroite que c'est à peine si peuvent y prendre place une armoire, une table et deux fauteuils. Là, j'ai trouvé l'empereur.

Il ressemble à ses innombrables effigies. Ce qui frappe, toujours, c'est la moustache aux extrémités effilées et cette courte barbe que l'on a appelée « impériale ». Mais barbe et moustache sont grises, comme les cheveux. Ceux-ci se dénudent sur le front, devenu large et vaste. Le nez est busqué. Et puis, sous l'arc des sourcils, voici un regard embué, lointain, presque vide.

Cet homme a connu l'un des destins les plus prodigieux de l'Histoire. Exilé avec tous les siens en 1815, il a grandi dans le culte d'un nom : Napoléon. A la mort de son cousin germain, le duc de Reichstadt, il est devenu, aîné des neveux de Napoléon Ier, l'héritier. Dès lors, il n'a plus eu qu'un but : restaurer le trône impérial de France. Il est allé d'échec en échec. Il a été condamné à la prison perpétuelle, s'en est évadé, s'est vu tout à coup rouvrir les portes de la France par la révolution de 1848. Député, président de la République, empereur, tel est le destin qu'a écrit l'Histoire.

Sa popularité fut immense. Mais rarement homme fut aussi vilipendé. Un nom l'accable : Sedan. Lorsqu'on le cite, on oublie les réalisations positives du règne.

Où est la vérité ? Qui est Napoléon III ? L'homme généreux, hanté par le désir de rendre heureux les

Il a grandi dans le culte d'un nom : Napoléon (B.N. estampes).
Photo Bibl. nat.

Français, que dépeignaient ses amis ? Le monstre qu'a stigmatisé Victor Hugo ?

En vérité, il a deux visages, ce Janus des chefs d'Etat. Pour dévoiler le vrai, frappons droit au but.

— Pardonnez-moi, Sire, de réveiller des souvenirs qui doivent hanter vos jours et vos nuits. Pouvez-vous me dire comment vous expliquez le désastre de Sedan ?

— Nous avons fait une marche contraire à tous les principes et au sens commun. Cela devait amener une catastrophe, elle fut complète. J'aurais préféré la mort à être témoin d'une capitulation aussi désastreuse, et cependant, dans les circonstances présentes, c'était le seul moyen d'éviter une boucherie de soixante mille personnes.

— Vous vous êtes donc trouvés bloqués dans Sedan ?

— Au bout de quelques heures]...[, nos troupes ont voulu rentrer en ville. Alors, la ville s'est trouvée remplie d'une foule compacte, et sur cette agglomération de têtes humaines, les obus pleuvaient de tous côtés, tuant les personnes qui étaient dans les rues, renversant les toits, incendiant les maisons.

— N'avez-vous pas songé à résister à tout prix, pour soutenir l'avenir de votre dynastie ?

— On a prétendu qu'en nous ensevelissant sous les ruines de Sedan, nous aurions mieux servi mon nom et ma dynastie. C'est possible. Mais tenir dans la main la vie de milliers d'hommes et ne pas faire un signe pour les sauver, c'était chose au-dessus de mes forces.

— N'avez-vous pas cependant essayé d'opérer une trouée ?

— La trouée était impraticable. J'ai refusé de laisser massacrer des milliers de braves. J'ai consulté tous les commandants d'armée : ils ont été convaincus qu'il n'y avait plus qu'à hisser le drapeau blanc des parlementaires. Je l'ai fait et, je le répète, ma conscience me dictait cette obligation. Elle ne me reprochera rien et je mourrai le cœur brisé, mais sans me condamner moi-même.

— C'est alors que vous êtes allé rejoindre le roi Guillaume et M. de Bismarck.

— La marche au milieu des troupes prussiennes a été un vrai supplice.

Irrésistiblement, ma pensée se porte à ces pages de Zola de *la Débâcle* qui évoquent le passage, dans sa calèche, de l'empereur au milieu des troupes harassées. Derrière les glaces, on ne voyait qu'un visage jauni, une tête épuisée, enfoncée dans les épaules. C'est une vraie tragédie que celle de cet homme qui n'avait pas réellement voulu la guerre, qui la fit parce que son entourage et le sentiment public l'y incitèrent et qui partit pour conduire des armées alors qu'il était accablé par sa maladie de vessie. Chaque pas lui était une souffrance. Un empereur à bout de forces partant pour une guerre fatale, voilà l'image qui reste et domine.

— Pourtant, face au danger allemand, vous aviez essayé de réformer votre organisation militaire.

— Une armée ne se réforme pas parlementairement... Oui, il m'eût fallu faire dans l'armée une sorte de coup d'Etat. C'était trop dangereux pour le repos de la France. D'un trait de plume, le roi de Prusse a mis à la réserve plus de cent généraux et augmenté d'un an le temps de présence sous les drapeaux. Je ne pouvais risquer cela. Les généraux sacrifiés, les partis hostiles à ma dynastie les auraient accueillis à bras ouverts. On en aurait fait des chefs de parti, des meneurs d'opposition. Jamais alors, je n'aurais pu maintenir la paix intérieure, comme je l'ai fait pendant vingt ans.

— On se demandera toujours pourquoi, appréhendant cette guerre, souhaitant l'éviter, vous l'avez tout de même déclarée.

— Le véritable auteur de la guerre n'est pas celui qui la déclare mais celui qui la rend nécessaire. Nous avons fait tout ce qui dépendait de nous pour l'éviter et c'est la nation tout entière qui, dans son irrésistible élan, a dicté nos résolutions.

— Qui donc vous semble alors responsable de l'impréparation de la guerre ?

— Ah ! nous vivons dans un temps et dans un monde où il faut réussir. Mais on aura beau chercher, enquêter, on ne trouvera rien à reprocher à Lebœuf et à ses devanciers. Canrobert ? Comme homme et comme chef d'armée, c'est la plus glorieuse illustration de mon règne.

— Et Bazaine ?

— Les gens qui tiennent et garderont peut-être le pouvoir pendant quelque temps en France auront une joie infâme à déshonorer ce vieux soldat. Moi, j'ai oublié ses fautes, je ne vois plus que son malheur. Volontiers, je lui dirais comme Philippe II au duc de Medina-Sidonia, après la perte de l'Armada : « Je vous avais envoyé contre l'ennemi et non contre le destin et la volonté de Dieu. »

— En 1870, n'avez-vous pas été déçu de voir Victor-Emmanuel demeurer neutre ?

— Pour juger Victor-Emmanuel, il faut savoir que son caractère est un composé de contrastes tels qu'il serait difficile d'en trouver de semblables. C'est l'aristocrate le plus hautain de l'Europe et il ne se trouve à l'aise qu'au milieu du peuple, de ce peuple qui l'inquiète. Il aime le repos, le farniente, et, pendant des mois, il court la montagne. Défenseur ardent du droit divin, il accepte sans hésitation les couronnes enlevées aux têtes de ses plus proches parents. C'est le plus fervent catholique de l'Italie et il fait la guerre au pape. Enfin, c'est l'homme qui peut-être méprise le plus le temps dans lequel nous vivons et qui se conforme le mieux à ses exigences.

Je l'écoute et ne puis m'empêcher de me dire que la catastrophe est née surtout d'une totale méconnaissance de la réalité allemande. Comment a-t-on pu ignorer à ce point la volonté de puissance de Bismarck et les moyens formidables qu'il se créait pour parvenir à ses fins ? N'est-ce pas là, au fond, la faute la plus flagrante de Napoléon III ?

J'ose le lui dire :

— Ainsi donc, Sire, vous ne vous êtes pas rendu compte de la force que représentait l'Allemagne ?

Il rêve un instant et reprend, de sa voix sourde, comme voilée :

— Ma connaissance de l'Allemagne s'est arrêtée tout à coup, et il s'est passé depuis une foule de choses dont je n'avais aucune idée. D'après ce que je vois et entends, l'Allemagne que j'ai connue n'existe plus. C'était un beau pays, un pays que j'ai bien aimé et où l'on pouvait être bien heureux. Au cours de ma vie si pleine d'événements, de joies et de douleurs, j'ai eu bien souvent la nostalgie de l'Allemagne... J'étais loin de me douter que mon désir de revenir dans ce pays dût s'accomplir ainsi.

— Vous expliquez-vous ainsi les succès de M. de Bismarck ?

— Il y a quelques années, M. de Bismarck était l'homme le plus haï d'Europe. Encore une de ses chances de gouverner une nation dont l'esprit se plie sous sa volonté comme le roseau sous le vent ! Sa grande force est de n'être que ministre... Quelle terrible différence de succomber comme ministre ou d'être vaincu comme souverain !

— La fondation de l'empire allemand sous l'hégémonie prussienne vous inquiète-t-elle pour l'avenir ?

— Savez-vous ce que le rêve d'une Allemagne unie lui coûtera ? Un prix qui, je l'espère, guérira une fois pour toutes les coureurs de chimères souveraines. Malgré elle, oui, je veux bien le croire, malgré elle, la Prusse dans vingt ou trente ans sera forcée de devenir une puissance agressive. Et alors, tous les tours de force diplomatiques, toute la valeur de ses troupes n'y feront rien. L'Europe l'écrasera. On verra alors ce que le rêve de M. de Bismarck aura coûté à la Prusse...

— Pensez-vous que la défaite change la mentalité des Français ?

— Puisse au moins cette cruelle leçon ne pas être perdue ! Puissent les Français tirer de cette catastrophe un double enseignement pour l'avenir !

Un calme immense enveloppe l'empereur. J'évoque la princesse Mathilde qui se plaignait que son cousin ne se mît jamais en colère. Mais sur ce front se lit un entêtement absolu. Quand il a voulu quelque chose, il a toujours tout entrepris — tout — pour réussir. Sans cesse, il a joué. Longtemps il a gagné. Jusqu'à l'échec final. Je me souviens de ce qu'écrivait son médecin qui était près de lui à Sedan : « De 8 heures à midi, je n'ai pas quitté l'empereur. Les obus et les boulets sifflaient incessamment à nos oreilles ou éclataient sous nos pas. A un moment, l'empereur met pied à terre derrière une petite haie. Un obus vient éclater à dix pas de lui. Si cet homme n'est pas venu là pour se faire tuer, je ne sais en vérité ce qu'il venait y faire. » La mort n'a pas voulu de lui. Je songe à ce château de Wilhelmshöhe où on l'a conduit captif. Autrefois, ce château s'était appelé Napoléonshöhe et avait été la résidence de Jérôme, roi de Westphalie...

Et maintenant, le voilà en Angleterre à rêver du passé et à escompter l'avenir.

— La nouvelle de la révolution du 4-Septembre a dû vous être insupportable.

— Je donnerais le souvenir de mes dix-huit années de règne glorieux et prospère pour que cette date du 4 septembre fût effacée de mon pays... Sans cette révolution, un mois ne se serait pas écoulé avant que la paix fût signée. Même si M. de Bismarck ne l'avait pas voulue, l'Europe la lui aurait imposée. A quelles conditions ? Dures, sans doute, mais meilleures en tout cas que celles auxquelles on a été forcé de se soumettre.

— Les membres du gouvernement de la Défense nationale n'étaient donc pas aptes à conclure la paix ?

— Ces malheureux, pourquoi se sont-ils mis à ma place ? Même vaincu, même captif, j'aurais pu sauvegarder ce pays contre bien des malheurs irréparables.

Mais eux, que pouvaient-ils ? Quel était leur crédit en Europe et dans le monde ? Sous quelle étoile est donc né ce M. de Bismark pour que des événements qu'il était tout à fait impossible de prévoir le servent mieux que ses victoires ?

— Comment expliquez-vous la rapidité avec laquelle les Parisiens ont accepté la révolution ?

— Le 28 juillet 1870, lorsque j'allais partir pour l'armée, j'avais l'intention de traverser Paris. Le préfet de police m'a déclaré que l'enthousiasme de la population était tellement excité que l'on détellerait les chevaux de ma voiture, que l'on s'écraserait dans la foule, enfin que toute espèce d'accidents fâcheux seraient à craindre, si bien que j'ai dû naturellement renoncer à mon projet de passer par la ville... Et l'on a vu ce même peuple, dans le même enthousiasme suivre le drapeau de quelques héros de la rue.

— Comment jugez-vous l'attitude du général Trochu ?

— Voilà un militaire qui a prêté serment à l'empereur, qui reçoit de lui dans un moment suprême la plus grande marque de confiance. Il est nommé commandant supérieur de toutes les forces réunies dans la capitale, il doit veiller sur les jours de l'impératrice, et cet homme qui, le 4 septembre au matin, promet à la régente qu'on passera sur son corps avant d'arriver jusqu'à elle, laisse envahir le Corps législatif et les Tuileries. Et quelques heures sont à peine écoulées depuis sa solennelle protestation qu'il usurpe le pouvoir et se déclare président du gouvernement de la Défense nationale. Jamais trahison plus noire, plus flagrante, plus impardonnable n'a été consommée, car elle s'est produite vis-à-vis d'une femme et en présence de l'invasion étrangère, et cet homme qu'il faut appeler traître, parce que c'est son nom, semble jouir malgré cela de l'estime générale...

Le ton s'est animé pour parler de Trochu. Visiblement, c'est une blessure à vif que rouvre chacune de mes questions. Impossible de poursuivre sur ce terrain. Détournons ses pensées de la catastrophe. Evoquons le temps où la vie tout entière s'offrait à lui.

— Avez-vous toujours eu confiance en votre étoile ?

— J'avais au fond du cœur le seul soutien, le seul guide certain dans ma position exceptionnelle, la foi dans ma mission. Que de fois j'ai vu sans pâlir le flux de l'opinion se détacher et toujours je l'ai vu revenir sans m'étonner ni sans m'enorgueillir de cet heureux reflux.

— Vous sentiez que vous aviez une mission à remplir ?

— En 1833, l'Empereur et son fils étaient morts, il n'y avait plus d'héritiers de la cause impériale. La France n'en connaissait plus aucun. Quelques Bonaparte paraissaient, il est vrai, çà et là, sur l'arrière-scène du monde, comme des corps sans vie, momies pétrifiées ou fantômes impondérables, mais pour le peuple, la lignée était rompue, tous les Bonaparte étaient morts. Eh bien, j'ai rattaché le fil...

A l'abdication de 1815, il avait sept ans. Après Waterloo, sa mère l'a conduit à Malmaison. L'Empereur vaincu l'a fait asseoir à sa table. Il a considéré longuement ce petit garçon très grave. Il a haussé les épaules et dit : « Qui sait s'il n'est pas l'avenir de ma race ? »

Aujourd'hui, il ne garde presque aucun souvenir de son oncle. Il explique :

— J'étais si jeune qu'il n'y a presque que mon cœur qui m'en fasse souvenir.

— Quand les Bonaparte, après Waterloo, durent quitter la France, vous avez habité Arenenberg, en Suisse, avec la reine Hortense, votre mère. Y avez-vous passé des années heureuses ?

— En attendant que la France fît justice à notre nom, je me suis fait Suisse. J'étais aimé dans le pays. Les habitants m'en donnaient journellement des preuves et il valait mieux être citoyen d'un pays libre que courtisan d'un pouvoir qui déshonorait notre patrie.

— Très jeune encore, vous avez voulu faire connaître vos idées par des articles et des brochures.

— J'ai écrit en 1832 une brochure sur la Suisse

pour gagner d'abord dans l'opinion de ceux avec lesquels j'étais obligé de vivre. Ensuite, je me suis appliqué, pendant près de trois ans, à un ouvrage d'artillerie que je sentais être au-dessus de mes forces, afin d'acquérir par là quelques cœurs dans l'armée et de prouver que, si je ne commandais pas, j'avais au moins les connaissances requises pour commander. J'arrivai par ce moyen à Strasbourg...

Je pense à la visite que fit le roi Jérôme avec sa fille Mathilde, en 1836, à Arenenberg. Elle n'avait pas encore seize ans. Elle était ravissante. Une idylle s'était ébauchée. Quand Mathilde avait quitté Arenenberg, les deux cousins étaient fiancés. Or, dans le même temps, Louis-Napoléon conspirait. Il avait lié des relations secrètes avec des officiers de la garnison de Strasbourg, notamment avec le colonel Vaudrey. Son projet ? Se présenter devant les soldats de la garnison et revivre avec eux le « retour de l'île d'Elbe » qui avait si bien réussi à son oncle. Il pensait que le nom de Napoléon galvaniserait les soldats. Il marcherait à leur tête vers Paris, soulevant de ville en ville toute l'armée française. La suite est connue. Un seul régiment accepta de suivre Louis-Napoléon. Les autres forces de la ville refusèrent d'obéir à cet ordre. Un colonel cria aux soldats que ce n'était pas là le neveu de l'Empereur. Le prince fut arrêté.

— Quel est votre jugement sur Strasbourg ?

— Mon entreprise a avorté, c'est vrai, mais elle annonçait à la France que la famille de l'Empereur n'était pas morte, qu'elle comptait encore des amis dévoués ; enfin que ses prétentions ne se bornaient pas à réclamer du gouvernement quelques deniers, mais à rétablir en faveur du peuple ce que les étrangers et les Bourbons avaient détruit.

— C'est donc que vous croyiez intimement à la force de l'idée napoléonienne ?

— Fort de ma conviction qui me faisait envisager la cause napoléonienne comme la seule cause nationale en France, comme la seule cause civilisatrice en Europe, fier de la noblesse et de la pureté de mes intentions,

A Strasbourg, en 1836, il croit rééditer le retour de l'île d'Elbe.

j'étais bien décidé à relever l'aigle impérial ou à tomber victime de ma foi politique.

— Votre émotion a dû être grande quand vous êtes arrivé sur le sol français.

— Jugez du bonheur que j'éprouvais... Après vingt ans d'exil, je touchais enfin le sol sacré de la patrie, je me trouvais avec des Français que le souvenir de l'Empereur allait encore électriser.

— Très vite, vous vous êtes rendu compte que vous alliez à un échec.

— Quelle horrible position a été la mienne au milieu du 46e ! J'étais venu consulter le sentiment national et je pouvais voir la force de ce sentiment dans la fureur même des soldats dont les baïonnettes étincelaient sur ma poitrine, déchiraient mes habits et glissaient comme par miracle sur mon corps, car, exaspérés par la croyance que je n'étais pas le neveu de l'Empereur, ils me reprochaient dans les termes les plus violents d'avoir usurpé le grand nom de Napoléon.

— Quelle a été votre attitude lorsque vous avez été arrêté ?

— Je déclarai que moi seul ayant tout organisé, moi seul ayant entraîné les autres, moi seul aussi je devais assumer sur ma tête toute la responsabilité. Reconduit en prison, je me jetai sur un lit qu'on m'avait préparé, et malgré mes tourments, le sommeil vint calmer mes sens... Mais comme le réveil fut affreux ! Je croyais avoir eu un horrible cauchemar : le sort des personnes compromises était ce qui me donnait le plus de douleur et d'inquiétude.

— On vous a alors séparé de vos amis pour vous conduire à Paris ?

— Lorsque je vis que j'allais quitter Strasbourg et que mon sort allait être séparé de celui des autres accusés, j'éprouvai une douleur difficile à dépeindre. Me voilà donc forcé d'abandonner les hommes qui s'étaient dévoués pour moi, me voilà donc privé des moyens de faire connaître dans ma défense mes idées et mes intentions. Me voilà donc recevant un prétendu bienfait de celui auquel je voulais faire tant de mal !

— Ne vous êtes-vous pas adressé à Louis-Philippe lui-même ?

— Mes protestations étant restées infructueuses, je pris le parti d'écrire au roi, et je lui dis que, jeté en prison après avoir pris les armes contre son gouvernement, je ne redoutais qu'une chose, sa générosité, puisqu'elle devait me priver de la plus douce consolation, la possibilité de partager le sort de mes compagnons d'infortune.

— C'est alors que le roi vous a fait embarquer pour l'Amérique. A votre retour en Europe, vous avez continué à faire parler de vous, de peur qu'on ne vous oublie.

— Mon but n'était pas d'empêcher qu'on ne m'oublie,

mais de prouver que j'avais des idées à moi et que j'avais réfléchi sur les choses de ce monde. Tout ce qu'on connaissait de moi alors n'avait pu en donner d'autres idées que celles qu'on avait d'un jeune homme brave, hardi, passionné pour l'armée, mais écervelé et incapable d'avoir une conduite politique. Je voulais faire revenir le public de cette opinion.

Je l'évoque ayant gagné Londres. Là, il méditait un nouveau complot. En attendant, il écrivait...

— A Londres, je publiai contre l'avis de tous les *Idées napoléoniennes* afin de formuler les idées politiques du parti et de prouver que je n'étais pas seulement un hussard aventureux.

— Si aujourd'hui vous aviez à choisir un passage de cette publication, que nous proposeriez-vous ?

— Ceci : « L'esprit napoléonien peut seul concilier la liberté populaire avec l'ordre et l'autorité. Il assurerait d'abord la paix en Europe par les délimitations des groupes ethniques. Les gouvernements s'uniraient pour donner au peuple un bonheur trop attendu. La gangrène du paupérisme guérirait par l'accès de la classe ouvrière à la propriété. Les terres non cultivées seraient distribuées. L'arbitraire des patrons disparaîtrait. Le libre-échange rendrait la vie large, facile... L'idée napoléonienne n'est point une idée de guerre, mais une idée sociale, industrielle, commerciale, humanitaire. »

— Vous êtes revenu en Suisse au moment de la mort de la reine Hortense. Pourquoi avez-vous, quelques mois plus tard, tenté l'expédition de Boulogne ?

— Tant que j'ai cru que l'honneur me défendait de rien entreprendre contre le gouvernement, je suis resté tranquille. Mais lorsqu'on m'a persécuté en Suisse sous prétexte que je conspirais, ce qui était faux alors, j'ai recommencé à m'occuper de mes anciens projets.

— Après l'échec de Strasbourg, vous n'aviez fait aucune promesse au gouvernement français ?

— En 1836, le gouvernement français n'a pas même

cherché à négocier mon élargissement parce qu'il savait que je préférais un jugement solennel à la liberté. On n'exigea rien de moi, parce qu'on ne pouvait rien exiger, et je ne pus rien promettre puisque je ne demandais rien. Aussi, en 1840, M. Franck Carré, procureur général, en lisant mon acte d'accusation devant la Cour des pairs, fut obligé de déclarer qu'en 1836 j'avais été mis en liberté sans caution.

En 1840, il décide de passer à l'action. J'essaie de m'imaginer sa psychologie cette année-là. C'est l'année du retour des cendres. La France vit à l'heure de Napoléon. Pourquoi, lui, le neveu, n'en profiterait-il point ? Le 6 août 1840, il débarque à Boulogne. Il veut, comme à Strasbourg, soulever la garnison. Mais — comme à Strasbourg — il échoue. Une fois de plus, il est arrêté. La patience de Louis-Philippe est lassée. On ne se contentera plus de conduire le prétendant à la frontière. On le jugera. Il est condamné par la Cour des pairs à « l'emprisonnement perpétuel en une forteresse située sur le territoire continental du royaume ». De sa voix sourde, il demande : « Combien dure la perpétuité, en France ? »

— Vous avez été transféré au fort de Ham. Votre prison a-t-elle été dure ?

— On a essayé d'adoucir la politique par l'humanité en m'infligeant la peine la moins dure pour la plus longue durée possible. Avec le nom que je portais, il me fallait l'ombre d'un cachot ou la lumière du pouvoir... Je préférais être captif sur le sol français que libre à l'étranger.

— Vous avez su à merveille profiter de vos années de captivité à Ham.

— Là, j'ai appris à être prisonnier ; j'y ai appris, d'ailleurs, bien d'autres choses encore. Vous savez que j'ai toujours appelé Ham mon « université »... C'est en 1844, pendant que j'étais prisonnier, que je m'intéressai pour la première fois au projet de réunir l'océan Atlantique et l'océan Pacifique par un canal. Je suis arrivé à la conclusion que la meilleure voie est celle du Nicaragua... Pour me faire passer le temps,

La prison de Ham sera son « université ».

je me suis occupé de trente-six mille choses à la fois... Je me suis réfugié dans mes livres.

— Pourtant, vous avez risqué le tout pour le tout en tentant une évasion. Vous avez réussi. Qu'avez-vous pensé quand vous vous êtes retrouvé libre ?

— On devient superstitieux quand on a éprouvé de si fortes émotions, et quand, à une demi-lieue de Ham, je me trouvai sur la route en attendant Charles Thélin en face de la croix du cimetière, je tombai à genoux devant la croix et je remerciai Dieu.

Cette évasion, elle se situe en 1846. Louis-Napoléon va regagner Londres et nouer avec une belle Anglaise, miss Howard, une liaison qui assurément comptera dans sa vie. Le 23 février 1848, Louis-Philippe est détrôné. « Je lui succéderai », répète depuis longtemps Louis-Napoléon. Il lui succède. Il y a des épisodes devant lesquels, quoi qu'on fasse, on demeure pantois. Elu par quatre départements à l'Assemblée constituante, l'ex-condamné à perpétuité, l'ancien prisonnier de Ham accourt à Paris. Lamartine s'inquiète. Louis Blanc le rassure : « Laissez-le s'approcher du soleil de notre République, il disparaîtra dans ses rayons. »

Le 10 décembre 1848, son élection à la présidence de la République est triomphale : plus de six millions de suffrages.

— Vous voyiez déjà beaucoup plus loin que cette présidence.

— Mon credo, c'était l'Empire. J'étais convaincu que la volonté de la nation, c'était l'Empire.

— Vous y pensiez déjà lorsque vous étiez prisonnier à Ham.

— Je désirais la liberté, le pouvoir même, mais j'aurais préféré mourir en prison que de devoir mon élévation à un mensonge. Je n'étais pas républicain parce que je croyais la République impossible en présence de l'Europe monarchique et de la division des partis.

— Les républicains n'étaient pas de cet avis.

— Ils voulaient faire de moi le prince Albert de la République.

— On vous a beaucoup reproché le coup d'Etat du 2-Décembre.

— Le coup d'Etat ! Toujours le coup d'Etat ! Voilà bien le mot creux, qui sert d'argument suprême à ceux qui ne voient rien et ne savent rien. On ne saura jamais ce que la lâcheté et la sottise ont inventé de fables sur le 2-Décembre ; une Constitution déchirée, le sang coulant dans les rues, des déportations, que ne peut-on faire de tout cela avec un peu d'imagination et beaucoup de haine ? Mais est-ce que pendant les dix-huit ans de monarchie bourgeoise de Louis-Philippe, et pendant la première année de chaque république, il n'y a pas eu dix fois plus de sang qu'au 2-Décembre ? Ah, croyez-moi, les républicains eux-mêmes parleront un jour de la modération du 2-Décembre.

— Vous avez été accusé d'avoir acheté les consciences.

— On prétend que j'ai corrompu tout le monde avec de l'argent. Or toute ma fortune s'élevait à ce moment à vingt-cinq mille francs. La vérité est que l'Empire était dans l'air et qu'à chaque revue on entendait des cris de « Vive l'empereur ! », bien qu'on eût interdit à l'armée les manifestations. Les arrestations nécessaires avaient été opérées facilement et sans résistance sérieuse. Quant aux massacres, aux déportations par milliers, c'était une invention de certains journaux. Le véritable carnage, c'est en 1848 qu'il faut le chercher, avant que j'eusse été élu président.

— Vous pensez donc que le coup d'Etat a ouvert une ère nouvelle ?

— La France étouffait sous une institution qui la laissait sans défense contre les éternels ennemis de sa tranquillité et de sa prospérité. J'ai brisé ce lien néfaste et je m'en glorifie. Sous les gouvernements précédents, c'était tous les six mois une émeute. Ces spasmes épuisaient la France. Sous mon règne, pas une insurrection, pas l'ombre d'un combat de rue, pas un Français qui ait attenté à ma vie, et une prospérité comme l'Histoire n'en offre pas de semblable. Voilà des résultats dont mes ennemis se gardent de parler... Je me suis servi du coup d'Etat pour faire une France heureuse et prospère. Un jour, on s'en souviendra avec reconnaissance.

— Avez-vous, pendant votre règne, célébré l'anniversaire de ce 2-Décembre ?

— Mes amis me poussaient souvent à faire élever un monument commémoratif de cet événement ; mais bien que le coup d'Etat ait été ensuite légalisé par les votes de huit millions de Français, j'ai toujours refusé de commémorer un acte qui, si nécessaire qu'il fût à mes yeux, n'en a pas moins été une violation de la loi.

Comment ne pas se dire qu'en ce temps-là tout lui réussissait ?

Il était encore prince-président lorsque, un jour, à une revue à Satory, il a aperçu une ravissante jeune fille qui, à cheval avec quelques amis, était venue assister au défilé. Il l'a remarquée. Quelque temps plus tard, il l'a retrouvée lors d'une réception chez la princesse Mathilde. On la lui a présentée. C'était une jeune Espagnole. Eugénie de Montijo entrait dans sa vie. Lorsque l'Empire sera près d'être restauré, les amis du prince voudront lui faire épouser une princesse

L'impératrice Eugénie : un mariage d'amour (Portrait par Winterhalter. Musée du Louvre).

étrangère. Il laissera les négociations s'engager, mais sera ravi qu'elles échouent. Car, depuis de longs mois, il est follement amoureux de Mlle de Montijo. Il hésite cependant. Il faut qu'Eugénie lui annonce qu'elle va quitter la France. Le 12 janvier 1853, il demande officiellement la main de la jeune fille qu'il aime.

— Votre mariage avec Mlle de Montijo a déçu tous ceux qui désiraient vous voir contracter une alliance princière.

— J'ai préféré une femme que j'aimais et que je respectais à une femme inconnue dont l'alliance eût eu des avantages mêlés de sacrifice... Française par le cœur, par l'éducation, par le souvenir du sang que versa son père pour la cause de l'Empire, elle avait, comme Espagnole, l'avantage de n'avoir en France pas de famille à laquelle il fallait donner honneurs et dignités.

Je pense à toutes ces femmes qui sont passées dans la vie de Napoléon III : la Belle Sabotière, miss Howard, la Castiglione, Marie-Anne Waleska, Marguerite Bellanger, et combien d'autres. L'empereur disait que, son cœur, il le lui fallait toujours plein. Il disait aussi : « L'impératrice, je lui ai été fidèle six mois. »

— Vous avez connu bien des succès féminins. Vos belles amies ont-elles eu de l'influence sur votre politique ?

— Comme les esprits s'échauffent sur l'influence que l'on suppose aux femmes !... Cette influence ne dépasse pas la ceinture.

— Voyez-vous une vraie différence entre les femmes du monde et les lorettes ?

— Toutes les femmes se valent en amour, quelle que soit la qualité sociale de leur élégance. Un jardin dans lequel nul ne met le pied contient d'excellents fruits que goûte seul son propriétaire. Pourquoi un jardin ouvert à tous ne renfermerait-il pas d'aussi délicieux produits ?

Désormais, la vie de Napoléon III s'identifie à l'histoire de la France. L'empereur possède un don inestimable : il force la sympathie. George Sand écrit : « Il a le don de se faire aimer. Il est impossible de ne pas l'aimer. » La reine Victoria, après l'avoir rencontré, notera dans son journal intime : « Il a quelque chose de fascinant, de mélancolique, qui attire vers lui en dépit de toutes les préventions qu'on pourrait avoir. Il est doué d'une puissance de séduction dont l'effet se fait vivement sentir sur ceux qui l'approchent. »

Dès son arrivée sur le trône, une idée l'a dominé : détruire l'effet des traités de 1815. L'Europe est toujours celle de la Sainte-Alliance. Napoléon III veut anéantir ce souvenir d'un temps odieux.

— Lors de la guerre de Crimée, vous vous êtes allié avec l'Angleterre contre la Russie. Pourquoi ?

— Pour parvenir à détruire l'effet des traités de 1815, il fallait désunir l'Autriche et la Russie qui étaient toujours prêtes à nous menacer de la coalition de l'Europe et qui gênaient toute notre liberté. Cela a été le grand but de la guerre. Séparer les deux puissances et reconquérir pour la France, avec la liberté de ses alliances, la liberté de son action au-dehors.

Quand, après la guerre, s'ouvrira le Congrès de Paris, le but est atteint. La France domine le Congrès. « Le grand résultat, dit l'Autrichien Hübner, c'est d'avoir brisé la ligue européenne que la première révolution avait formée contre elle et qui a duré soixante ans. »

— Vous sentez-vous européen ?

— Une puissance universelle pousse les peuples à se réunir en grandes agglomérations en faisant disparaître en Europe les Etats secondaires.

Napoléon III, depuis l'enfance, aime l'Italie. Il ne peut oublier les enseignements de son précepteur Lebas, ses conspirations à Rome, son combat dans les Romagnes, la mort de son frère aîné pour la cause de l'indépendance italienne. Au pouvoir, il va réaliser ses rêves d'enfance : faire de l'Italie une nation unie et libre.

— Vos troupes ont remporté de belles victoires à Solferino et à Magenta, mais le roi Victor-Emmanuel ne vous a-t-il pas reproché d'avoir arrêté trop tôt les combats ?

— Afin de sauver l'indépendance italienne, j'avais fait la guerre contre le gré de l'Europe... Si je me suis arrêté, ce n'est pas par lassitude, ni par épuisement ni par abandon de la cause que je voulais servir, mais parce que dans mon cœur quelque chose parlait plus haut encore : l'intérêt de la France.

De toute façon, le grand mouvement était donné qui aboutirait à l'unité italienne. Et la France gagnait Nice et la Savoie.

— Les Savoyards et les Niçois ont-ils accepté de bon cœur d'être rattachés à la France ?

— Ce n'est ni par la conquête ni par l'insurrection que la Savoie et Nice ont été réunies à la France, mais par le libre consentement de souverains légitimes appuyés par l'adhésion populaire.

— Sire, on vous a reproché durement d'avoir retiré vos troupes du Mexique.

— La France a fait, j'ai fait tout ce qui avait été promis, et même au-delà. Je n'ai ménagé au Mexique ni le sang de mes soldats ni les ressources de mon pays. On ne peut sans injustice, après tant d'héroïsme, de peine, lui reprocher je ne sais quelle abstention. Etait-ce ma faute, hélas ! si les choses n'allaient pas comme nous étions en droit d'espérer qu'elles fussent ?... Du reste, la question n'était plus là... La situation en Europe était telle qu'elle ne permettait pas de distraire un homme ou un écu pour tout ce qui n'était pas la défense du pays... Si j'avais tenté de passer outre, l'opinion ne l'aurait pas souffert.

— Vous vous êtes beaucoup intéressé à la question de l'Algérie. Comment imaginiez-vous l'avenir pour les Algériens ?

— Cette nation guerrière, intelligente, mérite notre sollicitude ; l'humanité, l'intérêt de notre domination commandent de nous la rendre favorable. Lorsque notre manière de régir un peuple sera, pour les quinze millions d'Arabes répandus dans les autres parties de l'Afrique et de l'Asie, un objet d'envie, le jour où notre puissance au pied de l'Atlas leur apparaîtra comme une intervention de la Providence pour relever une race déchue, ce jour-là, la gloire de la France retentira depuis Tunis jusqu'à l'Euphrate et assurera à notre pays cette prépondérance qui ne peut exciter la jalousie de personne, puisqu'elle s'appuie non sur la conquête, mais sur l'amour de l'humanité et du progrès.

— Quel statut prévoyiez-vous pour les Arabes ?

— L'égalité parfaite entre les indigènes et les Européens, il n'y a que cela de juste, d'honorable, de vrai... Les indigènes avaient, comme les colons, un droit égal

Quand le Conseil des ministres se tenait à Compiègne (Monde illustré).

à la protection et j'étais aussi bien l'empereur des Arabes que l'empereur des Français.

— Vous préconisiez donc l'assimilation totale ?

— Il conviendrait de considérer les indigènes comme Français tout en demeurant régis par leur statut civil conformément à la loi musulmane. Cependant, sur leur demande, ceux qui voudraient être admis au bénéfice de la loi civile française seraient, sans condition d'âge, investis des droits du citoyen français. D'autre part, les Arabes devraient pouvoir accéder à tous les emplois militaires de l'Empire et à tous les emplois civils de l'Algérie... Réconcilier les colons et les Arabes, prouver par les faits que ces derniers ne doivent pas être dépouillés au profit des premiers, et que les deux éléments ont besoin de se prêter un concours réciproque, telle est la marche à suivre.

— Pendant tout votre règne, vous avez pu vous appuyer sur quelques hommes fidèles.

— Mon cousin Napoléon, qui a beaucoup d'esprit surtout lorsqu'il s'agit de critiques, me disait : « Vos ministres sont des Maîtres Jacques, vous les habillez tantôt en cochers, tantôt en cuisiniers. » Cette disette d'hommes était affligeante. On disait que cela tenait à la forme de mon gouvernement mais il en était ainsi en Angleterre. Excepté M. Gladstone, on en était réduit à aller sans cesse de lord John Russell à lord Derby.

— Avez-vous toujours dû compter avec l'opposition légitimiste et orléaniste ?

— Il y avait sous mon règne des hommes qui approuvaient toutes les mesures de mon gouvernement, qui n'avaient pour ma personne que respect et bienveillance, des hommes qui auraient pu rendre d'éclatants services à la France et auxquels j'ai bien dû me garder d'offrir dans le gouvernement une place digne d'eux. Pourquoi ? Parce que l'ancêtre de l'un était mort en Vendée, que le père de l'autre avait été lié avec le duc d'Orléans, que le frère du troisième avait été arrêté après le 2-Décembre... C'est là la cause équitable des malheurs des Français. C'est un véritable écueil pour tous les gouvernements.

Je l'écoute et ne puis que lui donner raison.

Il est bien vrai que, sous Napoléon III, l'opposition fut autant passionnelle que raisonnée. Le XIXᵉ siècle français est un composé de fidélités qui se sont fait la guerre les unes les autres, pour le plus grand mal de la France. Nul doute que, parallèlement à la majorité qui approuvait l'Empire, il y eut en France une infinité de groupes qui le refusèrent. Le plus paradoxal, peut-être, de ces refus vint des partis de gauche, préoccupés du mieux-être de la classe ouvrière. Or Napoléon III aimait sincèrement le peuple. De tous les souverains de son siècle, il fut le seul qui eut la préoccupation constante d'améliorer le sort du prolétariat. Dès Arenenberg, il disait : « Je songe souvent aux devoirs de la société envers les déshérités, et plus j'y réfléchis, plus je conviens qu'il y a encore beaucoup à faire sous ce rapport. Si j'ai un jour quelque pouvoir, je ne manquerai pas de l'employer à réparer ces lacunes. » Avant les élections à la présidence, il avait dit qu'il projetait des réformes économiques et sociales. Il avait décidé « d'encourager les entreprises qui peuvent donner du travail aux bras inoccupés, de pourvoir à la vieillesse des travailleurs par des institutions de prévoyance, d'introduire dans les lois industrielles les améliorations qui tendent non à ruiner le riche au profit du pauvre, mais à fonder le bien-être de chacun sur la prospérité de tous ».

— Que pouvez-vous nous dire de cet intérêt constant que vous avez manifesté pour le peuple ?

— Le premier devoir d'un gouvernement est d'exterminer le paupérisme, de diminuer les charges accablantes du pauvre, de réveiller partout les activités bienfaisantes des citoyens en récompensant le mérite et la vertu.

— La classe ouvrière vous semblait donc très malheureuse ?

— La classe ouvrière ne possède rien, il faut la rendre propriétaire. Elle est comme un peuple d'ilotes au milieu d'un peuple de sybarites. Il faut lui donner une place dans la société et attacher ses intérêts à ceux du sol. Enfin, elle est sans organisation et sans liens, il faut lui donner des droits et un avenir et la relever à ses propres yeux par l'association, l'éducation et la discipline.

— L'instruction du peuple vous apparaît donc comme indispensable ?

— Dans un pays de suffrage universel, tout citoyen doit savoir lire et écrire.

— Dans quelles conditions le progrès social vous semble-t-il possible ?

— Aujourd'hui l'idée dominante, c'est l'amélioration du sort des classes pauvres, amélioration impossible à réaliser si le pouvoir n'est pas fort et la société complètement rassurée. L'idée fausse, c'est la doctrine qui prétend arriver au même but par le bouleversement de tout ce qui existe et par le triomphe de chimères qui n'ont ni racine dans le passé ni espérance dans l'avenir.

Est-ce là seulement de la théorie ? Dans leur belle étude, *Napoléon III, homme du* XXe *siècle,* Suzanne Desternes et Henriette Chandet ont énuméré les innombrables initiatives de l'empereur en faveur des classes dépourvues : hôpitaux, asiles de convalescents, traitements gratuits à domicile, fourneaux économiques distribuant l'hiver des repas chauds à cinquante centimes, création de bains-douches ; stabilisation du prix du pain ; sociétés de prêt aux ouvriers pour l'achat d'outils, d'instruments, de matières premières, leur permettant de travailler pour leur compte. Napoléon III crée, en 1867, des prix de dix mille francs destinés « aux établissements modèles où règnent l'harmonie et le bien-être des ouvriers ». Deux décrets de 1850 et 1852 organisent les sociétés de secours mutuel. Napoléon III les développe pendant tout l'Empire. Dès 1854, il encourage un système de retraite ouvrière. Un texte de loi est présenté, sur son initiative, rendant obligatoire cette retraite. Ce texte porte la date du 3 juillet 1870. Jamais il ne sera discuté. La IIIe République l'oubliera entièrement...

Et puis, alors qu'il se tait, méditant sans doute sur

ce qui a été la grande pensée du règne, je songe à son acte capital, à ces lois de 1864 et 1867 qui ont créé le droit d'association. Tout le syndicalisme moderne naîtra de là. Je songe à son souhait exprimé en 1867, à Lyon, de voir dans la société industrielle « l'harmonie

Le képi de Solferino fut aussi celui de Sedan (*Portrait par Yvon*).

établie entre les trois grands agents de la production, l'intelligence, le capital, le salaire, enfin associés ou confondus dans les mille formes que cette association peut recevoir... ».

— Les ouvriers vous ont-ils été reconnaissants de ce que vous avez fait pour eux ?

— Un témoignage de sympathie de la part des hommes du peuple me semblait cent fois plus précieux que les flatteries officielles qui se prodiguent aux puissants...

— Considérez-vous que votre action dans le domaine de la justice sociale a été suffisante ?

— J'aurais fait plus encore pour la classe ouvrière si j'avais rencontré dans le Conseil d'Etat un puissant auxiliaire : ce ne fut pas le cas.

— Vous avez mieux travaillé pour les ouvriers de France que beaucoup de souverains pour ceux de leur pays.

— Qui donc, sur les trônes et dans les Conseils des souverains, s'est jamais préoccupé des ouvriers ? Moi seul, et si je revenais, ce serait encore la question qui m'intéresserait le plus.

Je le regarde encore, l'homme de Sedan, l'homme accablé par tant de haine. Ploie-t-il sous le poids de cette hostilité implacable ? Qui le dira ? D'échec en échec, il a obtenu la victoire. Et puis les mauvais jours sont venus. Dans le bonheur et dans les épreuves, il est resté apparemment impassible, comme si rien ne pouvait l'atteindre. Peut-être a-t-il su qu'on lui rendrait justice. Je songe par exemple à ce revirement d'Emile Zola, à cette page que nous a restituée André Castelot dans sa grande biographie du second empereur. Emile Zola, à vingt ans, en plein Empire, tenait « le neveu du grand Napoléon pour le bandit, le *voleur de nuit* qui, selon l'expression célèbre, avait allumé sa lanterne au soleil d'Austerlitz ». Plus tard, avec le recul nécessaire, Zola récusa une opinion qui devait tout à Victor Hugo. Pour lui, l'empereur devint « un brave homme, hanté de rêves généreux, incapable d'une action méchante, très sincère dans l'inébranlable conviction qui le porte à travers les événements de sa vie et qui est celle d'un homme prédestiné, à la mission absolument déterminée, inéluctable, l'héritier du nom de Napoléon et de ses destinées ».

Là, à Chislehurst, je sais que l'exilé rêve encore de retour. Il rêvera jusqu'au moment de fermer les yeux. La vie lui a tout donné, pourquoi ne lui offrirait-elle pas une ultime revanche ?

— Vous avez toujours eu un haut sentiment de vos responsabilités.

— Je ne voulais que le bien. Si je ne m'étais pas cru utile à mon pays, je serais parti.

— En définitive, que pouvez-vous nous dire, Sire, des dix-huit années de votre règne ?

— Le pouvoir est un lourd fardeau parce que l'on ne peut pas toujours faire le bien que l'on voudrait et que vos contemporains vous rendent rarement justice. Aussi faut-il pour accomplir sa mission avoir en soi la foi et la conscience de son devoir.

— Avez-vous confiance en l'avenir ?

— L'avenir est bien sombre, mais il faut laisser la Providence diriger la destinée des hommes.

XVI

VICTOR HUGO

Le voici donc devant moi, tel qu'en lui-même la gloire a façonné son image. Il n'est pas très grand. Il m'accueille debout, une cravate lavallière de soie noire sous les pointes du col blanc. Mais ce qui frappe, chez Victor Hugo, c'est la tête, car elle est hugolienne. Les cheveux blancs se fondent avec la barbe blanche, les moustaches blanches. Symphonie immaculée cernant un regard. Tout est dans ce regard : le poète immense, le chantre de l'humanité, le politique prodigue.

C'est le même Victor Hugo qui a reçu un matin, à 9 heures, l'empereur du Brésil, don Pedro. Ce souverain l'avait traité comme un roi. Il s'était excusé de trembler devant le grand homme. Il avait murmuré : « J'ai une ambition. Veuillez me présenter à Mlle Jeanne. » Jeanne, sa petite-fille. Hugo avait dit à l'enfant : « Jeanne, je te présente l'empereur du Brésil. » La petite s'était montrée déçue : « Il n'a pas de costume... » Hugo avait poursuivi : « Sire, je présente mon petit-fils à Votre Majesté. » Don Pedro avait répondu : « Il n'y a ici qu'une majesté, c'est Victor Hugo. »

Pour rencontrer cette gloire incarnée, c'est avenue Victor-Hugo que je me suis rendu. Oui, il habite son avenue. En 1878 il s'était installé avenue d'Eylau, n° 130, dans un petit hôtel appartenant à la princesse de Lusignan. Lui et Juliette Drouet — qui vivait enfin avec son « toto » depuis la mort d'Adèle Hugo — se rejoignirent là. Leurs chambres étaient voisines, au

◀ *Tel qu'en lui-même la gloire a façonné son image... (Portrait par Bonnat, Maison de Victor Hugo).* **Photo Bulloz.**

second étage. Et puis Victor avait eu quatre-vingts ans. Apothéose nationale. Le peuple de Paris qui défilait sous ses fenêtres. Le président du Conseil venu lui présenter ses vœux. L'acclamation du Sénat quand il était entré, le salut du président Léon Say : « Le génie a pris séance et le Sénat l'a salué de ses applaudissements. » Alors, on avait débaptisé l'avenue d'Eylau qui était devenue l'avenue Victor-Hugo. Juliette était morte dans les rayons de cette vénération.

Je suis dans la chambre du poète. Elle est tendue de damasserie. Devant moi, un lit Louis-XIII à colonnes torses. Sur un chiffonnier, le buste de la République. Deux tables superposées. C'est là qu'il écrit, debout, comme il a toujours fait. Dès l'aube, il est devant son écritoire. Quotidiennement, il remplit sa besogne, aligne les vers ou la prose, édifie son œuvre. En 1872, commençant *Quatre-vingt-treize,* il écrivait : « J'ai pris l'encrier neuf de cristal acheté à Paris ; j'ai débouché une bouteille d'encre toute neuve et j'en ai rempli l'encrier neuf ; j'ai pris une rame du papier de fil acheté exprès pour ce livre ; j'ai pris une bonne vieille plume et je me suis mis à écrire la première page... Je vais maintenant écrire sans m'arrêter, si Dieu y consent... » Là, il est aimé, vénéré. Un jeune homme qui se nomme Romain Rolland écrit : « Nous, les millions, nous écoutions ses lointains échos avec piété, avec fierté. » Et encore : « Le nom du vieux Hugo était marié à celui de République. Sa gloire était, de toutes celles des lettres et des arts, la seule qui fût vivante dans le cœur du peuple de France... » Alors, une statue de granit, inentamée, que ne songent à attaquer ni les hommes ni le temps ? Pas si vite. Ce monolithe fut le plus vilipendé des humains. Pendant la plus grande partie de sa vie, il a traîné derrière lui le cortège de toutes les haines. L'encens de ses quatre-vingts ans ne doit pas faire oublier les injures, le mépris, la calomnie, les meutes acharnées. Le miracle, justement, c'est qu'il soit sorti intact de cette course-poursuite. Le miracle, c'est que, fervent du drapeau blanc, devenu orléaniste, aussi admirateur des aigles, il finisse socialiste, partisan de la République universelle et cela sans apparents reniements.

Cette vie pourrait paraître simple. Au vrai, elle est une énigme. Pour en trouver la solution, écoutons-le parler.

— Il y a plus de cinquante ans que vous avez publié vos premières poésies. Aujourd'hui, vous ne semblez pas sentir le poids des années.

— Mon corps décline, ma pensée croît : sous ma vieillesse, il y a une éclosion...

— Faut-il penser que votre richesse intérieure n'a fait que grandir ?

— Je suis comme la forêt qu'on a plusieurs fois abattue : les jeunes pousses sont de plus en plus fortes et vivaces... Il y a un demi-siècle que j'écris ma pensée, en prose et en vers, mais je sens que je n'ai dit que la millième partie de ce qui est en moi.

— Vous ne pouvez méconnaître que la France est fière du demi-dieu que vous êtes.

— On m'accuse d'être orgueilleux : c'est vrai, mon orgueil fait ma force.

— Au cours de votre longue vie, on vous a souvent attaqué. Mais vous n'avez fait qu'en rire.

— Ce n'est que dans ces dernières années qu'on a commencé à me rendre justice et à s'apercevoir que j'étais un « imbécile ». Ce fut M. Veuillot, je crois, qui fit le premier (vers 1856, précisons) cette trouvaille d'honnête homme et qui s'écria : « C'est l'esprit qui manque à M. Hugo ! »

Au fait, il n'est pas sûr qu'il en ait prit autant à son aise avec ces moqueries qu'il veut bien le dire. A l'Assemblée de 1871, quand on l'empêcha de parler, quand on couvrit sa parole par des huées, il le prit de haut. Mais on retrouva plus tard dans ses papiers un texte où il imaginait Corneille en proie à de telles interruptions et ne parvenant pas à prononcer la phrase : *Que vouliez-vous qu'il fît contre trois ?* Celui

En ce temps-là, il était légitimiste, mais déjà poète
(Photothèque Presses de la Cité).

qui se venge ainsi sur le papier est un homme qui a souffert.

— Parlez-nous de vos premières années. Vous avez toujours gardé un souvenir ému de votre jeunesse aux Feuillantines.

— Je me revois enfant, écolier rieur et frais, jouant, courant, riant avec mes frères dans la grande allée verte de ce jardin où ont coulé mes premières années, ancien enclos de religieuses que domine, de sa tête de plomb, le sombre dôme du Val-de-Grâce.

Une enfance déchirée entre des parents séparés. Sa mère, royaliste, l'élève. Le père, l'ancien général, vit loin, avec une maîtresse, dans les souvenirs de l'épopée impériale. C'est l'influence de la mère qui marquera

Victor. L'adolescent vénère les Bourbons, chante le drapeau blanc. A quatorze ans, il note : « Je veux être Chateaubriand ou rien. »

— Jamais vocation d'écrivain n'a été plus puissante que la vôtre. Peut-on vous demander cependant en quelles circonstances vous avez pour la première fois compris comment allait s'orienter votre destinée ?

— C'est en 1819 (j'étais encore un enfant et je travaillais au *Conservateur littéraire*) que je reçus pour la première fois une lettre sur l'adresse de laquelle j'étais qualifié *homme de lettres.* Cette lettre m'était écrite de Tarascon, je crois, par un brave poète de l'Empire, grand pourvoyeur de *l'Almanach des Muses,* qui s'appelait M. de Labouisse. Quant à la lettre qu'il m'écrivait, je ne m'en rappelle que la suscription : *A Monsieur Victor Hugo, homme de lettres.* Ma mère lut cela et poussa un cri de joie. Moi je fus stupéfait. Homme de lettres, moi ! Cela me paraissait bien étrange. J'en étais encore à couper ma barbe avec des ciseaux et j'avais l'air d'une fille de quinze ans. Quel charmant temps que le temps où l'on était bête !

Cet « homme de lettres » vient d'être couronné par l'Académie des Jeux floraux. *Le Conservateur littéraire,* fondé par lui avec ses frères Abel et Eugène, paraîtra jusqu'en mars 1821. Et puis c'est l'*Ode sur la mort du duc de Berry* qui le campe comme poète légitimiste et lui vaut une gratification du roi Louis XVIII. Il écrit son premier roman, *Bug-Jargal.* A vingt ans, il fait son véritable début dans les lettres en publiant son premier recueil poétique : *Odes et poésies diverses.* La même année, il se marie avec Adèle Foucher qu'il aime depuis trois ans et pour qui il s'est gardé vierge, malgré une sensualité violente, si fortement démontrée par la suite de sa vie.

— Votre mariage fut la suite d'une belle histoire d'amour.

— Un homme se marie jeune, sa femme et lui ont à eux deux trente-sept ans. Après avoir été riche dans son enfance, il est devenu pauvre dans sa jeunesse. Il a habité des palais de passage ; à présent il est

Adèle, l'épouse (Photothèque Plon

Juliette, la plus aimée (Photo Bibl. nat)

presque dans un grenier... Chute, ruine, pauvreté. Cet homme, qui a vingt ans, trouve cela tout simple, et travaille. Travailler, cela fait qu'on aime ; aimer, cela fait qu'on se marie. L'amour et le travail, les deux meilleurs points de départ pour la famille.

— Et puis ce fut la gloire, votre vie transformée.

— Les années passent, les enfants grandissent, l'homme mûrit. Avec le travail, un peu d'aisance lui est venue. Il habite dans de l'ombre et de la verdure, aux Champs-Elysées... S'il écoute, il n'entend que des chants. Entre les arbres et lui, il y a les oiseaux ; entre les hommes et lui, il y a les enfants. Leur mère lui apprend à lire ; lui, il leur apprend à écrire.

— Un jour, un ami s'est glissé dans votre foyer, un faux ami, celui que vous avez appelé « le serpent à sonnets ».

— C'était un envieux que j'avais pris pour un ami. Il avait contre moi cette hostilité qui sort d'une intimité ancienne et qui est, par conséquent, armée de pied en cap.

— Cet homme a provoqué une cassure dans votre union conjugale.

— Il y a entre l'ami de la maison et le bonheur du ménage le rapport du diviseur au quotient.

— Votre gloire avait suscité sa jalousie.

— Sainte-Beuve n'était pas poète, il n'a jamais pu me le pardonner.

— Et vous-même, avez-vous parfois connu l'envie ?

— La nature ne m'a pas fait envieux. J'aime mieux grandir que rapetisser. Je suis de ceux qui constatent sans joie les taches du soleil.

— Vous lui avez donc pardonné.

— Que de choses il faut pardonner en songeant à ce qu'on fait soi-même !

Un mot pour résumer ses premières années : travail. Au vrai, il s'agit d'un labeur acharné. Les vers succèdent aux vers, les odes aux ballades. Il se libère définitivement du classicisme, il éclate, déjà il pense à

Cromwell qui devra donner son état civil au drame et supplanter la tragédie néo-classique.

— Vos débuts dans les lettres ont été éclatants. Vous avez transformé la poésie en la libérant de toute entrave.

— L'art n'a que faire des lisières, des menottes, des bâillons ; il vous dit : va ! et vous lâche dans ce grand jardin de poésie où il n'y a pas de fruit défendu. L'espace et le temps sont au poète. Que le poète donc aille où il veut, en faisant ce qu'il lui plaît.

— Comment concevez-vous le rôle du poète dans la cité ?

— Le poète doit marcher dans les peuples comme une lumière et leur montrer le chemin... Et pour que sa puissance leur soit douce, il faut que toutes les fibres du cœur humain vibrent sous ses doigts comme les cordes d'une lyre. Il ne sera jamais l'écho d'aucune parole, si ce n'est de celle de Dieu.

— L'inspiration est le premier problème du créateur. Pour vous, comment naît-elle ?

— L'un des deux yeux du poète est pour l'humanité, l'autre pour la nature. Le premier de ces yeux s'appelle l'observation, le second s'appelle l'imagination. De ce double regard toujours fixé sur son double objet naît au fond du cerveau du poète cette inspiration une et multiple, simple et complexe, qu'on nomme le génie...

— Devons-nous penser que l'art et le rêve sont pour vous intimement liés ?

— Dans le monde mystérieux de l'art, il y a la cime du rêve. A cette cime du rêve est appuyée l'échelle de Jacob. Jacob couché au pied de l'échelle, c'est le poète, ce dormeur qui a les yeux de l'âme ouverts. En haut, ce firmament, c'est l'idéal... Tout songeur a en lui ce monde imaginaire. Cette cime du rêve est sous le crâne de tout poète comme la montagne sous le ciel.

Elle me plaît, cette définition du poète dans la cité par Hugo, car elle lui correspond tout entier. Il a détesté la Révolution. Il a eu horreur de Buonaparte. Il a cru que les Bourbons apporteraient la liberté.

Fasciné par Chateaubriand, il s'est fait comme lui l'apôtre du légitimisme. Mais au moment même où il se rendait à Reims pour chanter le sacre de Charles X, il découvrait Shakespeare dont Nodier lui traduisait en une nuit *le Roi Lear*. Il avait publié son *Ode sur le sacre* et reçu deux mille francs de la part du roi. Mais il avait commencé à comprendre qu'il s'était jeté dans une impasse politique. L'influence de sa mère s'estompait tandis que grandissait celle de son père, le vieux grognard. Ses amis étaient au journal *le Globe,* organe du libéralisme antidynastique. De jour en jour, il glissait. La coupe fut pleine quand, en 1827, à un bal à l'ambassade d'Autriche, on refusa de donner leurs titres aux maréchaux d'Empire. Quand le duc de Tarente se présenta, on annonça le maréchal Macdonald. Du duc de Dalmatie, on fit le maréchal Soult, et du duc de Trévise le maréchal Mortier. Grand, le scandale. Et le fils du général Hugo s'indigne. Il écrit *à la colonne de la place Vendôme :*

Prenez garde ! La France où grandit un autre âge
N'est pas si morte encor qu'elle souffre un outrage !

Du coup, voilà Hugo idole de la jeunesse libérale et des demi-soldes étonnés. Son évolution va se parachever en 1830. Il s'incline devant Charles X déchu, mais il s'est éloigné franchement. L'*Ode à la jeune France* est le chant de Juillet. Des conseils maternels, Hugo a conservé l'horreur des émeutes violentes. Mais il ne veut plus de l'absolutisme. Le régime de Juillet lui plaît : c'est le juste milieu. Il s'y sent à son aise.

Et c'est pendant ces années-là que l'auteur dramatique va s'épanouir.

— En 1830, *Hernani* a marqué le triomphe d'une école nouvelle. Mais vous aviez déjà opéré une révolution dans le théâtre en condamnant la vieille règle des trois unités, ou plutôt des deux unités, puisque vous continuiez à admettre l'unité d'action.

— Des contemporains distingués avaient déjà attaqué cette loi fondamentale du code pseudo-aristotélique. Au reste, le combat ne devait pas être long. A la première secousse, elle a craqué, tant elle était vermoulue, cette solive de la vieille masure scolastique. Ce qu'il y a d'étrange, c'est que les vieux routiniers prétendaient appuyer leur règle des deux unités sur la vraisemblance, tandis que c'est précisément le réel qui la tue. Quoi de plus invraisemblable et de plus absurde en effet que ce vestibule, ce péristyle, cette antichambre, lieu banal où nos tragédies avaient la complaisance de venir se dérouler... L'unité de temps n'est pas plus solide que l'unité de lieu. L'action encadrée de force dans les vingt-quatre heures est aussi ridicule qu'encadrée dans le vestibule.

— Vous refusiez donc la vieille règle de la distinction des genres ?

— Il n'y a ni règle ni modèle, ou plutôt il n'y a d'autres règles que les lois générales de la nature qui planent sur l'art tout entier, et les lois spéciales qui, pour chaque composition, résultent des conditions d'existence propres à chaque sujet.

— Vous avez expliqué ce que devait être le drame nouveau, à la fois tragique et comique, sublime et grotesque.

— La poésie de notre temps est le drame, le caractère du drame est le réel ; le réel résulte de la combinaison toute naturelle de deux types, le sublime et le grotesque, qui se croisent dans le drame comme ils se croisent dans la vie et dans la création. Car la poésie vraie, la poésie complète est dans l'harmonie des contraires.

— L'audace de ces idées a dû provoquer des remous dans le monde littéraire.

— Les pédants étourdis (l'un n'exclut pas l'autre) prétendent que le difforme, le laid, le grotesque ne doit jamais être un objet d'imitation pour l'art ; on leur répond que le grotesque, c'est la comédie, et qu'apparemment la comédie fait partie de l'art.

— Les écrivains trop sages préconisent la sobriété des expressions et des sentiments.

— Nous aimons mieux pas assez que trop. Point d'exagération, la prairie sera invitée à modérer ses pâquerettes. Ordre au printemps de se modérer. La Voie lactée voudra bien numéroter ses étoiles, il y en a beaucoup. Un vrai critique de l'école sobre est ce concierge d'un jardin qui, à cette question : Avez-vous des rossignols dans vos arbres ? répondait : Ah ! ne m'en parlez pas, pendant tout le mois de mai, ces vilaines bêtes ne font que gueuler.

Hernani a triomphé. Conduite par le gilet rouge de Théophile Gautier, la jeunesse romantique a joyeusement mis à mort les vieilles barbes classiques. De cette jeunesse, Hugo est le maître à penser. Définitivement « déroyalisé », comme dit Sainte-Beuve, il n'en entretient pas moins d'excellents rapports avec le duc d'Orléans. Maintenant, il reproche au gouvernement de Juillet d'être infidèle à ses origines. Casimir Perier l'a dit clairement : il n'y a eu de changement que dans la personne du chef de l'Etat. Les critiques de Hugo enchantent les républicains qui croient se l'annexer. Il n'est pas prêt à franchir le pas. Pour lui, une république reste un leurre, une chimère. Il ne la croit pas possible en France. Alors, il devient l'enfant chéri du régime : Louis-Philippe l'invite, il est officier de la Légion d'honneur, il devient le familier de la duchesse d'Orléans. Son discours de réception à l'Académie française pourrait presque apparaître comme un condensé de ses opinions présentes. Il y parle pendant vingt minutes de Napoléon, mais fait l'éloge de la Convention et des Orléans. Les contemporains jugent évidentes ses ambitions politiques. Sans doute n'ont-ils pas tort. Il publie une plaquette qui contient tous ses poèmes sur l'empereur Napoléon. En 1845, il est pair de France. Sera-t-il ministre ?

Mais ne perdons pas de vue que ses ambitions réalisées ne ferment jamais la porte au travail. De 1830 à 1843, Hugo traverse une époque singulièrement féconde. En 1831, il publie son premier grand roman, *Notre-Dame de Paris*.

— Quel a été votre but en écrivant ce livre ?

— C'est une peinture du Paris du XIVe siècle et du XVe siècle à propos de Paris... Le livre n'a aucune prétention historique si ce n'est de peindre peut-être avec quelque science et quelque conscience, mais uniquement par aperçus et par échappées, l'état des mœurs, des croyances, des lois, des arts, de la civilisation enfin, au XVe siècle. Au reste, ce n'est pas là ce qui importe dans le livre. S'il a un mérite, c'est d'être œuvre d'imagination, de caprice et de fantaisie.

Le 2 janvier 1833, on lit à la Porte-Saint-Martin un nouveau drame de Victor Hugo, *Lucrèce Borgia.* Hugo a trente ans. Son regard croise celui d'une jeune actrice : Juliette Drouet, qui doit incarner la princesse Negroni. Hugo n'a jamais trompé Adèle, sa femme. Mais elle lui a préféré Sainte-Beuve. Maintenant, Hugo sait tout. Il répondra au regard de Juliette. Ainsi naîtra la plus retentissante liaison du XIXe siècle.

— Personne n'a mieux parlé que vous de l'amour. Qui pourrait oublier l'amant éternel de l'adorable Juliette ?

— Nous avons beaucoup souffert, nous avons beaucoup travaillé, nous avons fait beaucoup d'efforts pour racheter, aux yeux du Bon Dieu, ce qu'il y avait d'irrégulier dans notre bonheur par ce qu'il y avait de saint dans notre amour.

— Comment définissez-vous l'amour ?

— L'amour vrai est l'union mystérieuse de l'âme avec l'âme, et il le sait. La vieillesse le resserre, la mort le consacre, l'éternité le continue.

— Vous mettez l'amour au-dessus de toutes les autres passions humaines ?

— Aimer ou avoir aimé, cela suffit. Ne demandez rien ensuite. On n'a pas d'autre perle à trouver dans les plis vénéneux de la vie. Le jour où personne ne m'aimera plus, ô mon Dieu, j'espère bien que je mourrai...

— Vous avez hautement proclamé le droit pour chaque homme d'aimer librement.

— Je suis dans ce siècle et je resterai jusqu'à ma mort le protestant de la liberté d'aimer. Quel Dieu je crois, quelle femme j'aime, nul n'a le droit de s'en informer. L'adultère est identique à ce que les aveugles d'autrefois appelaient l'hérésie. D'un côté l'hérésie, de l'autre l'adultère, deux délits imaginaires. Deux révoltes légitimes.

Comment ne pas penser à ces milliers de pages qu'ils ont échangées, se criant leur amour au fil des années, Juliette et lui ? Elle lui écrit : « Il me faut toi, il ne me faut que toi ; je ne puis pas vivre sans toi. » Et lui : « Quand je suis triste, je pense à vous, comme l'hiver on pense au soleil ; et quand je suis gai, je pense à vous, comme, en plein soleil, on pense à l'ombre. » Pourtant, Hugo n'est pas un amant fidèle. Il trompera Juliette. Par exemple, il y a la femme du peintre Biard. Pour cette Léonie, Hugo use du même style que celui de ses lettres à Juliette. Mais le mari découvre le pot aux roses. Un commissaire de police surgit pendant un rendez-vous clandestin. Flagrant délit. Léonie Biard est jetée en prison. C'est la loi. Victor Hugo, lui, pair de France, peut partir librement. C'est encore la loi.

— Me permettez-vous d'évoquer cette pénible aventure ?

— Vous me rappelez un fait. Pourquoi un ? Ce n'est pas une fois, c'est vingt fois que j'ai commis le prétendu délit et, vieux et solitaire, je n'ai plus qu'un regret, c'est de ne plus le commettre. Maintenant, ô honnêtes hypocrites qui m'entourez, j'attends la première pierre.

— On a glosé sur la façon dont vous aviez échappé à la justice.

— Il m'est arrivé une fois d'être protégé contre la loi absurde par un privilège non moins absurde. A ceux qui me reprochent cela, je réponds que je n'avais fait ni cette loi ni ce privilège. L'une m'attaquait, l'autre me défendait. Moi j'étais simplement dans le droit naturel, qui est supérieur au droit social, et c'est la liberté du cœur humain.

En 1843, l'épisode peut-être le plus douloureux de sa vie : Léopoldine, sa fille, et son gendre se noient à Villequier.

— Dans quelles circonstances avez-vous appris cette catastrophe ?

— Je venais de faire une grande course à pied au soleil dans les marais, j'étais las, j'avais soif, j'arrivai à un village qu'on appelle, je crois, Soubise, et j'entrai dans un café. On m'apporta de la bière et un journal, *le Siècle*. J'ai lu. C'est ainsi que j'ai appris que la moitié de ma vie et de mon cœur était morte.

— La moitié de votre vie ?

— J'aimais cette pauvre enfant plus que les mots ne peuvent le dire... Elle était trop heureuse, et elle avait tout, la beauté, l'esprit, la jeunesse, l'amour. Ce bonheur complet me faisait trembler, j'acceptais l'éloignement où j'étais d'elle afin qu'il lui manquât quelque chose. Il faut toujours un nuage. Celui-là n'a pas suffi. Dieu ne veut pas qu'on ait le paradis sur la terre. Il l'a reprise.

De 1843, après la chute des *Burgraves*, à 1851, on note un ralentissement très net dans son activité littéraire. Il écrit, mais il n'achève pas. Politique d'abord. Plus souvent, il intervient à la tribune de la Chambre des pairs. Son libéralisme s'accentue, il regarde du côté des humbles, des malheureux. Accents insolites, annonciateurs. L'évolution continue. Et puis voici les journées de 48. Hugo n'est pas républicain. Pas encore. Pas aveugle, pourtant. Il est dans la foule en émeute, il la voit, la sent. Il sait qu'elle triomphera. Il ne se prononce pas moins pour la régence de la duchesse d'Orléans. Quand la République est proclamée, Hugo reste distant. Il se présente aux élections — c'est une mode chez les écrivains — et n'est pas élu. Il ne le sera qu'un peu plus tard.

— Quelles étaient vos options politiques lors de la révolution de Février ?

— Libéral, socialiste, dévoué au peuple, pas encore républicain, ayant encore une foule de préjugés contre la révolution, mais exécrant l'état de siège, les transportations sans jugement et Cavaignac avec sa fausse république militaire.

— Vos jugements sur les hommes de cette époque ont parfois été sévères.

— J'aime mieux 93 que 48. J'aime mieux voir patauger les titans dans le chaos que les jocrisses dans le gâchis.

— Ces années 48-49 furent pourtant pour vous celles d'un grand tournant.

— En 1848, je n'étais que libéral, en 1849, je suis devenu républicain.

On se passionne à le suivre à la trace. En janvier 1850, il écrit : « Il y a cinq ans, j'étais sur le point de devenir le favori du roi. Aujourd'hui, je suis sur le point de devenir le favori du peuple. »

Il va plus loin, toujours. Il commence à effrayer la bourgeoisie. En mai 1851, il écrit : « Il y en a qui disent qu'il faut me tirer un coup de fusil comme à un chien. Pauvre bourgeoisie, uniquement parce qu'elle a peur pour sa pièce de cent sous ! »

— On a prétendu qu'en ces années-là vous aviez aspiré à être ministre, sous la houlette du prince-président. Que pouvez-vous répondre ?

— A cela, je n'ai qu'un mot à répondre : jamais dans mes relations avec M. Louis Bonaparte, il n'a été question entre lui et moi, ni avec qui que ce soit parlant en son nom, de quoi que ce soit pouvant avoir un rapport prochain ou lointain avec une ouverture de ce genre. Je défie qui que ce soit de donner l'ombre d'une preuve du contraire.

— Mais vous aviez des rapports avec les Bonaparte ?

— M. Louis Bonaparte était mon obligé. J'avais contribué à faire rentrer en France sa famille exilée. De là, nos relations...

Il vient de parler de Louis-Napoléon. Il est juste de dire qu'il n'a pas toujours été son ennemi. On n'a pas chanté avec tant d'éclat la légende de l'oncle sans éprouver quelque faiblesse pour le neveu. Il a accepté l'invitation du prince-président à l'Elysée, il y est venu dîner. La peinture qu'il a tracée du nouveau chef de

l'Etat était favorable. « Intelligent », note-t-il. Et puis est survenu le coup d'Etat.

— Vous l'avez prévu, ce coup d'Etat. Vous avez tout tenté pour en empêcher la réalisation. Vous avez protesté contre la répression sanglante.

— J'ai vu ce crime, cette tuerie, cette tragédie. J'ai vu cette pluie de la mort aveugle. J'ai vu tomber autour de moi en foule les massacrés éperdus... Le total des morts de cette boucherie est inconnu, Bonaparte a fait la nuit sur ce nombre. C'était l'habitude des massacreurs. On ne laisse guère l'Histoire établir le nombre des massacrés. Ces chiffres-là ont un fourmillement obscur qui s'enfonce vite dans les ténèbres.

— Vous-même n'avez-vous pas été traqué à travers Paris ?

— A partir du 4 décembre, chacun des jours qui s'écoulèrent fut l'affermissement du coup d'Etat. Notre défaite fut complète et nous nous sentîmes abandonnés. Paris fut comme une forêt où Louis-Napoléon fit la battue des représentants. La bête fauve traqua les chasseurs. Nous entendions le vague aboiement de Maupas derrière nous. On dut se disperser. La poursuite fut opiniâtre. Nous entrâmes dans la seconde phase du devoir, la catastrophe acceptée et subie. Les vaincus devinrent les proscrits...

— Et vous-même ?

— Chacun eut son dénouement personnel. Le mien fut ce qu'il devait être, l'exil ; la mort m'ayant manqué... Le 14, je parvins à gagner Bruxelles.

— Comment êtes-vous arrivé à échapper aux recherches ?

— Si je n'ai pas été pris et, par conséquent, fusillé, si je suis vivant à cette heure, je le dois à Mme Juliette Drouet qui, au péril de sa propre liberté et de sa propre vie, m'a préservé de tout piège, a veillé sur moi sans relâche, m'a trouvé des asiles sûrs et m'a sauvé... Elle était sur pied la nuit comme le jour, errait seule à travers les ténèbres, dans les rues de Paris, trompait les sentinelles, dépistait les espions,

◀ *Le poète de l'exil* (*B.N. estampes*). Photo Bibl. nat.

passait intrépidement les boulevards au milieu de la mitraille, devinait toujours où j'étais et, quand il s'agissait de me sauver, me retrouvait toujours.

— Je sens que vous aimeriez parler d'ange gardien.

— Quand, dans mes retraites toujours périlleuses, après une nuit d'attente, j'entendais la clef de ma porte tressaillir sous sa main, je n'avais plus de périls ou de ténèbres autour de moi : c'était la lumière qui entrait !

— Vous vous êtes donc réfugié en Belgique.

— Je menais (à Bruxelles) une vie de religieux. J'avais un lit grand comme la main. Deux chaises de paille. Une chambre sans feu. Ma dépense en bloc était de trois francs cinq sous par jour, tout compris.

Donc, le voilà hors de France. En exil. Et il faut s'arrêter. Parce que l'exil, c'est aussi Victor Hugo. De même que Sainte-Hélène manquerait à la destinée de Napoléon, de même on imagine mal Hugo sans Guernesey. Il durera dix-neuf ans, cet exil, de décembre 1851 à septembre 1870. D'abord, Bruxelles, puis Jersey, dans la maison de Marine Terrace où l'a rejoint sa famille.

— Quels étaient vos sentiments d'homme proscrit ?

— Un homme tellement ruiné qu'il n'a plus que son honneur, tellement dépouillé qu'il n'a plus que sa conscience, tellement isolé qu'il n'a plus près de lui que l'équité, tellement renié qu'il n'a plus avec lui que la vérité, tellement jeté aux ténèbres qu'il ne lui reste plus que le soleil, voilà ce que c'est qu'un proscrit.

— Vous vous êtes senti espionné même sur cet îlot anglais de Jersey ?

— Attendez-vous à tout, vous qui êtes proscrit. On vous jette au loin, mais on ne vous lâche pas. Le proscripteur est curieux et son regard se multiplie sur vous. Il vous fait des visites ingénieuses et variées. Un respectable pasteur protestant s'assied à votre foyer, ce protestant émarge à la caisse de Tronsin-Dumersan ; un prince étranger qui baragouine se présente, c'est

Vidocq qui vient vous voir ; est-ce un vrai prince ? Oui, il est de sang royal et aussi de la police ; un professeur gravement doctrinaire s'introduit chez vous, vous le surprenez lisant vos papiers. Tout est permis contre vous ; vous êtes hors la loi, c'est-à-dire hors l'équité, hors la raison, hors le respect... On vous attribuera des paroles que vous n'avez pas dites, des lettres que vous n'avez pas écrites, des actions que vous n'avez pas faites...

— Vous avez pourtant apprécié la beauté de l'île ?

— S'il y avait de beaux exils, Jersey eût été un exil charmant : c'était le sauvage et le riant amarrés au beau milieu de la mer, dans un lit de verdure de huit lieues carrées.

— Riant, peut-être, mais votre demeure était battue par les vents.

— Cette maison, d'aspect mélancolique en toute saison, devenait particulièrement sombre à cause de l'hiver qui commençait. Le vent d'ouest, soufflant là en pleine liberté, faisait plus épaisses encore sur cette demeure toutes ces enveloppes de brouillard que novembre met entre la vie et le soleil.

— A Marine Terrace, vous avez conversé avec les morts, par l'intermédiaire des tables tournantes... Puis-je avouer un certain scepticisme ?

— Quoi ! vous affirmez que ce que vous ne voyez pas n'est pas ? Ainsi, l'œil humain, voilà la certitude, ainsi, hors de la chambre optique qui clignote sous le crâne de l'homme, rien n'est prouvé ?... De votre infirmité vous faites le vide ; vous prenez votre limite pour la limite de la création ; vous appliquez votre brièveté à l'univers !

— Expulsé de Jersey, vous avez dû trouver un nouveau lieu d'exil : Guernesey. Parlez-nous de Saint-Pierre-Port.

— Caudebec sur les épaules de Honfleur. Une église gothique, des rues vieilles, étroites, irrégulières, fantasques, amusantes, coupées d'escaliers ; les maisons les unes sur les autres, afin que toutes voient la mer, et un port tout petit où les navires se tassent, où les vergues des goélettes risquent toujours d'éborgner les fenêtres du quai...

Je l'écoute parler de son exil et je ne peux m'empêcher de penser que lui-même a reconnu que ces dix-neuf années avaient été favorables à son œuvre : « Ma proscription est bonne, et j'en remercie la destinée. » Auprès de lui, sa femme et ses enfants. La maison d'Hauteville-House est à son image, reflétant tous ses goûts. Chaque jour, depuis 6 heures du matin, il travaille au long de la journée entière dans une pièce vitrée d'où, levant les yeux de ses feuilles, il peut considérer les côtes de France. Juliette Drouet s'est installée dans une maison voisine.

D'abord, il a vaticiné contre l'usurpateur, contre le « monstre » Napoléon III.

— Vous avez lancé des pamphlets vengeurs, *Napoléon le Petit, les Châtiments*. Quelle violence !

— Ce n'est pas avec des petits coups qu'on agit sur les masses... Dante, Tacite, Jérémie, David, Isaïe ne sont-ils pas violents ?

— Vous vous êtes acharné contre Napoléon III.

— Le misérable n'étant cuit que d'un côté, je le retournai sur le gril.

— Après ces cris de colère, vous avez publié un volume moins tempétueux. Que signifie le titre de *Contemplations* ?

— *Les Contemplations*, ce sont les *Mémoires d'une âme*. Ce sont en effet toutes les impressions, tous les souvenirs, toutes les réalités, tous les fantômes vagues, riants ou funèbres, que peut contenir une conscience, revenus et rappelés rayon à rayon, soupir à soupir, et mêlés dans la même nuée sombre. C'est l'existence humaine sortant de l'énigme du berceau et aboutissant à l'énigme du cercueil... Cela commence par un sourire, continue par un sanglot et finit par un bruit de clairon de l'abîme.

— Plus tard, avec *la Légende des siècles*, vous vous êtes livré à l'inspiration épique. Quelle a été la genèse de l'ouvrage ?

— Exprimer l'humanité dans une espèce d'œuvre cyclique ; la peindre successivement et simultanément sous tous ses aspects : histoire, fable, philosophie, religion, lesquels se résument en un seul et immense mouvement d'ascension vers la lumière ; faire apparaître, dans une sorte de miroir sombre et clair, cette grande figure une et multiple, lugubre et rayonnante, fatale et sacrée, l'Homme : voilà de quelle pensée, de quelle ambition est sortie *la Légende des siècles.*

— A travers ces poèmes séparés, vous laissez entrevoir votre confiance dans l'ascension morale de l'homme.

— Ces poèmes, divers par le sujet, mais inspirés par la même pensée, n'ont entre eux d'autre nœud qu'un fil, ce fil qui s'atténue quelquefois au point de devenir invisible, mais qui ne casse jamais, le grand fil mystérieux du labyrinthe humain, le Progrès.

Le Progrès. Le mot a pris dans sa bouche l'aspect d'une prophétie. Il est vrai que, jadis, les prophètes annonçant le Messie dans le désert devaient user d'un tel ton. En cela, Hugo incarne son siècle, illuminé tout entier par cette foi progressiste. On était sûr que l'homme allait vers la lumière. On était sûr de courir vers une société idéale. On était sûr de mettre fin à toutes les iniquités, grandes et petites. Le républicanisme de Hugo qui s'affirme en exil marche parallèlement avec cette croyance dans un avenir radieux. Parce que nous avons perdu confiance dans cet avenir, devons-nous en sourire ? Parce que nous sommes moins sûrs d'aller vers l'idéal, sommes-nous plus heureux ? Pour Hugo, la République n'a été d'abord qu'une opinion, elle est devenue ensuite une affirmation, un dogme. Orgueilleusement, il refuse l'amnistie proposée en 1859 par Napoléon III. Du coup, le voilà devenu comme une sorte de phare dont la lueur se perçoit sur tous les continents. Sur son rocher, le poète incarne cet autre chose à quoi aspirent tous les hommes, même s'ils s'en défendent. Qu'il ait écrit la plus grande partie des *Misérables* en exil, voilà qui doit prendre tout son sens.

— Vous avez dit vous-même que *les Misérables* constituaient une « épopée sociale ». C'est donc que vous avez voulu présenter à vos lecteurs les problèmes les plus brûlants de l'époque ?

— Il y a certaines questions qui sont les questions du siècle et qui sont là devant nous, inévitables. Pas de milieu ; il faut s'y briser, ou s'y réfugier. La société navigue irrésistiblement de ce côté-là. Ces questions sont le sujet des *Misérables*. Paupérisme, parasitisme, production et répartition des richesses, monnaie, crédit, travail, salaire, extinction du prolétariat, décroissance progressive de la pénalité, misère, prostitution, droit de la femme, qui relève de minorité une moitié de l'espèce humaine, droit de l'enfant, qui exige — je dis exige — l'enseignement gratuit et obligatoire, droit de l'âme qui implique la liberté religieuse ; tels sont les problèmes.

— Les bas-fonds que vous décrivez dans *les Misérables* ont été une révélation pour nombre de vos lecteurs.

— Dante a fait un enfer avec de la poésie, moi j'ai essayé d'en faire un avec de la réalité.

— Vos *Travailleurs de la mer* connurent également un immense succès. Vous aviez acquis, sur vos rochers anglo-normands, une connaissance intime des choses de la mer.

— J'ai voulu glorifier le travail, la volonté, le dévouement, tout ce qui fait l'homme grand, j'ai voulu montrer que le plus implacable des abîmes, c'est le cœur, et que ce qui échappe à la mer n'échappe pas à la femme.

Je songe à cet étrange face à face, à Guernesey, de Mme Victor Hugo et de Juliette Drouet. Pour Adèle Hugo, Juliette fut d'abord l'ennemie. Elle a même pris le parti de Mme Biard pour déplaire à Juliette. Et puis, sur cet antagonisme logique, les années sont venues apporter leur apaisement. Ces deux femmes qui vivent si près l'une de l'autre, dans une si petite île, il a fallu enfin qu'elles se rencontrent. Adèle a fait le premier pas, envoyant à Juliette le livre de souvenirs qu'elle avait écrit sur Victor. Juliette est venue remercier Adèle. Désormais, elles se sont vues, mieux que tolérées, appréciées. Et puis Adèle est morte, à Bruxelles.

— Vous lui avez fermé les yeux.

— J'ai pris des fleurs qui étaient là. J'en ai entouré la tête. J'ai mis autour de la tête un cercle de marguerites blanches sans cacher le visage, j'ai ensuite semé des fleurs sur tout le corps et j'en ai rempli le cercueil. Puis je l'ai baisée au front et je lui ai dit tout bas : « Sois bénie. » Et je suis resté à genoux près d'elle...

Puis ce fut 1870, Sedan, le 4 septembre. Dès le 5, Victor Hugo, qui attendait à Bruxelles, se rend à la gare et demande un billet pour Paris. A Jules Claretie, il dit : « Voilà dix-neuf ans que j'attends ce moment-là. » Quand il arrive à Paris, à la gare, une foule immense attend. Elle délire. On crie : « Vive Victor Hugo ! » Il doit parler à cette foule, quatre fois. Désormais, il fait corps avec la République, souffre avec elle, pleure la défaite. Paris l'élit à l'Assemblée nationale. Il trouve pour refuser l'annexion de l'Alsace et de la Lorraine des accents déchirants.

— Pensez-vous que la France prendra un jour sa revanche ?

— Oh ! une heure sonnera — nous la sentons venir — cette revanche prodigieuse. Nous entendons dès à présent notre triomphant avenir marcher à grands pas dans l'Histoire. Oui, dès demain cela va commencer ; dès demain, la France n'aura plus qu'une pensée : reprendre des forces, forger des canons et former des citoyens, créer une armée qui soit un peuple [...], se fortifier, s'affermir, se régénérer, redevenir la grande France, la France de 1792, la France de l'idée et la France de l'épée... Puis, tout à coup, un jour elle se redressera ! Oh ! elle sera formidable ; on la verra, d'un bond, ressaisir la Lorraine, ressaisir l'Alsace.

Maintenant, l'évolution politique est parachevée. Victor Hugo est en communion d'idées avec Garibaldi, il rêve d'une République universelle. Il appelle une société sans classes où chacun serait égal. Il est l'un des rares à stigmatiser la répression de la Commune par M. Thiers. Alors, on l'injurie, on le traite comme l'ennemi du genre humain. Il tient bon.

— Pour vous, la répression voulue par Versailles est indéfendable ?

— Qu'a-t-on fait ? Fusillades sommaires, tueries sans jugements, cours martiales de hasard...

— Vous avez pris le parti des vaincus.

— En littérature, je suis pour le grand contre le petit et, en politique, je suis pour les petits contre les grands.

— Depuis bien des années, vous vous penchez sur les malheurs des classes populaires.

— Etre né aristocrate et royaliste et devenir démocrate, monter de l'erreur à la vérité, c'est rare et c'est beau... Dans cette âpre lutte contre les préjugés sucés avec le lait, dans cette lente et rude élévation du faux au vrai, on a dû payer d'un sacrifice matériel son accroissement moral, abandonner quelque intérêt, dépouiller quelque vanité, renoncer aux biens et aux honneurs du monde, risquer sa fortune, risquer son foyer, risquer sa vie...

— Comment expliquez-vous la haine de la droite ?

— Pour avoir défendu [...] toutes les idées de liberté, de justice, d'humanité ; pour avoir combattu sous toutes les formes toutes les idées d'arbitraire, de despotisme, d'hypocrisie, je fus aux yeux de la bourgeoisie un monstre.

— Croyez-vous que l'on viendra à bout de la souffrance des prolétaires ?

— Je ne suis pas de ceux qui disent qu'on peut supprimer la souffrance en ce monde, la souffrance, c'est une loi divine, mais je suis de ceux qui pensent et qui affirment qu'on peut détruire la misère... Remarquez-le bien, je ne dis pas diminuer, amoindrir, limiter, circonscrire, je dis détruire.

— Comment concevez-vous ce combat ?

— Abolissez les parasitismes sous toutes leurs formes, listes civiles, fainéantises payées, clergés salariés, magistratures entretenues, sinécures aristocratiques, concessions gratuites des édifices publics, armées permanentes ; faites cette rature, et vous dotez l'Europe de dix milliards par an. Voilà d'un trait de plume le problème de la misère simplifié.

— Vous approuvez les théories socialistes ?

— A côté de la liberté, qui implique la propriété, il y a l'égalité, qui implique le droit au travail, formule superbe de 1848, et il y a la fraternité, qui implique la solidarité. Donc, république et socialisme, c'est un.

— Quel programme préconisez-vous ?

— Le socialisme est vaste et non étroit. Il s'adresse à tout le problème humain. Il embrasse la conception sociale tout entière. En même temps qu'il pose l'importante question du travail et du salaire, il proclame l'inviolabilité de la vie humaine, l'abolition du meurtre sous toutes ses formes, la résorption de la pénalité par l'éducation, merveilleux problème résolu. Il proclame l'enseignement gratuit et obligatoire. Il proclame le droit de la femme, cette égale de l'homme. Il proclame le droit de l'enfant, cette responsabilité de l'homme. Il proclame enfin la souveraineté de l'individu, qui est identique à la liberté. Qu'est-ce que tout cela ? C'est le socialisme. Oui. C'est aussi la république.

Aussi, volontiers, il parle de Dieu. Pourtant, il ne semble pas qu'il ait été baptisé. Jamais il ne s'est engagé dans la foi d'une religion déterminée. Mais cette croyance en Dieu illumine sa vie.

— Vous avez toujours vilipendé l'athéisme.

— Oh ! que l'athéisme est pauvre ! Qu'il est petit ! Qu'il est absurde ! Dieu est. Je suis plus sûr de son existence que de la mienne... Nous sommes en Dieu. Il est l'auteur de tout. Mais il n'est pas vrai de dire qu'il a *créé* le monde, car il le crée éternellement. Il est le *Moi* de l'infini.

Des funérailles à la mesure d'une gloire universelle.

— Vous avez dit un jour que vous ne laissiez jamais passer quatre heures d'affilée sans prier.

— Vous savez comme j'ai la religion de la prière. Il me semble impossible que la prière se perde.

— Pensez-vous souvent à la mort ?

— Il y a entre les jeunes gens et l'éternité une trop grande épaisseur de temps pour qu'ils puissent voir l'infini et songer à la mort. Plus tard, la lame du temps s'amincit, la vie devient transparente et l'on aperçoit Dieu.

— Vous croyez fermement à cette rencontre avec Dieu ?

— Je suis vieux, je vais mourir. Je verrai Dieu. Voir Dieu ! Lui parler ! Quelle grande chose ! Que lui dirai-je ? J'y pense souvent. Je m'y prépare.

— Comment pouvez-vous résumer vos croyances ?

— Je crois en Dieu. Je crois à l'âme. Je crois à la responsabilité des actions. Je me recommande au Père universel. Comme les religions, en ce moment, sont au-dessous de leur devoir envers l'humanité et envers Dieu, aucun prêtre n'assistera à mon enterrement.

Il est là, le vieil homme, dans sa sérénité et sa grandeur. Un vieux chêne. Il a connu les faiblesses de tous les hommes, les ambitions, voire les petitesses. Il a traversé les contradictions de la vie. L'exil et la vieillesse ont tout balayé, magnifié. Oubliées, les fredaines d'Olympio, les petites femmes qui frétillent dans ses carnets intimes. Ce qui reste, c'est que le plus grand poète français a voulu rendre l'humanité meilleure. Maintenant, il attend. Il sait bien ce qui l'attend. Sa grande voix laisse échapper une dernière affirmation :

— Je vais fermer l'œil terrestre, mais l'œil spirituel restera ouvert, plus grand que jamais.

Rarement homme a ressemblé autant à ses caricatures
(Photothèque Plon-Perrin).

XVII

MONSIEUR THIERS

Pour rencontrer Monsieur Thiers, c'est naturellement dans son hôtel de la place Saint-Georges qu'il faut se rendre. Là, tout est conservé comme si vivait encore le maître de la maison. Son lit pourrait l'accueillir ce soir. La table de toilette pourrait lui servir demain matin. Tout est solennel et feutré, cossu et ouaté. Les plantes exotiques ont disparu, mais on les devine. Et voici les tentures de damas, les fauteuils en peluche, les potiches de porcelaine. Quand on a démoli cette maison, sous la Commune, il a fallu vingt fourgons pour transporter les objets d'art et les livres dans les musées et bibliothèques. Tout cela a réintégré l'hôtel reconstruit aux frais de la nation, pour un million cinquante-trois mille francs. Donc, tout subsiste, le vrai comme le faux. Du vivant de Monsieur Thiers, les connaisseurs faisaient déjà des gorges chaudes. « Il achète, disait Mérimée, des coupes d'ivoire flamandes de seize mille francs qui en valent bien cent vingt ! » M. de Goncourt, lui, estimait que seul le mot « infect » pouvait convenir aux collections de Monsieur Thiers. Oublions-le et pénétrons dans l'hôtel majestueux.

Rarement homme a ressemblé autant à ses caricatures que Monsieur Thiers. Le voici qui nous reçoit, haut comme une botte, sa tête surmontée d'un énorme toupet blanc. Il se tient très droit, cambré, comme s'il cherchait à ne pas perdre un pouce de sa petite taille. Derrière les fines lunettes, le regard apparaît d'une

L'hôtel Thiers, place Saint-Georges : reconstruit aux frais de l'Etat.

vivacité extrême, aigu, dardé sur l'interlocuteur comme s'il voulait le percer à jour.

Lorsqu'il m'accueille, c'est avec cette voix, « claire et pointue, la plus sèche et la plus désagréable », qui avait frappé Ludovic Halévy. D'ailleurs, ce petit homme semble ne pas pouvoir tenir en place. En parlant, il se lève, marche, fait quelques pas, va se rasseoir, se relève un instant après. Ses mains s'agitent, comme pour mieux convaincre. Dans la voix subsiste un reste d'accent provençal. Avec cela, une sûreté de soi véritablement extraordinaire. Aucune question ne le prend au dépourvu, aucune ne le déconcerte.

Lorsqu'il était jeune, Monsieur Thiers avait dit un jour, en montrant les Tuileries : « Je logerai là. » La prédiction n'avait pu se réaliser, pour la bonne raison que la Commune avait brûlé les Tuileries. Il n'en avait pas moins siégé à Versailles. Bonne manière d'aborder l'entretien.

— Quand vous disiez cela, Monsieur Thiers, était-ce que vous pensiez que vous, petit Marseillais inconnu, aviez l'étoffe d'un roi ?

— Louis XIV et moi nous ressemblons par la taille ;

pour le surplus, je crois bien que s'il ne lui avait pas suffi que se donner la peine de naître, il n'aurait jamais atteint jusqu'où le petit-bourgeois que je suis s'est élevé.

— Est-il vrai que vous ne supportez plus la contradiction ?

— Sachez que je ne me trompe jamais.

Nous voilà fixés. Je l'imagine, cet ambitieux à l'aplomb déjà imperturbable, montant à Paris en septembre 1821, l'année de la mort de Napoléon. Né d'une famille pauvre, il a fait ses études grâce à une bourse accordée par l'Empire.

— Vous devez beaucoup à cette bourse, Monsieur Thiers ?

— En m'accordant cette faveur, Napoléon ne prévoyait pas sans doute qu'il travaillait à former son futur historien.

Après le lycée, il s'est inscrit à la faculté de droit d'Aix-en-Provence. Il s'y est lié avec Mignet, appelé lui aussi à devenir historien. En ce temps-là, le petit Thiers est libéral. Ses idées, il les défend avec passion, il fait « péter les troun de Diou ». Il juge que les Bourbons sont revenus dans les fourgons de l'étranger et ne sera heureux que lorsqu'ils seront chassés du trône. A l'époque, à Aix, quand on le voit passer, agité et pérorant, on dit : « C'est encore le petit Jacobin. » Quant à lui, il dit couramment : « Quand nous serons ministre. » D'évidence, il lui faut Paris. Grâce au député Manuel, il pénètre dans les milieux libéraux, devient journaliste, a la chance de plaire à Talleyrand. Bientôt, il sera une personnalité du parti libéral, il fera la révolution de 1830. Son destin est écrit. D'autant plus qu'il s'est donné une solide fortune personnelle en épousant Mlle Dosne, fille d'une dame avec qui son intimité avait été extrême.

— On a dit que vous incarniez la bourgeoisie au pouvoir. Or la bourgeoisie est mesurée.

— Il faut de la mesure en tout... Il faut tout faire

avec mesure. Quand on va trop vite, on n'est pas sage.

— Vous vous êtes donc toujours voulu un homme raisonnable ?

— Je ne suis pas un grand médecin, mais je fais de la médecine à l'usage de tout le monde, et cette médecine est la raison.

— Est-ce cette sagesse que vous avez voulu donner aux hommes qui dirigeaient notre pays ?

— Je suis désolé d'avoir inutilement prêché un peu de courage aux Bourbons, un peu de prudence aux Bonaparte.

— Quand on examine votre vie, on ne peut que se dire que vous avez eu beaucoup de chance...

— Dieu n'a donné à l'homme qu'une baguette magique, le travail et la patience.

— Comment expliquez-vous que toutes vos ambitions se soient réalisées ?

— Je n'ai jamais compté sur d'autres appuis que ma propre volonté.

— Vous avez pourtant varié dans vos principes de gouvernement. Presque jacobin dans votre jeunesse, vous êtes devenu l'apôtre de la conservation dans votre âge mûr.

— Je ne suis pas de ceux qui s'imaginent qu'un principe est absolu en politique.

— Comment êtes-vous devenu conservateur ?

— Je n'ai pas le goût des innovations... Dans un temps qui s'appelle habituellement temps de progrès, j'ai quelque défiance du progrès.

— Quelle règle préconisez-vous en politique ?

— Il faut tout prendre au sérieux, rien au tragique.

— Monsieur Thiers, vous êtes doté d'un grand talent oratoire. Que pouvez-vous nous dire sur votre façon de parler à la Chambre ?

— Je n'ai rien à apprendre à personne, je n'ai qu'à réfléchir la lumière que les événements ont répandue et à la concentrer. Je fais l'office d'un réflecteur.

— Vous refusez donc les effets trop faciles ?

— Je m'efforce d'être sec, technique, de me renfermer dans la chose même.

— Vous ne craignez pourtant pas de répéter vos arguments ?

— Je le sais bien, la première fois c'est pour les gens intelligents, la deuxième pour les imbéciles...

— Vous avez écrit un véritable monument sur le premier Empire. Que représente Napoléon à vos yeux ?

— Je suis sensible à la gloire de cet homme immortel... Il a couvert mon pays de gloire et de bienfaits, car si la Révolution a brisé le passé, c'est lui qui a créé le présent, c'est lui qui a créé ce magnifique état social que le monde entier nous envie. Je n'oublierai jamais ces immenses bienfaits...

— Cependant, c'est plutôt à la Révolution que vous aimez vous rattacher ?

— Je sais ce qu'on peut reprocher à la Constituante, à la Convention, au Directoire, à l'Empire... mais quiconque a pris part à cette grande Révolution, quiconque en a défendu, comme Napoléon, les grands résultats est respectable à mes yeux... Et quant à moi, je l'avoue franchement, cette Révolution, je l'aime parce qu'elle est la régénération de mon pays... Si en 1800 Napoléon n'était pas arrivé pour la sauver, elle était perdue ; c'est Napoléon qui lui a donné quinze ans de gloire et de force...

Sans cesse, la voix haut perchée martèle les mots pour mieux convaincre. On s'habitue au désagrément de cette voix, à ce que certains appellent des glapissements. Je le regarde dans ce cadre bourgeois, derrière sa cravate bourgeoise, dans sa redingote bourgeoise. Au fond, le roi bourgeois, c'est lui. Il est normal qu'il aime la Révolution qui a fait de la classe bourgeoise la première de France.

— La bourgeoisie de votre temps était incrédule sur le plan religieux. Et vous, Monsieur Thiers ?

— Je viens de passer quinze années, les meilleures de ma vie, dans de nobles études ; et plus j'observais cette nature, plus je me suis convaincu que la nature bien étudiée proclame l'auteur de l'ordre universel au milieu duquel nous sommes placés.

— Est-ce donc que vous croyez à l'utilité d'une religion dans un pays ?

— J'ai toujours cru qu'il fallait une religion positive, un culte, un clergé, et qu'en ce genre ce qu'il y avait de plus ancien était ce qu'il y avait de plus respectable... Je regarde le curé comme un indispensable rectificateur des idées du peuple. Il lui enseignera, au moins, au nom du Christ, que la douleur est nécessaire dans tous les états, qu'elle est la condition de la vie et que, quand les pauvres ont la fièvre, ce ne sont pas les riches qui la leur envoient...

D'évidence, il ne se rend pas compte de l'odieux de ce qu'il vient d'exprimer. Réduire la religion au rôle de régulateur social, c'est le contraire de la vraie foi. Mais ils sont nombreux, les meneurs de peuple, qui ont raisonné comme Monsieur Thiers.

— Vous n'allez pas nous faire croire que vous êtes dévot ?

— Je ne suis pas dévot, je suis philosophe, mais philosophe spiritualiste. Nous autres, nous suppléons avantageusement à la religion par la culture intellectuelle, nous pouvons lire le *Phédon* et Descartes. Je suis un philosophe papiste.

De nouveau, je pense à sa prodigieuse ascension, au petit journaliste affolé d'ambition qui se glissait dans l'intimité des grands.

— A votre arrivée à Paris, vous avez vite compris que les Bourbons couraient à leur perte ?

— Si les Bourbons avaient persisté dans le système Martignac, ils auraient pu s'en tirer avec des améliorations lentes et progressives, mais leur incorrigibilité a prévalu. Ils se sont jetés dans le système Polignac : c'était le commencement des excès.

— Vous n'acceptiez pas le principe de la légitimité ?

— La légitimité ! A-t-elle pu nous donner la sécurité ? Songez-y. Elle a laissé tomber trois fois le trône légitime. Louis XVI n'était-il pas légitime ? Louis XVIII ne l'était-il pas? Charles X ne l'était-il pas ? Eh bien, il a suffi d'un souffle de révolution pour renverser, le 10 août, en 1815 et en 1830, leur trône légitime.

— En 1830, que pensiez-vous de la famille royale ?

— Un vieillard passant de la messe à la chasse, son fils s'occupant de revues et d'uniformes [...], un enfant livré à un émigré et à des évêques sans lumières, une princesse qui aurait pu avoir la majesté du malheur et qui n'en avait que l'aigreur, une autre princesse, dissipée et fanatique comme une Italienne ; telle était cette famille [...] qui s'enfermait dans un nuage de préjugés et d'obscurités.

— En revanche, le duc d'Orléans vous parut alors digne de ceindre la couronne ?

— Toute la France a vu, dans les rues, au milieu de la garde nationale, à table, ce prince grave, simple, éclairé, spirituel, éloquent, connaissant hommes et choses [...], cette reine si douce, si digne, ces nombreux enfants élevés avec nous, vivant au milieu de nos soldats...

Je songe au petit Thiers traversant le Paris insurgé de 1830, sur un cheval — petit, naturellement — pour se rendre à Neuilly convaincre Louis-Philippe de saisir la couronne. Ce jour-là, il ne s'agissait plus de pérorer, de conspirer en chambre. Tout pouvait tourner autrement. Si Charles X l'emportait, que fût devenu le jeune Thiers ? Un tribunal d'exception, la prison, peut-être le peloton d'exécution, voilà ce qui l'eût attendu. Ce n'est jamais impunément que l'on se lance dans une insurrection révolutionnaire. Ce danger-là, Thiers l'a couru, délibérément. Que cela soit inscrit à son actif. Tout en n'oubliant pas que ce risque s'est révélé singulièrement payant en ce qui le concerne.

— Vous avez accepté, dès 1830, l'offre du roi de prendre un portefeuille ?

— Je ne suis entré dans le ministère Laffitte que malgré moi. On m'avait offert le portefeuille des Finances que j'avais refusé, parce que je ne voulais pas essuyer les premières intempérances des libéraux, et que je ne voulais arriver aux affaires que dans un moment où il serait permis de les bien faire. Cependant M. Louis m'ayant désigné comme le seul qui pût diriger pour le moment la grosse machine des finances, le roi exigea que j'entrasse pour quelque temps auprès de M. Laffitte, afin de le soulager. Je ne pouvais refuser, d'ailleurs, ni à M. Laffitte ni au roi. J'acceptai avec répugnance, et le désir de m'en aller le plus tôt possible. Ma démission était donnée depuis un mois quand elle a été publiée.

— En 1832, comme ministre de l'Intérieur, vous avez eu l'ingrate besogne de mettre fin aux menées séditieuses de la duchesse de Berry ?

— J'ai pris la duchesse de Berry et cependant je n'ai essuyé que des sottises et des injures.

— Plus tard, votre grand rival fut Guizot. Vous considérez sans doute qu'il a été responsable des erreurs commises, erreurs qui ont mené la monarchie de Louis-Philippe à sa chute ?

— Traiter ce pays comme on l'a fait, livrer l'Université au clergé, ruiner le crédit et les finances pour plaire aux amateurs de chemins de fer et corrompre les députés et les électeurs, être tombé dans une telle inertie qu'on laisse mourir nos Français dans La Plata, crainte d'envoyer trois mille hommes, négliger l'armée, la marine, ne songer qu'à vivre, c'était faire tout ce qu'aurait pu faire la Restauration, et même plus encore.

— Vous n'avez cependant pas souhaité l'instauration de la Deuxième République ?

— Je ne l'ai pas désirée, je n'ai pas voulu y contribuer. Mais enfin elle ne m'a causé, comme homme, aucun mal.

— En 1850, vous êtes allé saluer une dernière fois le roi Louis-Philippe en Angleterre ?

— Je ne me serais jamais pardonné de le laisser mourir sans le visiter... Je n'ai pas pu me défendre de l'aimer... Si la France est juste, elle éprouvera un profond regret pour un prince qui avait de grandes qualités et qui, à du mal, mêla beaucoup de bien.

MONSIEUR THIERS

Comment l'éloge de la monarchie bourgeoise ne serait-il pas fait par le bourgeois Thiers ? Sans doute, de tous les régimes, celui de Louis-Philippe est-il celui qu'il a préféré. Le temps du juste milieu, le refus des aventures, toute politique sociale remise à plus tard, le célèbre programme : « Enrichissez-vous. » Le paradoxe, c'est que, par ses critiques incessantes, Monsieur Thiers a été l'un des fossoyeurs les plus évidents du régime qu'il appréciait le plus.

— Et la Deuxième République ? Vous a-t-elle déçu ?

— J'ai voté la Constitution, j'ai appelé la Répuque sans arrière-pensée, mais la République dans laquelle les majorités font la loi, décidant souverainement, et non pas la République dans laquelle les minorités mécontentes ont le droit d'appeler aux armes.

— Vous n'avez pas approuvé le principe du droit au travail et la création des Ateliers nationaux ?

— Si l'ouvrier sait que l'Etat lui donnera en tout temps de l'ouvrage, il n'économisera plus... Le seul résultat des Ateliers nationaux était d'assurer une armée à l'insurrection.

— Vous aviez prévu les scènes sanglantes qui se déroulèrent alors à Paris ?

— En 1848, j'ai éprouvé à la vue du désordre qui nous menaçait une sorte de rage.

Il a dit : rage. C'est un mot dont il faut que nous nous souvenions. Elle explique bien des choses. Le désordre, pour Monsieur Thiers, il ne s'agit pas de l'expliquer, d'en chercher les raisons, de se demander si, à la source, il n'y a pas quelques grandes iniquités. Non, il faut le combattre, car il s'en prend à l'ordre établi. Alors, Monsieur Thiers est soulevé par une sainte colère. Et jusqu'où la colère ne peut-elle conduire un homme d'Etat ?

Mais voici le second Empire. Il faut reconnaître que, lors du coup d'Etat, Monsieur Thiers fut arrêté. Avec des égards, certes, mais il fut arrêté. De cette mésaventure, il n'est sorti que plus grand, prêt à stigmatiser la politique de Napoléon III.

— Vous êtes-vous toujours élevé contre le régime de dictature ?

— La France ne doit jamais se donner à un homme, quel que soit cet homme et quelles que soient les circonstances... J'ai détesté le régime despotique et la politique suivie pendant dix-huit ans, parce que ce régime et cette politique devaient fatalement nous conduire à une détresse affreuse.

— Le système électoral vous semblait alors particulièrement néfaste ?

— Quand un gouvernement désigne un candidat comme son candidat, il commet la plus haute inconvenance.

— Avez-vous désapprouvé le mariage de l'empereur ?

— Epouser sa maîtresse est une grande sottise. Mais désirer une femme pour huit jours et la mener au couronnement pour en venir à ses fins, l'Histoire ne connaît pas de plus grande démence.

— Quel a été votre dessein, lorsqu'on vous a élu au Corps législatif ?

— Rétablir peu à peu le régime constitutionnel, empêcher les guerres folles, voilà ce qu'était mon dessein ; la liberté régulière qu'on ne peut plus refuser, la politique qui ne mène pas à Waterloo, voilà ce que je voulais et pas autre chose.

— Que pensez-vous de la politique extérieure de Napoléon III ?

— Dans la politique extérieure, c'était un fou, et il l'a bien montré.

— Pourtant il a d'abord remporté des victoires, notamment en Italie.

— L'unité italienne était destinée à être la mère de l'unité allemande.

— Et qu'avez-vous pensé de l'inaction française, en 1866, au moment de Sadowa ?

— J'ai toujours pensé que les fautes de 1866 étaient irréparables, car il y avait bien peu de chances de défaire la Prusse, de quelque manière qu'on s'y prît. Mais j'ai toujours cru qu'il y aurait un jour où on pourrait l'essayer avec la chance d'y réussir, et ce jour était celui où la Prusse reprendrait le cours de ses usurpations. Alors, les Allemands du Sud, envahis par elle, se jetteraient dans nos bras.

A cette époque-là, Monsieur Thiers a vu juste. Sadowa demeure pour la France une occasion perdue. Les avertissements que Thiers n'a cessé de donner de 1866 à 1870 restent remarquables de lucidité. En 1870, presque seul dans notre pays, il s'est acharné à défendre la paix. Il s'est fait moquer, vilipender, injurier. Il a été traité de fou comme tous les Cassandres. Il était seul à voir clair.

— Vous avez clamé votre opinion à la tribune de la Chambre ?

— Dès que l'incident Hohenzollern s'est produit, j'ai commencé une campagne des plus actives pour prévenir la guerre... Jamais je n'ai fait plus d'efforts pour persuader les hommes.

— Lorsque la candidature Hohenzollern a été retirée, vous avez espéré que tout allait se régler pacifiquement ?

— C'est une chose déplorable que, l'intérêt de la France étant sauvegardé, on ait, par des excitations à l'orgueil, amené la guerre.

— Même après l'incident de la dépêche d'Ems, vous avez lutté pour la paix ?

— Si la dépêche avait pu être définitivement acceptée, le mal n'aurait pas été bien grand ; mais le parti de la guerre, qui était le parti bonapartiste, n'espérant reprendre son ascendant que par la guerre, a poussé des cris de rage en voyant la querelle prête à s'éteindre... Les pacifiques, qui étaient en majorité et avaient Ollivier à leur tête, se sont laissé intimider et sont convenus de demander au roi de Prusse des engagements personnels afin de l'humilier. On le disait tout haut...

Je n'aime pas Monsieur Thiers. Sûrement, on l'a senti. Et malgré tout j'éprouve pour lui une sorte de tendresse quand j'évoque la mission qu'il a dû remplir au lendemain de nos défaites de 1870. Après l'effondrement de l'Empire, le nouveau ministre des Affaires étrangères, Jules Favre, s'était tourné vers Monsieur Thiers. Dès le 9 septembre, il lui proposait une mission à Londres, afin d'essayer d'y susciter un mouvement en notre faveur. Non seulement Thiers avait accepté, mais il avait déclaré qu'il irait aussi à Vienne, à Saint-Pétersbourg, à Florence. Il avait soixante-treize ans. Lui seul, à cette époque disposait en France d'une autorité suffisante pour tenter de telles démarches.

Dans toutes ces capitales, il avait plaidé avec chaleur, avec fougue, suppliant qu'on vînt au secours de son pays blessé. Hélas ! nous allions de défaite en défaite. Les nations ont-elles accoutumé de voler au secours d'un pays vaincu ? Le périple à travers l'Europe s'était conclu par un échec. Mais il est bon pour la mémoire de Thiers qu'il ait eu lieu. Et une autre tâche l'attendait : discuter avec l'ennemi des conditions de paix.

— Quels souvenirs vous évoquent ces négociations ?

— S'il y avait quelqu'un en France qui eût le droit de refuser sa signature à ce traité, c'était moi, moi qui au milieu des outrages les plus violents qu'un homme eût pu recevoir à la tribune, ai persisté à soutenir la paix. Je m'étais dit que si je n'avais pas pu empêcher la guerre, je n'aurais pas la douleur d'en recueillir les conséquences.

— Vous n'avez pourtant pas hésité, en 1871, à accepter la charge du gouvernement de la France ?

— Je n'ai pas cru pouvoir refuser, dans un pareil moment, le lourd fardeau du pouvoir qui m'était offert.

— Dès votre nomination comme chef du pouvoir exécutif, vous vous êtes mis en route pour rejoindre Bismarck à Versailles.

— Si j'avais eu à mes yeux une seule chance de soutenir la lutte, de la soutenir heureusement, jamais je ne me serais imposé une douleur qui a été une des plus grandes de ma vie, celle de signer les prélimi-

Cinquième année. — N° 204 Un numéro 10 centimes — Tirage : 36.500 Dimanche, 22 Septembre 1872

RÉDACTEUR EN CHEF
F. POLO
ABONNEMENTS
PARIS
52 numéros .... 6 fr.
26 numéros .... 3 —
Les abonnements partent du 1er de chaque mois
BUREAUX
16, rue du Croissant, 16

L'ECLIPSE

DIRECTEUR
F. POLO
ABONNEMENTS
DÉPARTEMENTS
52 numéros .... 6 fr.
26 numéros .... 5 —
ANNONCES
Fermage exclusif de la publicité
ADOLPHE EWIG
10, rue Taitbout, 10

LE VIN DE 1872, PAR GILL

Tel que l'a vu André Gill (Photothèque Plon-Perrin)

naires du traité... Il faut avoir le courage de son malheur.

— Etait-il vraiment impossible de continuer à combattre ?

— On n'improvise pas des armées... La Révolution elle-même n'en a pas improvisé... Les paysans, les citoyens, quelques courageux qu'ils soient, s'ils ne savent pas la guerre, ne peuvent être de vrais soldats.

— Les Prussiens vous avaient donné des délais très courts.

— J'ai été élu le 17 février. Le 19, le ministère, qui prenait autrefois quinze jours, trente jours, quatre-vingt-dix jours pour être bâti, était fait et présenté immédiatement à l'Assemblée. Le 20, j'étais à Paris et à Versailles. Le 26, la paix était faite, paix douloureuse, mais qui aurait pu être plus cruelle encore.

— On vous a reproché cette paix...

— S'il y avait de la honte, elle serait pour tous ceux qui, à tous les degrés, à toutes les époques, ont contribué aux fautes qui ont amené cette situation.

— Ces cinq journées de discussion avec Bismarck ont dû être terribles ?

— Rien ne peut vous donner une idée de ce que j'ai souffert. Nous étions dans la situation d'une armée réduite à se rendre à discrétion, et par conséquent dans l'impossibilité de résister. J'ai résisté pourtant, et quelquefois avec violence. On voulait nous ôter les trois quarts de la Lorraine. Nous en avons conservé les quatre cinquièmes, mais nous avons perdu Metz. La question était entre Metz et Belfort. On voulait nous ôter les deux. J'ai porté tous mes efforts sur Belfort, car Metz ne ferme rien, et Belfort ferme la frontière de l'Est, et surtout celle de l'Allemagne méridionale. La lutte a duré neuf heures. Enfin, j'ai recouvré Belfort.

— Vous n'avez pas pensé à couper court aux négociations ?

— Pendant des heures, tantôt menaçant, tantôt priant, j'ai déclaré que jamais je ne céderais Belfort. « Vous voulez, me suis-je écrié, ruiner la France dans

Le face à face avec Bismarck (Photothèque Plon-Perrin).

ses finances, la ruiner dans ses frontières. Eh bien ! qu'on la prenne, qu'on l'administre, qu'on y reçoive les impôts ! Nous nous retirerons, et vous aurez à la gouverner en présence de l'Europe, si elle le permet. »

Le 24 février 1871, on a discuté là-dessus, longuement. Voilà encore un souvenir qui me touche. Les Prussiens voulaient entrer dans Paris, Thiers tenait pour Belfort. Bismarck a dû consulter le roi de Prusse, Moltke. Puis il est revenu : « Que préférez-vous ? Belfort ou la renonciation à notre entrée dans Paris ? » Thiers a regardé Jules Favre et il a crié : « Belfort ! Belfort ! »

De retour à Paris, en voiture, il fondra en larmes. Une autre fois, épuisé par la discussion avec Bismarck, il lui faudra se reposer sur un canapé. Alors, Bismarck, attendri, a étendu sur le petit homme qui tremblait de froid son lourd manteau de soldat.

Il s'est battu, c'est certain. Malgré tout, il est permis

de se demander, avec J. Lucas-Dubreton, auteur d'une magistrale biographie de Monsieur Thiers, s'il n'aurait pas pu conclure un traité plus avantageux. Peut-être aurait-il pu garder Metz. Bismarck y inclinait. Il disait : « Je n'aime pas avoir dans notre maison tant de Français qui ne veulent pas y être. » Mais quand Bismarck a parlé de Metz en disant pour tâter le terrain qu'il ne transigerait pas sur la cession de cette ville, Thiers s'est incliné aussitôt, déclarant : « Passons aux autres questions. » Bismarck a résumé tout cela : « Mon petit ami Thiers est très spirituel, très aimable, mais il n'est pas homme à traiter verbalement affaires. La mousse de sa pensée déborde de son cerveau comme ferait la mousse d'une bouteille de vin qu'on viendrait de déboucher... »

Tout cela est vrai, mais qui d'autre, à part Thiers, aurions-nous pu mettre en avant ?

L'une des clauses de l'armistice a permis que les Prussiens entrent dans Paris. C'est de cette entrée qu'a découlé la Commune, avant tout révolte patriotique. Or, dès qu'un mouvement insurrectionnel éclate à Montmartre, Monsieur Thiers ordonne le départ du gouvernement pour Versailles. Toutes les têtes de l'Etat doivent abandonner Paris, sur-le-champ. C'est dans ce vide que va se développer la Commune. Aujourd'hui, les historiens s'accordent sur ce point : le départ de Monsieur Thiers a donné son élan à la Commune. Si Monsieur Thiers était resté à Paris, probablement n'y eût-il pas eu de Commune.

— N'avez-vous jamais regretté d'avoir fait partir le gouvernement pour Versailles ?

— Il n'y avait qu'une solution radicale qui pût sauver le pays, il fallait évacuer Paris, mais l'évacuer complètement et immédiatement.

— Vous jugez réellement que c'était la seule solution possible ?

— J'ai sauvé la situation en sortant de Paris malgré tout le monde, en faisant une armée de cent trente mille hommes là où il n'y avait ni un arsenal, ni un magasin, ni un dépôt et où il a fallu tout créer, et en conduisant enfin les opérations d'une manière sûre qui ne répondait pas à l'impatience des étourneaux.

Disons que c'est là retourner entièrement la situation. La tragédie, le sang répandu, les massacres pouvaient aussi ne pas avoir lieu. La vérité, c'est que Monsieur Thiers était obsédé par l'initiative de Windischgraetz qui, en 1848, avait évacué Vienne insurgée pour reprendre de force la ville. Ce qu'on pourra toujours lui reprocher, c'est que, cette fois, Thiers a devancé l'insurrection. Ce qu'il sera impossible de lui pardonner, c'est la manière dont il a conçu la prise de Paris, comment il a ordonné l'une des répressions les plus abominables de notre histoire. On sait que les ordres donnés aux soldats étaient implacables : il fallait fusiller sommairement tous les Communards. On sait les milliers d'erreurs tragiques qui furent alors commises. Sans doute s'agissait-il d'insurgés, mais il s'agissait surtout de Français. Il y eut, semble-t-il, trente mille exécutions sommaires. Les exécutions de la Terreur à Paris n'avaient fait qu'environ deux mille morts.

— Ces opérations contre les Communards, ne regrettez-vous pas aujourd'hui la façon dont elles ont été menées ?

— J'ai été obligé d'ordonner des actes terribles ; je les ai ordonnés parce que j'avais au fond du cœur la conviction que je représentais le droit contre le crime.

Voilà beaucoup de tranquillité. Pour nous, nous nous souviendrons que Monsieur Thiers a télégraphié aux préfets que le sol de Paris était « jonché de leurs cadavres » et que cela « servirait de leçon ».

— En définitive, quel souvenir avez-vous gardé de ces semaines ?

— Quand je songe aux efforts presque surhumains qu'exigèrent de moi la lutte contre l'insurrection et ses conséquences, quand je compare mon dévouement pour le rétablissement de l'ordre avec le peu de gratitude que l'on m'a montrée depuis, je trouve confirmé une fois de plus le précepte de philosophie que la satisfaction d'avoir fait le bien est, en ce monde, la seule récompense certaine de l'accomplissement du devoir.

Le mieux, en disant cela, est qu'il exprime probablement la vérité. Je ne crois pas que Monsieur Thiers ait jamais éprouvé de remords pour la répression de l'insurrection communarde. Sûr de lui, heureux de ce qu'il avait fait, il l'a été aussi en cette occasion-là. Ce ne fut pas le cas de tous les Français, il s'en faut.

— On vous a beaucoup injurié ?

— J'ai traversé des tourbillons d'injures. Cent journaux me traînaient tous les matins dans la boue. Mais savez-vous mon procédé ? Je ne les lis pas.

La vie de ce septuagénaire était loin d'être achevée. Au contraire, c'est une existence nouvelle qui allait commencer.

— On peut dire que vous avez porté la IIIe République sur ses fonts baptismaux.

— La République est actuellement le seul gouvernement possible. Il faut prendre le gouvernement actuel au sérieux et le considérer comme la meilleure et la plus exacte représentation de la France.

— Précisez votre pensée.

— La République est, de tous les gouvernements, celui qui nous divise le moins... C'est le gouvernement de tout le monde, de tous les partis... En dehors de la République, il n'y a que le chaos... La République est une de ces choses que l'Empire nous a léguées...

— Vous avez pourtant été longtemps monarchiste ?

— Je suis un vieux disciple de la monarchie, je suis ce qu'on appelle un monarchiste qui pratique la République.

— En 1870, le retour à la monarchie vous a donc paru impossible ?

— J'ai pris mon parti sur la question de la République. Je l'ai pris, oui, vous savez pourquoi ?... Parce que, pratiquement, la monarchie est impossible : il n'y a qu'un trône et on ne peut l'occuper à trois ! Aussi bien, dans les masses, la République a une immense majorité.

Le paradoxe, c'est que cette majorité avait envoyé à l'Assemblée une majorité de députés monarchistes. Ces monarchistes se réclamaient de trois prétendants : les légitimistes, les orléanistes, les bonapartistes. Un temps, on avait cru la fusion possible entre les deux premiers groupes. Dans ce cas, la monarchie était faite. Mais le comte de Chambord avait exigé que la France reprît le drapeau blanc. Tout avait échoué.

— Estimez-vous que le refus du comte de Chambord d'arborer le drapeau tricolore ait profité aux républicains ?

— On m'a accusé d'avoir voulu fonder la République. Me voilà bien à l'abri de ce reproche. Désormais nul ne disconviendra que le fondateur de la République en France, c'est M. le comte de Chambord... La postérité le nommera le Washington français !

— Au fond, c'est de l'ordre que vous êtes surtout partisan ?

— J'ai horreur du désordre, du désordre moral comme du désordre matériel. Toute ma vie a consisté à le combattre, sans cesser toutefois de demander une liberté raisonnable. Placé au milieu des partis [...], je tâche d'être impartial, juste, à leur égard, en étant toujours prêt à réprimer ceux qui essayeraient de recourir à la violence. Heureusement, le combat que j'ai livré à la Commune, la force dont je dispose [...] leur ôtent le courage de tenter quoi que ce soit de sérieux.

Ainsi, il se réclame de sa répression de la Commune. Une preuve de plus, s'il en fallait une, que le massacre n'a pas été perpétré par hasard. Tous ces artisans, tous ces ouvriers qu'il a fait fusiller, c'était, dans son esprit, l'armée du désordre. Il a voulu assurer cet ordre à quoi il tenait tant. L'assurer en faisant couler le sang français.

Pourtant, il s'est toujours réclamé de la liberté. Comment concilie-t-il les deux idées ? Il répond :

— Pas de liberté illimitée... La liberté illimitée, c'est la société barbare.

— Et que pensez-vous de la gauche de l'Assemblée ?

— Ce n'est pas à moi qu'il faut prêcher la haine et

le mépris de cette tourbe révolutionnaire, qui prend tous les titres, qui s'appelait républicains sous la monarchie, qui s'appelle radicaux sous la République, n'étant jamais contente de rien, parce qu'il lui faut toujours autre chose que ce qui existe, voulant manger, boire sans rien faire, et trouvant tout aussi bon, même meilleur, de dresser ses tables sur des ruines qu'au sein d'un pays prospère et tranquille. J'ai combattu ces gens-là toute ma vie, en 1834 sous le feu des barricades, et en 1871 en leur arrachant Paris malgré leurs trois mille bouches à feu.

— Vous haïssez donc les radicaux ?

— Ils savent que sur la plupart des questions sociales, politiques et économiques, je ne partage pas leurs opinions... Non, ni sur l'impôt, ni sur l'armée, ni sur l'organisation sociale, ni sur l'organisation de la République, je ne pense comme eux.

Nouveau paradoxe chez ce « caméléon politique » — le mot est encore de Lucas-Dubreton — : à mesure que se poursuivra ce qu'il faut bien appeler sa dictature, il s'appuiera davantage sur cette gauche qu'il a pourfendue avec tant de violence. Et, finalement, c'est la droite qui le chassera du pouvoir. Quand le petit Thiers revient, trois jours après sa chute, à l'Assemblée, c'est la gauche qui l'acclamera et la droite qui ricanera !

Dans le nouvel hôtel flambant neuf de la place Saint-Georges, ceux que Thiers désormais recevra volontiers, ce sont ceux qu'il traitait naguère de fous furieux. Gambetta deviendra un ami. C'est chez Thiers que l'on rassemblera ses forces contre l'ordre moral, contre le régime « clérical et réactionnaire » du duc de Broglie.

Là, dans son salon, où plane l'ombre de Mme Dosne, l'ex-égérie devenue belle-mère, il vit en pérorant, entre son épouse, sèche et pincée, et sa belle-sœur, Mlle Dosne, tranchante et sûre d'elle-même. Souvent, on y rencontre les éternels intimes : Barthélemy-Saint-Hilaire et Mignet. Mais quelle que soit l'identité de ceux qui s'y côtoient, convenons que le petit homme les écrase

Mme Thiers (Photothèque Plon-Perrin).

tous. Il parle et on l'écoute. Il plaisante et on rit. Il se fâche et on devient sombre. Un visiteur déclare : « C'est l'homme le plus extraordinaire que j'aie connu. Il était à quatre-vingts ans jeune avec des libertés, des gaillardises de Méridional. »

En 1877, après la dissolution de la Chambre, on a préparé les élections à la présidence de la République. Nouveau coup savoureux du sort : le candidat de l'opposition, ce sera Thiers ! Oubliée, la rue Transnonain, relégué, le massacre de la Commune. Pourtant, bien des choses le séparent pour toujours de cette gauche qui le réclame. Et d'abord l'impôt.

— L'impôt indirect vous semble préférable à l'impôt direct ?

— L'impôt direct ne donne pas ce qu'on lui demande ; l'impôt indirect au contraire est élastique, il varie comme la prospérité... L'impôt direct est aveugle, obligatoire, comme la guerre dont il est l'expression, il est, comme la guerre, sans oreilles, sans entrailles ; l'impôt indirect au contraire laisse à chacun le droit de faire ce qui lui convient. Ainsi, quand on impose le vin, le sucre et autres denrées, on ne demande au peuple que ce qu'il peut prélever sur ses plaisirs.

— Vous avez toujours combattu l'idée d'un impôt sur le revenu ?

— Nous pouvons nous passer de cet impôt déplorable... Ce serait un impôt de discorde... Je regarde cet impôt comme si dangereux, je le crois si funeste que je ne consentirai jamais à l'accepter.

Au fond, c'est dans une autre image qu'il s'est figé. L'Assemblée a vu en lui le libérateur du territoire. Peut-être est-ce là sa plus grande fierté. Le relèvement de la France après la défaite de 1870 a frappé les étrangers. On commence à entrevoir la possibilité d'une revanche. Mais lui, Thiers, qu'en pense-t-il ? Vivement, il répond :

— La revanche dont on parle tant n'entre aucunement dans ma pensée. Sans doute l'avenir est-il pour nous tous inconnu ; mais pour ma part, je n'ai d'autre vue que de rétablir les forces de mon pays par l'ordre, la paix, le travail et une politique modérée.

— Vous avez cependant travaillé à refaire une armée.

— M. de Bismarck, qui me connaît, sait que je ne rêve pas une revanche prochaine, et que les efforts que je fais pour rétablir la force militaire de la France n'ont d'autre but que de rendre à cette France méconnue par les sots son rang et son poids dans le monde.

— Vous voulez avant tout la paix ?

— Nous voulons la paix [...], le contraire serait de notre part de la folie. A mon âge, je ne puis désirer d'autre gloire, si je puis aspirer à en avoir, que celle

Président de la République française... (Photo Bibl. nat).

de pacifier mon pays, de lui procurer quelques années de repos, de calme et de bien-être, de lui procurer en un mot non pas du bruit, mais du bonheur.

— Pensez-vous avoir, ces dernières années, accompli cette tâche ?

— Donner la paix au pays, créer une armée, comprimer une insurrection formidable, obtenir cinq milliards quand on en demande deux, réorganiser jour et nuit au milieu d'éléments discordants et toujours prêts à se soulever, j'appelle cela gouverner et je défie mes contemporains et successeurs d'en faire davantage.

— Le pays vous garde-t-il de la reconnaissance ?

— On devrait être pénétré de reconnaissance pour moi et on ne me témoigne que de l'ingratitude.

De l'ingratitude ? S'il fallait en plus lui être reconnaissant ! Il a renversé Charles X pour entrer plus vite dans la carrière ; il a favorisé la chute de Louis-Philippe parce qu'il détestait Guizot ; il n'a jamais pardonné à Napoléon III et s'est réjoui de sa disparition ; ses coups sont venus à bout de Mac-Mahon ; et s'il a fondé la République, c'est parce qu'il a voulu faire pièce à presque tous les autres. Molé l'appelait gamin. L'expression lui convient. Il a le cœur sec, il aime l'argent. Il est incapable d'idées vastes. Là où il brille, c'est face à l'obstacle immédiat. Aller au-delà, il n'y songe pas. Louis Blanc a dit de lui : « Il n'avait aucun souci du peuple. » N'est-ce pas le jugement le plus grave qui puisse atteindre un homme d'Etat ?

Je le considère une dernière fois, vif, malin, gai et péremptoire, et je lui demande :

— Comment pourriez-vous résumer votre vie ?

— Lorsque ma famille m'élèvera un tombeau à côté de celui où ma belle-mère est ensevelie, au-dessus on écrira mon nom, l'année de ma naissance et de ma mort, avec ces deux inscriptions latines sur chacune des faces latérales : *Patriam dilexit, veritatem coluit.*

XVIII

CLEMENCEAU

Le jeudi 3 mai 1923, une jolie femme de quarante ans, Marguerite Baldensperger, s'arrêtait rue Franklin à Paris, devant l'immeuble qui portait le numéro 8. Un regard hâtif lui suffit pour s'étonner de la modeste apparence de la maison. Et puis elle s'engouffra sous le porche, traversa la cour et sonna à la porte d'un rez-de-chaussée. Le domestique ouvrit la porte, prit sa carte. Il la conduisit dans une petite antichambre, meublée d'une « grande armoire dont la clé était enlevée ». Ce rez-de-chaussée, Marguerite Baldensperger allait y revenir souvent. Car, entre elle et Clemenceau, âgé de quatre-vingt-deux ans, allait se nouer une liaison singulière. De l'amitié, certes, mais à travers celle-ci un sentiment qui ressemblait à de l'amour et peut-être à de la passion. Elle le revit un mois et demi plus tard, le 21 juin. Elle avait perdu une fille et en demeurait déchirée. Il lui semblait que le goût de la vie lui avait été ôté à jamais. Ce jour-là, Clemenceau dit à Marguerite Baldensperger :

— Mettez votre main dans la mienne. Voilà. Je vous aiderai à vivre et vous m'aiderez à mourir. Tel est notre pacte. Embrassons-nous.

Ce programme, ces deux êtres allaient le suivre, pendant six ans, de point en point. Au cours de cette période, Clemenceau allait adresser six cent soixante-huit lettres à Marguerite.

Puisque telle est la règle de notre jeu intemporel,

La table de travail de Clemenceau. Au-dessus de la commode, le calendrier arrêté au jour de la mort du Tigre, le 24 novembre 1929.

permettez-moi d'imaginer que, moi aussi, je franchis le porche du 8, rue Franklin. Moi aussi je sonne à la porte du fond de la cour. A moi aussi, le domestique ouvre, me conduit dans l'antichambre. Et Clemenceau paraît, petit, vêtu d'une redingote épaisse, en drap noir, à revers carrés. Ses mains sont gantées de gris. Devant moi, la face toute d'énergie, aux pommettes saillantes, mongoloïdes, avec une grosse moustache qui accentue le côté bourru et, ombragés sous des sourcils broussailleux, des yeux noirs qui seraient impitoyables si l'ironie ne s'y lisait sans cesse. Sur la tête, un étrange calot, évoquant vaguement celui des poilus de « sa » Grande Guerre.

Comment ne pas lui dire mon émotion, comment ne pas évoquer les jours de gloire ?

— Les grands jours sont loin.

La voix est claire, cinglante.

Il m'entraîne dans son cabinet de travail. J'aperçois

« Je fais la guerre », disait celui qu'on appelait le Tigre ▶
(B.N. estampes) Photo Bibl. nat.

des portes-fenêtres qui ouvrent sur un étroit jardin plein de roses. Une bibliothèque, abondamment garnie de livres. Des bibelots, des souvenirs dont chacun évoque un épisode de sa vie publique. Dans un vase, des tulipes. Il voit mon regard. Ses yeux s'humanisent :

— Ces belles tulipes m'ont été données hier par mon ami Claude Monet, le grand peintre, que j'ai connu alors qu'il n'avait pas de quoi s'acheter des couleurs, et qui maintenant organise une exposition de ses plus belles toiles aux Tuileries, brûlant celles qu'il juge indignes de son talent. Monet m'a demandé d'écrire une page sur cette exposition, et c'est un ami très cher...

Comment ne pas penser que cet homme-là a marqué de son empreinte une page primordiale de notre histoire ? On l'a surnommé le Tigre — et le Tigre a gagné la guerre. En outre, il apparaît doté d'une personnalité aussi éloignée que possible de la banalité. A peine se penche-t-on sur sa vie, et l'on reste fasciné par les contrastes, les combats, les haines, les chutes, et les retours foudroyants. Premier contraste : cet enfant de la catholique Vendée n'avait pas été baptisé. Le petit Georges Clemenceau, fils d'un médecin républicain, n'avait jamais entendu parler de Dieu, mais en revanche il avait pu saluer le buste de Robespierre sur la cheminée de son père. Comment s'étonner que, venu à dix-neuf ans à Paris étudier la médecine, il se soit tout aussitôt intégré dans les rangs de l'opposition républicaine ? Résultat : un mois de prison. Et puis il rencontre Blanqui, lui-même prisonnier. Toujours il s'en affirmera le disciple.

Ses débuts dans la vie politique ? Dès après la proclamation de la République, en 1870, il est désigné comme maire de Montmartre. Il tentera en vain de négocier entre la Commune et Versailles. Après la guerre, il sera élu conseiller municipal. De temps à autre, il se bat en duel. Des rencontres, il en aura presque autant que d'Artagnan. Il n'a pas changé : il est à gauche, radical avancé. Il aime d'un amour farouche la République toute neuve et vacillante. En 1875, il est président du Conseil municipal de Paris. L'année suivante, il entre à la Chambre comme député de Clignancourt. Sa carrière parlementaire est commencée. On sait où elle le mènera.

Comprendre Clemenceau ? Rien de plus malaisé. Alors, l'interroger. L'interroger pour le percer à jour.

— A qui auriez-vous voulu ressembler ?

— J'ai toujours désiré ressembler à Lincoln.

Et dire qu'il aurait pu connaître Lincoln ! Quand il est allé aux Etats-Unis, pour la première fois, Lincoln était mort depuis un an seulement. Mais il a connu Grant.

— Vous avez une autre admiration, plus inattendue : Démosthène.

— Au sens achevé du mot, Démosthène fut un homme, c'est assez. A y bien regarder, c'est beaucoup.

— Encore très jeune, vous avez combattu pour vos idées. Vous avez même tâté de la prison.

— Oui, j'ai connu la cellule obscure, la table scellée au mur et la chaise enchaînée à la table, le pain gluant, dit boule de son, le riz avarié. Et même l'affiche informant le prisonnier — politique, je le souligne — que son ange gardien est enfermé avec lui.

On dirait qu'elle l'amuse, cette prison. Comme si elle était un épisode nécessaire dans une carrière politique digne de ce nom. Il se souvient :

— On me mit dans une cellule où se trouvait une baignoire remplie d'une eau couleur de café au lait. Un homme plutôt crasseux s'y délectait. Quand il en eut assez, on m'invita à barboter dans le même liquide. Seulement, par mesure d'économie, le même bain servait à tout venant. Le règlement, soucieux de propreté, ordonnait que tout nouvel arrivant prît un bain. Comme je faisais des façons, les gardiens m'annoncèrent poliment qu'ils allaient me prendre qui, par les pieds, qui, par la tête, et me faire goûter du café au lait. Je transigeai et j'obtins d'y entrer jusqu'aux genoux seulement.

Déjà sur la brèche pour ses idées (B.N. estampes).
Photo Bibl. nat.

— Cela, c'était au temps de votre jeunesse, sous le second Empire. Vous en étiez loin quand, vers les années 85 et 86, vous combattiez avec vigueur la politique coloniale de Jules Ferry. Permettez-moi d'être franc : c'est une option de votre vie que la postérité a du mal à comprendre. L'acharnement d'un homme comme Jules Ferry à donner à la France un empire colonial, à restaurer sa grandeur ébranlée en 1870, cet acharnement-là nous paraît digne d'admiration. Alors, pourquoi vous en être pris, comme vous l'avez fait, avec tant de violence, à l'œuvre de Ferry ?

De sa main gantée — pour cacher l'urticaire dont il souffre — il a un geste définitif, absolu :

— J'ai combattu Jules Ferry : 1° parce qu'il était incapable de réaliser la République ; 2° parce qu'il jetait nos hommes et notre argent dans des expéditions lointaines tandis que nous pouvions en avoir grand besoin un jour prochain contre l'Allemagne.

— Comment jugiez-vous l'homme ?

— Ce n'était pas un malhonnête homme. Mais du point de vue de l'intelligence, c'était un homme en dessous du médiocre.

— Si c'était à refaire, combattriez-vous encore la politique coloniale de Ferry ?

— Mais de la même façon, avec la même vigueur ! Si nous avions toujours en face de nous l'Allemagne menaçante, une natalité faible, une armée et une marine tout juste suffisantes pour défendre la métropole et si, enfin, la France continuait à vouloir avoir des colonies et pas de colons... Et puis, vous comprenez : je reprochais à Ferry de faire des expéditions coloniales... Je lui reprochais aussi la façon dont il les faisait. Vous n'avez pas idée de ça ! De la folie, du gâchis qui a présidé à tout cela.

— Vous ne critiquiez pourtant pas toute la politique coloniale de la France ?

— Je me suis souvent opposé, dans diverses circonstances qui m'ont été reprochées, à la politique d'expansion coloniale qui nous a été imposée beaucoup plus par le hasard que par la volonté réfléchie des hommes politiques. Mais j'ai toujours fait une exception pour le Maroc...

Curieuse, cette exception marocaine. Il est vrai que quand il se passionnera pour le Maroc, Clemenceau aura été au pouvoir. La perspective n'est pas la même, selon que l'on juge en deçà ou au-delà du pouvoir. D'ailleurs, il revient sur la question de nos colonies :

— J'ai eu peut-être tort de combattre autrefois, avec violence, les conquêtes coloniales... J'avais peur de mourir sans avoir vu la France préparée à la revanche.

— Quelles sont vos idées sur le rôle du pays colonisateur ?

— Je demande que notre colonisation se fonde sur le respect du droit humain. Aux populations à qui nous enlevons leur indépendance, nous devons la compensation d'un régime de justice, de douceur, de haute humanité.

— Certains doctrinaires ont parlé de races inférieures et de races supérieures.

— Races supérieures ! Races inférieures ! C'est bientôt dit. Pour ma part, j'en rabats singulièrement depuis que j'ai vu des savants allemands démontrer scientifiquement que la France devait être vaincue dans la guerre franco-allemande, parce que le Français est d'une race inférieure à l'Allemand... Race inférieure les Hindous ? Race inférieure les Chinois ? Non, il n'y a pas de droit des nations dites supérieures sur les nations inférieures. N'essayons pas de revêtir la violence du nom hypocrite de la civilisation.

— Au cours de votre longue carrière politique, vous avez été terriblement attaqué, notamment lors de l'affaire de Panama ?

— C'est le sort des hommes politiques d'être exposé à toutes les surprises, à tous les attentats... Contre moi j'ai l'orgueil de dire que la meute a donné tout entière d'une rage inouïe. Ce fut une belle chasse, longue et pourtant endiablée, où nul ne s'épargna, ni les valets ni les chiens. Il n'y manqua que l'hallali, trop tôt sonné. Prenant prétexte à tout, dénaturant tout, mentant, calomniant, faisant des faux, toute une bande accusa-

CLÉMENCEAU
Le pas du commandité

Vilipendé, calomnié... (*B.N. estampes*) Photo Bibl. nat.

trice se leva contre moi. On réveilla tout, on fouilla ma vie privée, on n'épargna rien. J'avais assassiné Lecomte et Clément Thomas [1]... J'avais une loge à l'Opéra, je dépensais deux cent mille francs par an et c'était le budget qui payait tout cela... J'avais fait obtenir un avancement inouï dans la Légion d'honneur à M. Cornelius Herz. M. Cornelius Herz était un espion et, par

1. Les généraux Lecomte et Clément Thomas furent mis à mort à Montmartre, malgré les efforts de Clemenceau, par la foule insurgée, le 18 mars 1871, premier jour de la Commune.

conséquent, j'étais son complice... J'avais extorqué à M. de Lesseps des sommes fantastiques...

L'affaire de Panama : c'est vrai qu'elle avait failli le perdre, définitivement. Pour procurer des fonds à l'entreprise du percement du canal de Panama, un personnage trouble, Cornelius Herz, avait remis des chèques à un certain nombre de parlementaires. Un beau jour, la vérité avait éclaté. Le ministre des Finances lui-même, Rouvier, était convaincu d'avoir touché. Il devait démissionner. La séance qui suivit, à la Chambre, dépassa, dans la violence, tout ce qu'on peut imaginer. Et tout à coup, le nom de Clemenceau fut prononcé. On prouva que le journal *la Justice,* dont Clemenceau était directeur, ne vivait que grâce aux subsides de Cornelius Herz. Tout cela était grave.

— Qui a mené le chœur des accusateurs ?

— Toutes les têtes de meute ont donné dans cette clameur furibonde. Au premier rang, à pleins poumons, la presse bien-pensante, la presse dite libérale, tirant argument des rancunes boulangistes ; la presse payée ; les journalistes officiellement gorgés de l'argent de Panama, décernant moyennant finances l'auréole du martyre à des hommes condamnés pour escroquerie... Et puis les hommes d'affaires et de toutes les affaires dans le Parlement et hors du Parlement. Ce fut un dévergondage de vertu, aggravé d'un bouillonnement de haine...

— Quelle fut alors votre réaction ?

— Hué, vilipendé, calomnié à trois millions d'exemplaires, bafoué, lâché, renié, jusqu'à provoquer chez d'anciens ennemis un haut-le-cœur de dégoût, lisant dans les journaux la nouvelle de mon arrestation ou de mon suicide, je me demandais si j'avais vraiment assez fait, dans le passé, pour mériter cet excès d'honneur, si j'étais vraiment assez redoutable dans l'avenir pour justifier cet excès de rage.

Il faut dire que, dans toute cette affaire, les coups bas n'ont pas manqué. En pleine Chambre, n'a-t-on pas accusé Clemenceau d'avoir reçu de l'argent anglais ? On produit des listes de stipendiés, Clemenceau y figure. Ces listes ne sont que des faux, dont les fabricants iront en prison, après avoir tout avoué. N'importe, la calomnie fait son œuvre. Quand Clemenceau se représente dans le Var, sa circonscription est couverte d'affiches le montrant jonglant avec des livres sterling. Et partout, cette devise : *Aoh yes !* Quand il veut parler, la foule hurle : *Aoh yes !*

Mais il se bat, il a cinquante-trois ans, ignore la fatigue, persifle, répond, invective, attaque, ridiculise l'adversaire. Un berger lui demande :

— Enfin, monsieur Clemenceau, pourquoi êtes-vous devenu l'agent de l'Angleterre ?

Alors, Clemenceau ouvre son pantalon :

— Que voulez-vous ? La reine d'Angleterre est folle de ce bijou-là. Elle n'en veut pas d'autre.

Il n'en est pas moins battu aux élections. Il se relèvera.

Un homme comme Clemenceau ne peut vivre que par ou pour la politique. Privé d'une tribune, il se fait journaliste, polémiste. Il était grand orateur, il apprendra à maîtriser son nouveau moyen d'expression, deviendra aussi redoutable la plume à la main. Et c'est le Clemenceau journaliste qui va peser, de tout son poids, dans l'affaire Dreyfus.

— Au début de « l'affaire », vous avez cru à la culpabilité de Dreyfus ?

— Je n'ai point eu le mérite d'avoir, dès le premier jour, pressenti l'iniquité. J'ai cru à la culpabilité de Dreyfus, et je l'ai dit en termes cruels. Il me paraissait impossible qu'une pareille sentence eût été prononcée légèrement par les officiers contre un de leurs pairs.

— Puis, un jour, on vous a communiqué le dossier Dreyfus. Vous vous êtes effaré. Votre conviction a cheminé. Vous vous êtes convaincu qu'il s'agissait d'une effroyable erreur judiciaire. Le 12 janvier 1898, quand Zola vous a apporté sa fameuse lettre au président

Félix Faure, vous avez trouvé vous-même le titre : *J'accuse*. Et puis vous avez engagé le combat. En première ligne.

— Vous avez pris fait et cause pour la réhabilitation de Dreyfus. Mais vous avez vu plus loin que l'affaire d'un homme, même innocent...

— Je suis de ceux qui ont vu, dans l'affaire Dreyfus, par l'effroyable constatation d'une injustice voulue, et maintenue au prix même du crime, un moyen de réveiller les énergies en sommeil. Combattre pour Dreyfus, c'était combattre pour la France... C'était la France qu'il fallait sauver... Une seule forfaiture, un seul déshonneur suffit à perdre l'honneur de tout un peuple.

Il a gagné. Son autorité est sortie renforcée du combat. Mais il reste toujours loin du Parlement. Ses amis se demandent s'il a encore un avenir politique. A cette époque, ce sexagénaire est seul. Sa mère et son père sont morts. Il est séparé de sa femme. Ses enfants le redoutent et le voient peu.

Alors, il découvre un nouvel adversaire. A sa taille, cet adversaire-là, puisqu'il s'appelle Jaurès. Jaurès veut la paix, et la conserver à tout prix.

— Vous avez refusé une telle option ?

— J'avais déjà répondu le jour où, conduisant mon fils encore enfant en Suisse pour lui faire apprendre l'allemand, je lui avais montré l'Alsace en lui disant que c'était une terre française, en dépit des soldats allemands, et que son devoir serait de donner un jour son sang s'il était nécessaire pour refaire la patrie démembrée. Chacun enseigne ses enfants à sa manière.

— En ce temps-là, vous affirmiez que vous vouliez mourir « Français et républicain socialiste dans l'espoir de la délivrance ». Cela vous définit tout entier. C'est à cette époque que vous avez été élu sénateur du Var. Enfin, vous disposiez de nouveau d'une tribune ! Et puis, le 4 mars 1906, pour la première fois, vous devenez ministre, choisissant l'Intérieur. Vous avez combattu les grévistes, dénié aux fonctionnaires le droit de grève. Vous vous êtes opposé à la journée de huit heures, vous avez fait marcher la troupe contre les ouvriers...

— Ceux qui agissent contre la classe ouvrière sont ceux qui l'encouragent à croire qu'elle ne peut avoir tort, et qu'il lui suffit de retourner contre autrui l'oppression dont elle a souffert.

— En 1907, vous avez voulu remplacer les électriciens en grève par les soldats du génie...

— Au nom de quel droit j'ai agi comme je l'ai fait ? Mais au nom du droit qu'a la société de vivre, au nom du droit qu'a le gouvernement d'assurer cette vie. J'ai été l'adversaire, l'ennemi de la C.G.T. en tant qu'association propageant les doctrines de l'anarchie et de l'antipatriotisme. Si on la juge par ses chefs qui prêchent le sabotage... Oui, sus à elle.

— Face aux grévistes, vous avez protégé ceux qui voulaient continuer leur travail.

— J'ai posé en principe que, dans une grève, l'ouvrier qui veut travailler a le droit de travailler, et les pouvoirs publics doivent le protéger dans l'exercice de son droit. Le droit de travailler résulte du besoin de vivre, le droit de grève résulte du droit de l'ouvrier d'améliorer les moyens de vivre, l'intérêt n'est pas égal.

— Vous qui vous proclamiez républicain socialiste, il semble que vous vous soyez montré plus républicain que socialiste. On pourrait dire, avec Jaurès, que vous avez surtout manifesté le préjugé de l'ordre.

— C'est vrai, je l'ai, ce préjugé. Je n'ai peur d'aucune idée, d'aucune proposition accessible à ma raison... Mais rien ne se peut modifier, rien ne se peut créer si l'ordre légal n'est plus maintenu.

— Vous vous êtes assurément révélé un homme de gouvernement. Quand Sarrien est tombé, tout naturellement Fallières vous a appelé à la présidence du Conseil. Votre déclaration ministérielle a surpris. Soudain, c'était l'ouverture sociale. Vous annonciez l'impôt sur le revenu, les retraites ouvrières, la journée de dix heures, des pouvoirs accrus pour les syndicats. Vous

vous déclariez « animé de l'esprit socialiste ». Mais disons que, malgré ces belles paroles, vous avez assuré l'ordre plus farouchement que jamais.

— J'ai dit que j'étais le premier des flics.

— Vous avez suspendu, révoqué les instituteurs qui réclamaient le droit au syndicalisme. A Draveil, vous avez fait ouvrir le feu sur les terrassiers en grève. Vous êtes-vous demandé ce qu'aurait pensé le docteur Clemenceau, votre père ? N'avez-vous pas ressenti l'impression de vous renier ?

Il secoue la tête, farouchement. Cet homme-là, à tous les âges de sa vie, s'est senti sûr de lui, sûr de son bon droit. Probablement doit-il à une telle attitude cette force irrésistible qui, en toute occasion, lui a permis de vaincre.

— Je pensais que la République devait réaliser le développement de la liberté politique et de la justice sociale, dans la culture toujours plus attentive des facultés de sentir, de comprendre et de vouloir.

Voilà le grand mot prononcé : liberté. Nul doute que Clemenceau y était inébranlablement attaché. Mais de quelle liberté s'agit-il ?

— Vous avez combattu l'idée du monopole de l'Etat en matière d'enseignement.

— Avons-nous ruiné le dogme d'en haut pour créer un dogme d'en bas dont l'Etat serait le dispensateur ? L'enseignement national, qui le réglera ? Ses majorités changeantes.

— La liberté de l'enseignement vous a toujours paru nécessaire ?

— Il n'y a, il ne peut y avoir de moyen d'émancipation efficace pour tous que dans la liberté des opinions — mise au-dessus de tout comme instrument supérieur de vérité — dans la concurrence des enseignements divers, où l'Etat, au lieu de s'immobiliser dans le monopole, recevra de ses concurrents l'impulsion nécessaire à son propre développement d'éducateurs. Je crois que la liberté de se réunir, de vivre en commun, fait partie de la charte des droits de l'homme, le droit de prier également, le droit d'enseigner encore. Pour moi, ce droit d'enseignement est la conséquence fatale du droit de penser et du droit de démontrer.

— Et la liberté de la presse ?

— Les républicains ne doivent pas avoir peur de la liberté de la presse. N'avoir pas peur de la liberté de la presse, c'est savoir qu'elle comporte des excès.

— Alors, pour vous, la liberté ?

— Je vous le déclare nettement et sans arrière-pensée : s'il pouvait y avoir un conflit entre la République et la liberté, c'est la République qui aurait tort ! Et c'est à la liberté que je donne raison.

— Vous avez été partisan de la séparation de l'Eglise et de l'Etat ?

— Notre tâche est d'assurer à tous les citoyens, par le régime de la séparation de l'Eglise et de l'Etat, le plein exercice de la liberté de conscience.

— Bien qu'anticlérical convaincu, vous vous êtes efforcé de calmer les passions soulevées contre l'Eglise par Emile Combes, en particulier au moment des « inventaires ».

— Nous trouvions que le fait de savoir si on compterait ou ne compterait pas des chandeliers dans une église ne valait pas une vie humaine.

— Avez-vous varié dans vos idées sur le régime constitutionnel de la République ?

— Pendant une partie de ma vie, j'ai eu foi en la Chambre unique, émanation directe du sentiment populaire. J'en suis revenu. Les événements m'ont appris qu'il fallait laisser au peuple le temps de la réflexion : le temps de la réflexion, c'est le Sénat.

Il vient de parler de l'Eglise et de l'Etat. Assurément, il serait bien intéressant de chercher les raisons de son athéisme militant.

— Vous avez publié *Au soir de la pensée.* A soixante ans de distance, vous réaffirmez les principes impies du jeune étudiant en médecine que vous étiez. Vous ne croyez donc ni en Dieu ni en l'éternité ?

— Le néant est bien supérieur au paradis. Le paradis est une amélioration. Le néant est une perfection.

— Eprouvez-vous de la haine pour l'Eglise ou les religions ?

— Je ne suis pas métaphysicien. Je suis un idéaliste et la grande erreur de Dieu est d'être une personnalisation de l'idéal qu'il limite ainsi désagréablement. Mais je suis tolérant. J'ai là dans la cuisine une vieille bonne qui va à la messe tous les jours...

— Que reprochez-vous à l'Eglise catholique ?

— L'Eglise a surgi au moment où s'effondrait l'Empire romain. Il n'y avait rien alors pour prendre la place. L'Eglise a pris la place... L'Eglise s'est elle-même faite César. On a marché comme cela longtemps... L'Eglise jouant un rôle religieux et un rôle politique. Mais, maintenant que les sociétés ont évolué, la sagesse semble demander à l'Eglise catholique qu'elle sorte du civil et de la politique et s'intéresse uniquement au culte et à la religion. Si elle faisait cela, personne n'aurait plus aucune raison de l'attaquer, et l'amitié mutuelle naîtrait d'elle-même.

— La Grande Guerre n'a-t-elle pas modifié votre jugement ?

— La situation des catholiques en France est complètement renouvelée depuis la guerre. Ils sont estimés et je les estime, et je suis heureux de faire ce que je puis pour eux. Je n'ai pas toujours été comme cela... Si je dois rester en éveil pour prévenir l'envahissement de tout cléricalisme égoïste, j'ai, par contre, trop souvent constaté, aux tranchées, que le christianisme est une école d'idéal pour jamais l'oublier.

— Il y a là une évolution à quoi les chrétiens ne peuvent qu'être sensibles. Mais ne pouvez-vous comprendre la force qu'ils trouvent à prier ensemble ?

— Vous ne savez pas comme on est fort quand on est un isolé.

Je me tais. Il se tait. Il vient de dire quelque chose de capital. Il est bien vrai que Clemenceau a toujours été un isolé. Il est bien vrai que sa force est née de là. Au moment où nous allons le suivre dans ses années les plus belles, les plus pures, il faudra nous en souvenir.

— Depuis la défaite de 1870, vous avez toujours jugé l'Allemagne comme notre plus dangereux adversaire ?

— J'appartenais à la génération qui avait vu perdre l'Alsace-Lorraine et je ne pouvais m'en consoler. Je rappelle à ce propos, avec un innocent orgueil, qu'en 1908, j'ai tenu tête à l'Allemagne dans l'affaire de Casablanca, et que le gouvernement de Guillaume II, après nous avoir demandé des excuses, dut à ma tranquille résistance d'avoir à se contenter d'un simple arbitrage, comme dans n'importe quel litige. Nous n'en étions pas encore à l'humiliante cession d'une partie arbitraire de notre Congo à l'Allemagne par M. Caillaux et par M. Poincaré, son successeur.

— Vous avez, en 1913, vivement regretté l'élection de M. Poincaré à la présidence de la République ?

— On ne devrait jamais mettre à la tête de l'Etat un homme dont le cœur est bourré de dossiers.

— Peut-on dire qu'en 1914 le pays était très mal préparé à la guerre ?

— Le premier effet de notre impréparation fut d'ouvrir le territoire français à l'ennemi. Personne ne s'est présenté jusqu'ici pour prendre la responsabilité de notre manque d'artillerie lourde à tir rapide, ainsi que la scandaleuse insuffisance de nos mitrailleuses, faute si grave que, sans les réactions de la Marne, de la frontière à Paris, notre territoire se trouvait emporté.

— Aurait-on pu prévoir les événements ?

— Etait-il interdit de prévoir que l'Allemagne ferait faillite à sa propre signature en violant la neutralité belge ?... Qui donc ne connaissait pas l'état d'esprit allemand ?...

Je l'écoute parler de la guerre et je pense que, cette guerre, il l'a souhaitée, sans la vouloir. Quand on la lui a imposée, comme aux autres Français, aussitôt il a pensé qu'il fallait la faire. Et la gagner. Dans son journal, *l'Homme libre,* il a écrit : « Et, maintenant, aux armes ! Tous. J'en ai vu plusieurs qui ne seront pas des premières rencontres. Le tour viendra de tous ; il n'y aura pas un enfant dans notre sol qui ne sera pas de l'énorme bataille. Mourir n'est rien ; il faut vaincre. Et pour cela, nous avons besoin de tous les bras. Le plus faible aura sa part de gloire. Une nation, c'est une âme. »

A mesure que la guerre s'avancera, il tonnera contre le défaitisme. Il exigera que l'on se batte jusqu'au bout. Il criera à la trahison. Il s'imposera comme l'homme de la situation. Poincaré, qui le hait — et pour cause — se résignera à l'appeler au gouvernement. Clemenceau a soixante-seize ans. Le gouvernement du Tigre sera une véritable dictature. Les Chambres le laisseront faire. Il faut le voir tel que le dépeint son meilleur biographe, Philippe Erlanger. Chaque jour debout à cinq heures, Clemenceau travaille jusqu'à neuf ou dix heures du soir. Aucun repos, aucun dimanche : il se mobilise lui-même. Aucune pitié pour personne, si ce n'est pour les combattants. Quand il pense aux abominables souffrances qu'ils éprouvent dans les tranchées, son cœur saigne.

— Vous avez visité personnellement les soldats dans les tranchées ?

— C'était un voyage dans la boue glacée. J'ai vu là des pauvres bougres qui sont des êtres sublimes.

— Vous avez pu craindre de voir le pays flancher ?

— Mon point faible, c'était l'arrière... La personnalité nationale était menacée d'on ne sait quel accès morbide, au moment où le canon ennemi s'acharnait sur elle. Cela, je ne pouvais l'accepter.

On discute ses méthodes, on les critique, les socialistes se rebellent. Cinglant, il répond :

— Ma formule est la même partout. En politique intérieure ? Je fais la guerre. En politique étrangère ? Je fais la guerre. Je fais toujours la guerre.

— En 1917, vous avez réussi à apaiser les mutineries.

— Je les ai vus, ces « mutins ». Je leur ai parlé. Il n'était besoin pour en venir à bout que de leur montrer l'Allemand. L'homme le plus courageux était peut-être celui qui ne parlait pas. D'une fin de la guerre, il ne fut jamais question. J'ai vu des gestes imprécis de colère. Tous ces « mutins » n'attendaient qu'une occasion de rentrer dans le rang. D'une façon générale, on peut dire que tout s'arrangea sans répression, au seul cri de « En avant ! »

— Lorsqu'il fut question, en 1918, du commandement unique, comment le choix se fit-il sur Foch ?

— Le seul nom de Foch fut prononcé. Le principal est que Foch avait développé des qualités de premier ordre en de dures rencontres qui appelaient surtout des miracles de résistance, tandis que Mangin, avec ses violences de caractère, avait pu fournir des miracles d'offensive. Tous deux avaient logiquement ce grave défaut de ne pouvoir supporter le pouvoir civil, lorsqu'ils n'en avaient pas besoin.

Au front, avec ses poilus (Lithographie de Sem). B.N. estampes.
Photo Bibl. nat.

— Et Pétain ?

— Pétain, qui n'était pas un moins grand soldat, avait des jours éclatants et des jours d'équilibre. En de mauvaises rencontres, je l'ai trouvé d'héroïsme tranquille, c'est-à-dire maître de lui-même. Pétain ne croyait pas à la victoire finale... Mais c'était un autre homme que Foch. Plus de grandeur morale.

— Vous avez eu un mot très dur pour Joffre, pourtant vainqueur de la Marne.

— Il ne suffit pas d'un képi galonné pour transformer un imbécile en homme intelligent...

— Vous avez soutenu Foch devant les Alliés, mais aussi devant le Parlement.

— Jamais Foch ne s'est douté des luttes que j'ai eu à soutenir d'abord pendant la guerre pour lui assurer le commandement en chef sur les Alliés. Ensuite, une fois la paix faite, pour le maintenir à la tête du Comité militaire et lui procurer en somme la situation qui lui était véritablement due.

Et puis ce fut l'ultime bataille de 1918. Ce fut Paris menacé par Ludendorff, la contre-offensive française, l'attaque allemande stoppée. La Victoire enfin. Pour Clemenceau, une heure unique.

— En octobre 1918, quand commencèrent les délibérations pour la conclusion d'un armistice, quelles furent vos vues ?

— Ce que je peux dire de la préparation de l'armistice tient en deux paroles : 1° accord complet avec le maréchal Foch sur tous les points, sauf sur les effectifs militaires laissés à l'Allemagne ; 2°, désaccord complet avec monsieur le président de la République sur les premiers pourparlers entre Alliés concernant l'éventualité d'un armistice.

— M. Poincaré redoutait un armistice prématuré. Mais vous, vous jugiez alors l'armistice nécessaire ?

— Pour moi, mon devoir était des plus simples. M. Wilson, en nous envoyant l'armée américaine, nous avait posé les quatorze points bien connus... Si j'avais refusé de répondre affirmativement, ce n'était rien de moins qu'un manque de parole et l'unanimité du pays se serait levée contre moi, tandis que nos soldats m'eussent désavoué avec raison... Nous n'avions pas le droit de risquer une seule vie humaine pour un autre résultat. On a répondu que l'éclat du triomphe eût rendu les Allemands plus résignés à la défaite. Ils avaient vu les soldats de Napoléon passer sous la porte de Brandebourg et chacun sait qu'à Leipzig ils l'avaient oublié... Je me serais cru déshonoré si j'avais fait durer cette guerre un jour de plus qu'il n'était besoin.

— Pourtant, certains vous ont durement reproché l'armistice tel qu'il a été conclu.

— Une campagne fut entreprise pour démontrer que nous avions commis une faute impardonnable en acceptant l'armistice au lieu d'aller le faire signer à Berlin... Nous avons accepté l'armistice avec l'idée que le lendemain il pourrait n'être plus possible. Si nous avions été mieux renseignés, nous aurions imposé des conditions beaucoup plus dures.

— Que reste-t-il, pour vous, du 11 novembre 1918 ?

— On a écrit qu'à l'annonce de l'armistice je n'avais pu retenir mes larmes. Je ne m'en cache pas. Le brusque passage de la sombre ardeur du combat aux tumultes d'espérance subitement déchaînés peut ébranler les fondements de l'équilibre humain, parût-il le plus assuré. Ma joie fut débordante et ma confiance même au-delà du raisonnable.

Je le regarde encore et je l'imagine dans la galerie des Glaces, le jour de la signature du traité de Versailles. Il est entré, s'est dirigé tout droit vers des poilus qui attendaient dans les embrasures des fenêtres, des gueules cassées, aux traits effroyablement ravagés. Le Tigre avait exigé qu'ils fussent là. Il leur a serré la main, murmurant : « Merci, mes enfants... C'est à vous que nous devons d'être ici aujourd'hui. » Pourtant, rien ne lui a été plus reproché que ce traité de Versailles. Je le lui dis. Il s'agite :

— On m'a fait un grief du traité de Versailles. Or j'étais seul à représenter l'intérêt continental. En face de moi, il y avait l'Angleterre et l'Amérique. On m'a même fait un crime de m'être contenté des frontières de 1870. Ils auraient voulu celles de Charlemagne. J'ai essayé d'avoir Landau et l'ai dit à Balfour : « Avant Waterloo, nous avions Landau : c'est un coin de terre française. Je ne vous le demanderai pas, mais vous me l'offririez, j'en serais content. » Balfour a posé la main sur mon épaule et m'a dit : « Mon pauvre ami ! » Songez donc que deux jours avant de déposer le traité, on a failli tout remettre en question ! C'est là que Wilson m'a dit : « Vous n'allez pas me renvoyer dans mon pays sans que rien ait été fait ? » Je lui ai répondu : « Je serais désolé, mais je ne pourrais qu'aller vous reconduire au bateau. » C'est comme ça que j'ai eu la Sarre... Et qu'est-ce qu'on en a fait de la Sarre ? Demandez à Poincaré et à Briand ce qu'on a fait de la Sarre.

— Aujourd'hui encore on critique votre action.

— Maintenant on me dit : « Vous n'avez pas obtenu assez ! » Et je prétends que si, moi ! Que j'ai tout obtenu de ce que je devais obtenir. Mais voilà, la valeur d'un traité n'est que dans son application. Il fallait continuer et tenir bon. Qu'est-ce qu'on a fait ? Rien ! Des discours ! Ah ! nom de D... ! Que de discours ! On m'a dit : « Vous auriez dû rompre avec les Alliés. » J'ai failli le faire... Lloyd George voulait deux ans d'occupation ou rien. Wilson a arrangé la chose... Heureusement ! Me voyez-vous disant au Parlement : « J'ai rompu » ? J'aurais eu tout le monde contre moi ! Et à juste raison : c'était l'échec de tout. Le traité n'est pas fameux ; je suis tout prêt à le reconnaître. Mais la guerre ? A-t-elle été fameuse ?... Vingt fois on a cru que tout était fini ! On a touché le fond de l'abîme. Or la France sort de ça, vivante, son territoire reconstitué, son empire colonial agrandi, l'Allemagne brisée, désavouée, sous la menace de nos canons — et voilà : M. Marin n'est pas content.

Pourquoi Georges Clemenceau n'est-il pas mort le

11 novembre 1918 ? Il avait gagné la guerre. Il n'a pas gagné la paix. Mais un autre aurait-il pu la gagner, empêtré qu'il eût été, lui aussi, dans les contradictions alliées ? Ce n'est pas sûr. Mais une mort du Tigre le jour de la Victoire lui eût épargné l'humiliation que l'Histoire ne pardonne pas à ses adversaires : celle de se voir préférer Deschanel comme président de la République.

— Comment expliquez-vous ce choix, alors que la France entière vous vénérait ?

— Toute cette affaire s'est passée très normalement. Le Parlement s'est prononcé... Je n'ai rien demandé, je ne voulais pas être candidat... Mes amis sont revenus à la charge de tous côtés, on m'a dit que c'était un devoir, que le pays avait encore l'usage de mes services... J'avais bien besoin de repos, mais je n'ai pas l'habitude de me dérober...

— Vous n'avez pas regretté l'Elysée ?

— Je n'y serais pas resté trois mois. Ce qu'il leur fallait, c'était quelqu'un qui leur fichât la paix. Moi, je n'aurais pas attendu huit jours. Je me serais cabré.

— Bien des Français ont été indignés.

— Cette élection m'a permis de constater qu'il y a deux choses dont on peut parfaitement se passer : la prostate et la présidence de la République.

Il a sans doute raison. La tradition de la IIIe République avait vidé la première magistrature de l'Etat du contenu qu'avaient voulu lui donner les constituants de 1875. Ou bien Clemenceau se serait résigné à inaugurer les chrysanthèmes — cela lui ressemble peu — ou bien il aurait voulu user de toutes ses prérogatives constitutionnelles. Très vite, le Parlement l'aurait placé devant la nécessité du choix imposé à Mac-Mahon : se soumettre ou se démettre.

Il est resté libre. Libre face à lui-même. Libre de dire aux Français les vérités qui ne leur plaisent pas toujours.

— Une nouvelle guerre franco-allemande vous semble-t-elle possible ?

— Sans trop prendre la peine de s'en cacher, les

vaincus d'hier consacrent le meilleur de leurs efforts à rassembler, à coordonner leurs énergies, tandis que les vainqueurs, divisés, se noient dans un déluge d'invocations verbeuses à une métaphysique de la paix, accommodée à toutes vues d'intérêt immédiat. Qui donc ne voit la menace, à courte échéance, d'un retour à la politique de domination armée, et d'une revanche du traité de Versailles, par les roidissements de volonté de l'agresseur terrassé ?

— Et l'attitude de la France ?

— Quand un peuple s'abandonne à lui-même, il n'y a pas de magicien pour le sauver... On ne subit pas son salut, on le fait.

— La menace vous semble-t-elle présente ?

— Dans cinq ans, dix ans, quand ils voudront, les Boches entreront chez nous. Personne n'a peur ? Personne ne voit ce qui va se passer ? J'ai pénétré parfois dans l'antre sacré du culte germanique qui est, comme on sait, la brasserie. Une grande nef d'humanité massive où s'accumulent, dans les relents de la bière et du tabac, les grondements populaires d'un nationalisme soutenu par les mugissements de cuivre emportant au plus haut la voix suprême allemande : « *L'Allemagne au-dessus de tout !* » Hommes, femmes, enfants, pétrifiés devant le grès divin, les yeux perdus dans un rêve d'infini... boivent à longs traits la céleste espérance de réalisations inconnues. Il ne restera plus qu'à réaliser, tout à l'heure, au signe du chef, marqué par le destin.

— Votre pessimisme est donc absolu ?

— Nous allons à une catastrophe si complète qu'il m'est impossible de découvrir une issue. Le pire, c'est que les polichinelles qui nous ont mis à ce point ne soient qu'en partie responsables... Le pays a tout toléré.

Ce vieil homme a retrouvé la force de sa jeunesse pour se muer en prophète. Il avertit pour prévenir. Mais, même à un vainqueur, il appartient rarement d'être écouté quand il prédit le pire.

Avec son grand ami Claude Monet à Giverny (*Photo prise par Sacha Guitry en* 1918).

Au-delà des portes-fenêtres, les roses frémissent au souffle d'un vent léger. Ces roses que lui a fait aimer Claude Monet, son ami. J'aime que la peinture ait passionné le Tigre. J'aime que le théâtre l'ait attiré, et les lettres, et la philosophie. Par ces traits-là, l'image se complète de l'ex-pourfendeur de ministères. Clemenceau se fige dans son image d'éternité.

— Avec l'âge, monsieur le président, vous avez acquis une grande sagesse ?

— J'ai encore de temps en temps des petites bouffées de colère, ce n'est pas mon âme profonde et réelle. En moi, il n'y a plus essentiellement que de la paix et de l'oubli... Considéré de l'étoile Vega de la Lyre, le plus grand de nos hommes d'Etat ne paraît pas mériter tant de haine. Les hommes ne m'amusent plus. Je trouve qu'on attache aux hommes une importance exagérée. C'est comme ces gens qui consacrent toute leur vie à faire une collection de coléoptères. Il doit tout de même y avoir autre chose. J'ai passé l'existence à être impatient, et à mesure que la vie m'échappe, j'ai appris la patience et je crois pouvoir assurer que, désormais, je me conformerai à ce genre de vie.

— Vous ne pouvez méconnaître que tous admirent votre jeunesse d'esprit.

— On s'étonne quelquefois et même on me fait compliment de ma verte vieillesse. Si je me maintiens en bon état, c'est à force de surveillance et parce que j'ai fini par savoir très exactement ce qui me convient et ce qui ne me convient pas. Il n'y a pas de vieillesse, on n'est vieux qu'à partir du moment où on prend son parti d'être vieux.

— Comment concevez-vous donc le bonheur ?

— Je ne vous cacherai pas que le bonheur me paraîtrait être dans la végétation sans la férocité de la famille broutante, cruelle aux pissenlits. J'opterais donc, en fin de compte, pour l'état minéral, s'il ne devait se trouver menacé au premier accident du soleil...

— Comment jugez-vous la vie ?

— Il faut se dépêcher de prendre en ce bas monde sa part de bien-être. On ne sait pas si on pourra la prendre dans l'au-delà. Les données manquent...

— Vous avez aimé à vous reposer en Vendée. Comment vous trouvez-vous à « Bel Ebat » ?

— Ma maison tient encore debout. Les fleurs poussent. Je m'y trouve bien... je me repose, je me détends et j'attends la fin en souriant.

— En regardant vos roses ?

— Elles m'ont coûté autant d'efforts que la guerre.

Pour arriver à ce résultat, j'ai dû signer un traité de paix avec mon jardinier.

— Votre jardin vous apparaît donc comme un paradis ?

— A six mètres de la vague, j'ai un rosier qui compte onze fleurs épanouies, sans compter les boutons. Des glaïeuls, des géraniums qui font mal aux yeux, et des tomates décoratives qui rougissent au moindre propos risqué... Des fleurs partout. Des milliards de roses. Un nid de merles à vingt centimètres de ma porte. Et un air qu'on boit en ivrogne.

— Comment jugez-vous vous-même votre vie ?

— J'ai tout eu, en trop. J'ai été violemment critiqué, beaucoup injurié. J'ai été soupçonné de toutes sortes de crimes... Par contre, on m'a tressé des couronnes imméritées. Pourtant, je n'ai rien fait d'extraordinaire : je me suis trouvé au moment voulu. Voilà tout.

Il dit qu'il est devenu sage. Peut-être. Mais rien n'a pu étouffer la prodigieuse énergie qu'il a reçue comme un don, en naissant. De ce vieil homme, elle déborde, comme une flamme irradie la lumière. Il n'a pas peur de la mort. Il n'est pas de ces vieillards qui fuient le grand sujet. Alors, ce sera ma dernière question.

— Savez-vous que vos obsèques marqueront le deuil de la France ?

Il se récrie, s'agite, redevient furieux. Pour moi, sa dernière colère :

— Pas d'obsèques ! Pas de prêtres surtout ! Pas de femmes qui pleurent ! Et pas d'hommes non plus. Ni manifestation, ni invitation, ni cérémonie. Autour de la fosse, rien qu'une grille de fer sans nom, comme pour mon père. Pas de nom. Pas de respect menteur ou sincère, pas de vaines simagrées. ***Rien. J'ai passé, j'ai dit. C'est assez.***

Nous tenons à remercier, pour leur contribution, le musée de l'Ermitage à Leningrad, Mme Langlois-Berthelot et le musée Clemenceau, l'ambassade des Etats-Unis, Mme Christiane Neave et l'Association des amis d'Alexandre Dumas.

Jaquette et pages de garde :

Les photographies des portraits de Louis XIV, Mme Roland, Saint-Just, Marat, Napoléon, Talleyrand, Fouché, A. Dumas proviennent de l'agence Bulloz. Les portraits de Voltaire, Mirabeau, Chateaubriand, G. Sand, Napoléon III, Hugo, Thiers, Clemenceau ont été photographiés par le service photographique de la Bibliothèque nationale.

TABLE DES MATIERES

ACHEVÉ D'IMPRIMER
SUR LES PRESSES DE
L'IMPRIMERIE HÉRISSEY
A ÉVREUX (EURE)
LE 21 AVRIL 1977

N° d'éditeur : 445 N° d'imprimeur : 19426
Dépôt légal : 2e trimestre 1977

ISBN 2-262-00063-8

Les face à face de l'Histoire

Louis XIV

Voltaire

Saint-Just

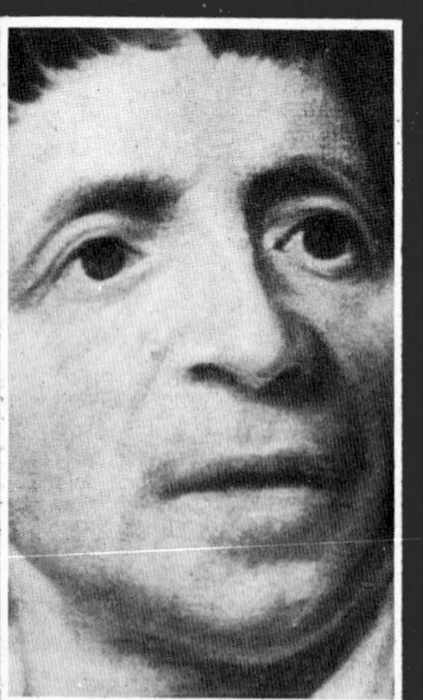
Marat

Napoléon

A. Dumas

G. Sand

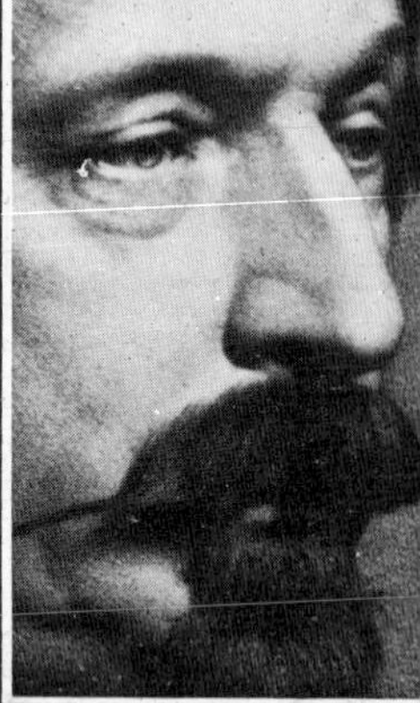
Napoléon III